L'intelligence intuitive du cœur

La Solution HeartMath

Doc Childre et Howard Martin
avec Donna Beech

Traduit de l'américain par Michel Saint-Germain

Titre original anglais :
THE HEARTMATH SOLUTION

publié par HarperCollins Publishers Inc.,
10 East 53rd street, New York, NY 10022
www.harpercollins.com

1209, av. Bernard O., bureau 110, Outremont, Qc,
Canada H2V 1V7
Téléphone : (514) 276-2949, télécopieur : (514) 276-4121
Courrier électronique : info@ariane.qc.ca
Site Internet : www.ariane.qc.ca

Révision linguistique : Monique Riendeau, Michelle Bachand
Graphisme : Carl Lemyre
Mise en page : Kessé Soumahoro

Première impression : Avril 2005

ISBN : 2-920987-93-3
Dépôt légal : 2e trimestre 2005
Bibliothèque nationale du Québec
Bibliothèque nationale du Canada
Bibliothèque nationale de Paris

Diffusion
Canada : ADA Diffusion – (450) 929-0296
www.ada-inc.com
France, Belgique : D.G. Diffusion – 05.61.000.999
www.dgdiffusion.com
Suisse : Transat – 23.42.77.40

Imprimé au Canada

Dédicace

Ce livre est dédié aux millions de gens qui veulent en savoir davantage sur l'alignement de l'esprit sur le cœur ou qui se rendent compte qu'il est temps pour eux d'apprendre à gérer leurs émotions d'une façon pratique afin de survivre et de réussir dans le monde changeant d'aujourd'hui.

Ariane Éditions souhaite remercier

Jules Gauthier M.D. et Denise Chouinard M.Ed., de l'Institut de Psychophysiologie Appliquée, d'avoir porté à son attention l'importance de la recherche effectuée à l'Institut HeartMath.

Avertissement au lecteur

Ce livre est destiné à fournir une vue d'ensemble des nouvelles recherches portant sur le rôle du cœur dans le bien-être. Ces recherches sont référencées en détail à l'intention des lecteurs qui désireraient poursuivre leur propre étude du sujet. Tous les efforts ont été faits afin de livrer l'information la plus précise, la plus fiable et la plus actuelle. Toutes les techniques, tous les traitements ou les changements de mode de vie que ce livre suggère ou auxquels il fait référence ne devraient être entrepris que sous les conseils d'un médecin, d'un thérapeute ou d'un praticien des soins de santé autorisé, et ne doivent pas remplacer des thérapies éprouvées et des recommandations médicales solides.

Table des matières

Préface

Il est rare de trouver une solution qui dépasse largement le problème de départ, et pourtant c'est ce qui m'est arrivé avec le travail évolutionnaire de HeartMath [Les mathématiques ou sciences du cœur NDT].

Dans la vie moderne, nous faisons référence au cœur dans plusieurs contextes bien différents : nous avons du «cœur», nous donnons du «cœur» à l'ouvrage, quelque chose nous tient «à cœur», nous écoutons notre «cœur», nous sommes de tout «cœur» avec quelqu'un, ou nous parlons à «cœur» ouvert. Que veut vraiment dire le mot «cœur» dans ces expressions courantes? Il ne désigne certainement pas l'organe appelé «cœur», que j'ai étudié au cours de ma formation médicale — une pompe qui, à chaque seconde, fournit l'oxygène et les nutriments du sang à toutes les cellules de notre corps.

La médecine conventionnelle occidentale ne parle du cœur qu'en termes de fonction physiologique. Selon cette définition médicale, le cœur est un organe musculaire aux cavités multiples, où s'enchevêtrent des circuits électriques. Il est souvent décrit comme une pompe, et les artères comme des tuyaux — essentiellement l'équivalent biologique de la pompe à eau et de la plomberie de votre maison. Cette description contraste si fortement avec notre sentiment émotionnel du cœur qu'on finit par se demander s'il n'y aurait pas un lien quelconque entre le littéral et le figuré, entre le physique et le mystique. Cette question sous-tend la solution HeartMath, et sa réponse peut avoir un effet important sur la santé et le bien-être général.

La différence entre la définition physique du «cœur» et sa définition émotionnelle est enracinée dans la division entre le corps et l'esprit, si omniprésente dans la médecine actuelle. Nous ne faisons plus le lien entre le rôle de nos pensées et de nos stress quotidiens et leurs effets sur le corps physique. Tout au long de la formation médicale, on explique les maladies par leurs causes bactériennes, métaboliques, toxiques et autres, mais on ignore largement la relation existant entre nos pensées ou nos émotions et un changement physique. Dans une certaine mesure, cela a engendré un modèle médical qui peut être déshumanisant car il se concentre uniquement sur les manifestations physiques précises de la maladie, perdant ainsi de vue l'ensemble de la personne.

Des professionnels de la santé, préoccupés par cette séparation entre le corps et l'esprit, ont réagi en développant des domaines tels que la psychosomatique et la médecine du comportement, et, plus récemment, la psychoneuro-immunologie. Pour remédier à cette séparation, de nouvelles pratiques ont évolué, qu'on a appelées «holistiques», «complémentaires» ou «intégratrices», et qui s'efforcent de considérer l'ensemble du corps, du mental et de l'âme. HeartMath — dont le mérite repose sur sa simplicité et sa profondeur — constitue l'une de ces approches.

En tant que médecin, je suis fasciné par la relation entre le temps et la santé. Dans la société moderne, la plupart d'entre nous avons l'impression de ne jamais avoir le temps — un sentiment engendrant la frénésie et la précipitation qui sous-tendent tout notre stress, et provoquent des maladies et des troubles graves. Reconnaissant que le temps est une dimension rythmique de la vie, j'en suis venu à considérer la santé comme un délicat équilibre du rythme, tandis que la maladie résulte d'une rupture de cet équilibre. À une époque où le chaos et le bris du rythme font partie de la vie quotidienne, il est essentiel de développer des exercices qui aident à rétablir et à régulariser les rythmes normaux, et ainsi favorisent la santé. Le travail présenté ici par Doc Childre et Howard Martin dans *La solution HeartMath* enseigne comment changer les schémas et les rythmes à l'intérieur du corps physique, et y rétablir la santé en comprenant que le cœur est plus qu'une simple pompe physique et que les rythmes mêmes sont régulés par l'amour.

Ce livre montre en profondeur que le cœur est au centre de notre corps et de notre façon de penser et de sentir. La «solution» consiste d'abord à comprendre que le cœur est à la fois un objet physique, un organe rythmique, et l'amour même. Elle reconnaît le cœur comme étant la force rythmique centrale du corps, et nous montre comment utiliser le pouvoir cohérent de l'amour pour gérer nos pensées et nos émotions. Tel un caillou qui crée une série de cercles lorsqu'on le jette dans un étang calme, l'amour et les sentiments positifs du cœur créent un rythme qui répand la santé et le bien-être dans tout le corps. La médecine moderne a de la difficulté à comprendre cela, à cause de notre tendance à séparer et à différencier l'esprit et la matière, les émotions et le corps physique, au lieu de reconnaître le lien existant entre eux.

En découvrant HeartMath, j'ai été frappé par sa combinaison inhabituelle de recherche scientifique et de sagesse émotionnelle. Je connaissais déjà des études suggérant que la méditation ou la pensée positive permettent à une personne de mieux se sentir, d'être moins déprimée ou plus en santé, mais ces études peuvent être considérées comme de la science «légère». Dans HeartMath, cependant, je trouvais des études montrant d'importants changements du rythme cardiaque et de la chimie sanguine. HeartMath représente un point de convergence important, en montrant véritablement l'effet de l'amour, de la compassion et de la gratitude sur des problèmes physiologiques sous-jacents. Ce livre démontre clairement que les exercices de HeartMath affectent profondément notre santé car ils ont un effet positif sur notre façon de penser, de sentir, de travailler ensemble et d'être en relation dans tous les aspects de la vie.

Si nous prenons ce livre au sérieux, nous porterons à jamais un regard neuf sur nous-mêmes, sur les autres ainsi que sur le monde qui nous entoure. La recherche de HeartMath confirme notre compréhension intuitive du cœur au moyen de recherches scientifiques fiables et explique comment le champ électromagnétique qui irradie à partir du cœur peut affecter notre entourage. Les outils et techniques de HeartMath nous montrent comment passer de la pensée linéaire au sentiment intuitif, nous fournissant une plus grande intelligence et des solutions créatrices devant nos défis présents et futurs.

La solution HeartMath est prometteuse pour une société qui considère la science comme sa religion et exige des études et des résultats scientifiques comportant des variations numériques significatives avant d'accorder de la crédibilité à une approche. La force de la solution HeartMath, c'est d'être enracinée à la fois dans la recherche et la compréhension scientifiques, et dans la sagesse de l'amour. Elle donne un sens nouveau — et pourtant ancien — au «cœur», un sens englobant tous les aspects de ce que nous en savons.

Dr Stephan Rechtschaffen
Auteur de *Time Shifting* et président d'Omega Institute.

Remerciements

La création de *La solution HeartMath* a été toute une expérience. Bien qu'il existe d'autres livres portant sur des aspects spécifiques de HeartMath, celui-ci a été écrit afin de rassembler un grand nombre de ces éléments en une seule source, tout en présentant de l'information, des applications et des expériences nouvelles obtenues au cours des quelques dernières années. Pour atteindre ce but et rédiger un livre définitif sur HeartMath, nous avons demandé l'aide et le soutien de plusieurs personnes.

De nombreux amis et collègues ont passé des années de service dévoué, sur le plan personnel et professionnel, à développer et à appliquer le système HeartMath. Certaines de ces personnes ont apporté une contribution valable à ce livre et elles continueront sans doute à contribuer de bien des façons (visibles et invisibles) à son succès. Nous aimerions leur exprimer nos remerciements.

Mille mercis à :

Sara Paddison, présidente de l'Institute of HeartMath, pour son dévouement, ses conseils et sa direction ferme, et pour son aide inappréciable à la réalisation du projet de *La solution HeartMath*.

Deborah Rozman, première vice-présidente de HeartMath LLC, pour son aide incommensurable à l'écriture de ce livre et pour sa contribution à la manifestation de HeartMath, par sa formation et son expérience en psychologie, ainsi que ses talents de femme d'affaires, son leadership et sa représentation publique.

Rollin McCraty, directeur de la recherche de l'Institute of HeartMath, et ses collègues, pour avoir mené une recherche scientifique de pointe qui est en train de créer un nouveau modèle pour notre vision du cœur, tout en améliorant la santé de milliers de personnes.

Bruce Cryer, vice-président du développement commercial mondial de HeartMath LLC, et son équipe, qui ont fait entrer ce travail d'une façon si habile et si efficace dans des entreprises et des organisations du monde entier.

Joseph Sundram, pour son dévouement lorsqu'il a fait pénétrer HeartMath dans des sociétés d'État et dans l'armée, de même qu'auprès des défavorisés, qui ont tant besoin d'aide.

Jeff Goelitz et Stephanie Herzog, pour la contribution innovatrice qu'ils apportent à l'éducation et au développement de l'enfant.

David McArthur, pour son engagement profond à fournir HeartMath à des organisations religieuses de toutes sortes.

Jerry Kaiser et Robert Massy, pour le travail de pionnier qu'ils effectuent auprès de fournisseurs de soins de santé ainsi que d'individus aux prises avec des difficultés liées à leur santé.

Des remerciements particuliers à Kathryn McArthur, Dana Tomasino, Wendy Rickert et Mike Atkinson, pour s'être occupés des nombreux détails requis par l'achèvement de ce livre.

Comme il y a beaucoup d'autres personnes à apprécier, à tout le moins, nous vous remercions tous pour la sincérité de votre travail, de votre soutien, et votre profonde amitié.

Beaucoup d'amour et de respect à tous les membres du personnel de l'Institute of HeartMath, de HeartMath LLC, et de nos partenaires et associés du monde entier.

Nous aimerions également remercier tout le personnel de Harper San Francisco, pour la confiance et le soutien qu'ils ont apportés à *La solution HeartMath*. Merci également à Donna Beech, l'excellente collaboratrice à la rédaction qui nous a aidés tout au long de l'écriture de ce livre, tout en rendant la tâche encore plus amusante, et à notre agent, Andrew Blauner, qui serait nettement finaliste pour le prix de «l'agent littéraire le plus sincère» si jamais un tel prix était décerné.

Nous avons sincèrement apprécié le dur travail que ces nombreuses personnes ont investi dans ce livre avec le plus sincère dévouement.

Doc Childre et **Howard Martin**

Introduction

Le système HeartMath, qui a inspiré le présent ouvrage, a été créé par Doc Childre, chercheur et auteur d'ouvrages sur le stress, et consultant auprès d'éminents médecins, scientifiques et gens d'affaires. La vision innovatrice de HeartMath en matière de psychologie, de physiologie et de potentiel humain fournit un nouveau modèle d'efficacité à la vie moderne.

Doc Childre a consacré la majeure partie de sa vie d'adulte à la recherche et au développement qui lui ont permis de créer le système HeartMath. Son but, en concevant ce système, a été de donner aux gens la capacité de déployer une nouvelle intelligence, une plus grande sollicitude et des sentiments de compassion, pour les aider à répondre aux nombreux défis de la vie avec résistance et assurance. C'est à partir de ce désir sincère d'aider les gens que Doc, avec un petit groupe de professionnels possédant une large gamme de compétences, une grande expérience et une considérable expertise, fonda en 1991 l'Institute of HeartMath, une organisation de recherche et d'éducation sans but lucratif. L'institut a alors effectué des percées dans les domaines des neurosciences, de la cardiologie, de la psychologie, de la physiologie, de la biochimie, de la bioélectricité et de la physique. Afin de faire avancer les objectifs de recherche, on a formé un conseil consultatif scientifique, composé de leaders dans un certain nombre des domaines mentionnés plus haut, afin de fournir des conseils et une évaluation des pairs. Cette collaboration a mené à des découvertes stimulantes qui sont présentées dans ce livre.

Les techniques scientifiquement validées du système HeartMath ont été intégrées à des séminaires et à des projets de consultation livrés par HeartMath LLC, le principal organisme de formation autorisé par l'institut et dirigé par Doc Childre, et par l'entremise de ses formateurs autorisés dans le monde.

Aujourd'hui, le système HeartMath est officiellement enseigné dans quatre continents et dans divers contextes sociaux, y compris des entreprises, des sociétés d'État, des institutions de soins de santé et des systèmes d'éducation.

Je participe au développement de HeartMath depuis presque trente ans et j'ai assumé plusieurs rôles aux divers stades de la croissance du système. Au cours des huit dernières années, j'ai surtout été un homme d'affaires ainsi qu'un formateur et porte-parole de HeartMath. Je suis présentement premier vice-président de HeartMath LLC, une compagnie de marketing qui crée et publie des produits basés sur le système HeartMath. Ces rôles m'ont placé au centre d'une grande partie des activités de HeartMath dans le monde. On m'a donné l'occasion de collaborer à ce livre et d'exprimer une partie de ce que j'ai appris à propos du cœur, de moi-même, des gens et de la vie au cours de ces nombreuses années. Je suis très honoré de le faire.

J'ai commencé ma découverte du cœur pendant mes années de jeune musicien rock vivant en Caroline du Nord. Alors que j'essayais de tirer une signification cohérente d'une vie assez chaotique, j'ai commencé à écouter la voix de mon cœur. J'ai souvent trouvé que c'était une boussole fiable pour prendre des décisions importantes. Cela m'a motivé à continuer. Heureusement, mon association avec Doc et son travail, à l'époque, m'a offert la chance d'en apprendre davantage. Le fait de développer à un jeune âge un respect pour l'intelligence du cœur a été, de loin, la cause la plus importante de mon succès dans la vie.

L'un des buts de ce livre est de vous confirmer, cher lecteur, ce que vous sentez ou savez peut-être déjà : que le cœur a quelque chose à voir avec la connaissance de soi, des gens et de la vie. Si vous prenez à cœur ce que vous lirez ici et que vous faites un effort, même ténu, mais sincère, pour appliquer ce que vous aurez appris, vous connaîtrez un profond changement de vos perceptions et de vos émotions. La vie réagira en conséquence. Vous n'aurez pas à attendre des années avant de bénéficier de la solution HeartMath. En fait, elle vous épargnera des années de recherche de réponses qui ne sont pas plus éloignées que ne le sont l'un de l'autre l'esprit et le cœur.

Aujourd'hui, le temps nous manque pour devenir des êtres humains plus intelligents et plus bienveillants. Nos défis actuels et futurs exigent la découverte de nouvelles ressources intérieures nécessaires pour changer à un rythme plus rapide. Le système simple offert par *La solution HeartMath* vous montre comment établir un lien direct avec l'intelligence intuitive du cœur. Lorsque les gens développent cette intelligence, elle leur donne la force dont ils ont besoin pour gérer leur mental et leurs émotions, et atteindre une plus grande capacité de créer des changements positifs dans la société.

La solution HeartMath présente trois types d'information : des concepts, des outils et techniques, et de la recherche biomédicale, psychologique et sociologique. La combinaison de ces éléments fournit un système complet, destiné à déverrouiller un potentiel inné et à atteindre rapidement un avancement personnel, interpersonnel et social.

Dans le monde actuel, bien des gens mettent leur foi dans la science et la technologie, retirant une connaissance, une inspiration et un confort satisfaisants des améliorations de la vie que fournit la science. D'autres ont le sentiment intuitif que la foi en la science nous limite et qu'il faut quelque chose de plus pour que l'âme humaine soit comblée.

L'un des aspects les plus stimulants de la vie, à l'aube du nouveau siècle, est la possibilité d'une fusion entre la science et la spiritualité. Comme vous le verrez dans ce livre, nos années d'expérience, de pratique et de recherche nous suggèrent que le cœur constitue la voie menant à cette union.

Grâce aux recherches de l'institut et d'autres organisations, nous avons démontré de manière irréfutable que le cœur possède vraiment une intelligence qui influence nos perceptions. Le défi de notre recherche a été de voir si (et comment) le «cœur» philosophique ou métaphorique et le cœur physique interagissent. Nous avons découvert que c'est bien le cas, et qu'ils le font de plusieurs façons. Aussi impressionnantes que soient nos découvertes, cependant, il reste encore beaucoup à apprendre. Parce que les instruments scientifiques disponibles ne peuvent mesurer tous les effets du cœur, le tableau n'est pas encore complet. Les neurocardiologues et autres scientifiques commencent tout juste à cartographier les voies de communication entre le cœur et le cerveau et à en comprendre les mécanismes.

Au-delà de nos démonstrations scientifiques, notre propos est le suivant : le cœur nous relie à une intelligence supérieure à travers un domaine intuitif où l'âme et l'humain fusionnent. Ce domaine intuitif est beaucoup plus grand que ce que la capacité perceptrice de la race humaine n'a encore été capable de saisir. Nous pouvons toutefois développer cette capacité perceptrice en apprenant à faire ce que les sages et les philosophes nous demandent depuis des siècles : écouter et suivre la sagesse du cœur.

La science peut nous apprendre beaucoup, mais nous n'avons pas à attendre qu'elle ait tout prouvé avant de pouvoir accéder à la sagesse et à l'intelligence de notre cœur. Bien des gens sentent intuitivement qu'un tel accès est possible; en fait, ils l'attendent avec impatience, mais ils ne savent tout simplement pas comment y arriver. Une méthode fiable, voilà ce dont ils ont besoin.

La solution HeartMath offre une méthode graduelle de développement de l'intelligence intuitive du cœur. Ce n'est pas le seul système existant qui propose l'équilibration du mental et des émotions et le contact avec l'intuition du cœur, mais c'est un système qui fonctionne. HeartMath est présentement appliqué avec succès par plusieurs milliers de gens qui utilisent systématiquement les outils et techniques que nous offrons pour augmenter leur conscience.

À mesure que le stress augmente dans le monde, des gens cherchent des façons de trouver un plus grand équilibre mental et émotionnel dans leur vie. À mesure qu'ils s'éveillent à de nouvelles possibilités, ils deviennent motivés à mieux se gérer mentalement et émotionnellement, dans des domaines qu'ils ont évités auparavant ou qu'ils n'ont pas su aborder. Ces gens deviennent ainsi des pionniers qui ouvrent la voie à d'autres.

Mon espoir, en partageant ce travail, est d'aider les gens à atteindre un degré beaucoup plus élevé de bien-être mental et émotionnel ainsi que d'expansion de la conscience, et à ressentir une satisfaction accrue. Dans ma pratique du système HeartMath, j'ai appris, entre autres, que cette satisfaction commence en soi, puis devient évidente à l'extérieur, où elle s'apprécie le plus.

Si j'ai pu être satisfait au-delà de mes attentes, la même chose peut vous arriver. Je crois sincèrement que si j'ai reçu autant de bienfaits, c'est parce que j'ai appris à écouter et à suivre mon cœur. *La solution HeartMath* en donne justement les moyens. Doc et moi-même vous souhaitons beaucoup de plaisir!

Howard Martin

PARTIE 1

L'intelligence du cœur

La solution HeartMath est un système complet qui fournit de l'information, des outils et des techniques permettant d'accéder à l'intelligence du cœur. La première partie est conçue de manière à vous fournir la base nécessaire pour entreprendre la première étape de la solution HeartMath : reconnaître l'intelligence de votre cœur.

La première section décrit l'intelligence du cœur, explique comment elle fonctionne, et expose les raisons de son importance. Nous y présentons les résultats d'une recherche scientifique qui révèle qu'une intelligence réside dans le cœur, et qui montre comment le cœur communique avec le cerveau et le reste du corps. Cette recherche a démontré que, lorsque l'intelligence du cœur est enclenchée, elle peut abaisser la pression sanguine, améliorer le système nerveux et l'équilibre hormonal, et faciliter les fonctions cérébrales.

Afin que le mental, les émotions et le corps fonctionnent de façon optimale, le cœur et le cerveau doivent être en harmonie l'un avec l'autre. Apprendre à aligner ces deux sources d'intelligence intégrées mais séparées fait l'objet d'une autre partie importante de cette section.

Dans la première partie, vous allez :

- ➢ comprendre ce que signifie l'intelligence du cœur;
- ➢ comprendre la communication biologique entre le cœur, le cerveau et le reste du corps;
- ➢ faire la différence entre la tête et le cœur.

CHAPITRE 1

Au-delà du cerveau : l'intelligence du cœur

Il était 5 h 45, le matin du lundi 6 février 1995. Nous étions au centre d'affaires de HeartMath, à Boulder Creek, en Californie. Le docteur Donna Willis, rédactrice en chef médicale de l'émission *Today*, du réseau NBC, avait appelé, l'après-midi de la veille, pour dire qu'on avait décidé de diffuser un segment d'émission sur notre travail le lendemain matin. Le titre : «L'amour et la santé». Le docteur Willis commencerait par un survol des recherches effectuées par l'Institute of HeartMath sur l'énergie électrique produite par le cœur. Puis elle parlerait à l'animateur Bryant Gumbel et aux téléspectateurs de notre technique du Freeze-Frame, (voir glossaire) qui utilise le pouvoir que possède le cœur de gérer le mental et les émotions.

«Nous n'aurons que quelques secondes pour leur donner votre numéro, dit le docteur Willis, mais vous devriez peut-être affecter certains de vos employés au téléphone, juste au cas.»

Avec peu de temps pour nous préparer, nous nous sommes rapidement arrangés avec notre personnel pour qu'il arrive tôt afin de recevoir des appels — et heureusement que nous l'avons fait! Dès que le numéro de téléphone est apparu à l'écran, le standard s'est allumé. Tout le reste de cette journée-là, jusque tard le soir, puis toute la journée du lendemain, nous avons reçu presque continuellement des appels. Chaque fois que l'émission était diffusée dans un nouveau fuseau horaire, une autre vague d'appels arrivait.

Nous avons parlé à des milliers de gens de tout le pays : à des parents anonymes vivant dans des ghettos de grandes villes, comme à d'éminents scientifiques, médecins, hommes d'affaires, éducateurs et ministres du culte. Nous avons reçu des appels de partout dans le monde — tout cela à cause d'un segment de quatre minutes à la télévision nationale où clignotait notre numéro de téléphone à l'écran pendant cinq courtes secondes. Pourquoi cette brève mention du cœur fut-elle si retentissante?

Les gens qui nous appelaient savaient instinctivement que le cœur jouait un rôle important dans leur bien-être général. «Je le savais depuis toujours», disaient-il, et maintenant il avaient hâte d'en connaître davantage. Ils voulaient apprendre comment utiliser leurs pensées et leurs sentiments pour améliorer leur santé — mentale, émotionnelle et physique. D'autres — des gens qui associaient le cœur à l'amour — se demandaient ce qu'ils pouvaient faire pour mettre plus de «cœur» dans leur vie.

La réponse immédiate confirma davantage ce dont nous étions sûrs depuis longtemps : les gens sont prêts à mettre le cœur à l'œuvre dans leur vie. Sans même en connaître le mécanisme, ils estiment que les sentiments amoureux et positifs sont en quelque sorte liés à la santé, et ils font de leur mieux pour éprouver ces sentiments le plus souvent possible dans leur vie.

La plupart des gens préfèrent se sentir chaleureux et enthousiastes plutôt qu'irrités et déprimés. Cependant, le monde qui nous entoure semble souvent filer à vive allure et, malgré nos meilleures intentions, il est difficile de maintenir notre équilibre émotionnel lorsque nous sommes confrontés quotidiennement à des situations stressantes.

Chacun de nous s'est fait dire, à un moment donné, de suivre son cœur. Cela semble une merveilleuse idée, en principe, mais l'ennui, c'est que vraiment suivre notre cœur — et aimer les gens, y compris nous-mêmes — est beaucoup plus facile à dire qu'à faire. Par où commencer? Les gens *parlent* de suivre leur cœur, mais personne ne nous montre comment. Qu'est-ce que cela veut dire, au juste, de suivre son cœur? Et comment s'aimer soi-même? À part le fait que l'amour est un bon sentiment, pourquoi devrions-nous aimer les autres? Nous allons vous enseigner une approche pratique et systématique qui vous permettra de répondre vous-même à ces questions, et nous allons évoquer les énormes bienfaits que vous récolterez en cours de route.

Au cours des vingt dernières années, les scientifiques ont fait sur le cœur de multiples découvertes qui nous montrent une complexité de fonctionnement beaucoup plus grande que nous ne l'avions jamais imaginée. Nous possédons maintenant des preuves scientifiques que le cœur nous envoie des signaux émotionnels et intuitifs afin de nous aider à gérer notre vie. Au lieu de tout simplement pomper du sang, il dirige et aligne plusieurs systèmes du corps afin qu'ils puissent fonctionner en harmonie les uns avec les autres. Et, bien que le cœur soit en communication constante avec le cerveau, nous savons maintenant qu'il prend lui-même un grand nombre de décisions.

À cause de ces nouveaux éléments de preuve, nous devons repenser toute la signification de l'expression «suivre son cœur». À l'Institute of HeartMath (IHM), des scientifiques ont découvert que le cœur était apte à nous donner des messages et à nous aider bien davantage que quiconque ne l'avait jamais soupçonné. Tout au long de ce livre, nous exposerons des résultats de recherches qui fournissent de nouvelles preuves de la force de l'intelligence du cœur. Nous montrerons également comment cette intelligence peut avoir un impact mesurable sur nos prises de décisions, nos problèmes de santé, notre productivité au travail, la capacité d'apprentissage de nos enfants, nos familles et la qualité générale de nos vies.

Il est vraiment temps de réexaminer le cœur. En tant que société, nous devons tirer le concept du cœur de l'enfermement de la religion et de la philosophie, et l'apporter sur la place publique, où on en a le plus grand besoin. La solution HeartMath est un système complet qui vous fournira de nouvelles informations sur l'intelligence du cœur; de nouveaux outils, techniques et exercices permettant d'accéder à cette intelligence; ainsi que des instructions et des exemples qui vous indiqueront quand et comment l'appliquer pour améliorer votre vie.

La recherche biomédicale, psychologique et sociologique présentée dans ce livre fournit les bases de la solution HeartMath. À mesure que vous apprendrez et appliquerez ce système, vous obtiendrez rapidement de nouvelles solutions à vos problèmes, de nouvelles conceptions et une compréhension accrue de vous-même, des autres, de la société et de la vie même.

Le cœur n'est pas sentimental. Il est intelligent et puissant, et nous croyons qu'il détient la promesse du prochain stade de développement humain et de la survie de notre monde. Alors que nous entrons dans un nouveau millénaire, notre société de plus en plus planétaire affronte des défis redoutables. Les structures de pouvoir du monde sont en train de changer. Les dirigeants souffrent d'un manque de crédibilité. La technologie est rapidement en train de relier le monde par la télévision satellitaire et Internet, créant à la fois des occasions et des défis. Un plus grand nombre de pays sont en train d'acquérir des capacités nucléaires. La menace terroriste, les changements climatiques planétaires et l'incertitude prévalent. Bien des institutions et des systèmes importants sur lesquels nous nous appuyons pour l'ordre et la sécurité sont dans le chaos.

En grande partie à cause de tout ce changement, le stress atteint un record de tous les temps. Comme l'a dit Albert Einstein il y a des années : « Les problèmes importants que nous affrontons aujourd'hui ne peuvent être résolus au niveau de pensée auquel nous les avons créés. » Il est plus important que jamais de développer la capacité d'affronter le défi de vivre dans un monde stressant et changeant. Pour vivre heureux et en santé au milieu de tous les bouleversements qu'apporte le progrès, il faut explorer de nouvelles idées.

Il y a des siècles, il était évident pour tout le monde que la Terre était plate. Ce fait était clairement observable; la planète s'étendait à perte de vue. Toutefois, lorsqu'on eut les moyens d'aller plus loin et d'avoir un meilleur point de vue, tout changea. Au quinzième siècle, les explorations de Colomb et de Magellan prouvèrent au monde ce que Copernic avait déjà calculé mathématiquement: malgré les apparences, la Terre était ronde. Puis Galilée vérifia la théorie de Copernic selon laquelle c'était la Terre qui tournait autour du Soleil, et non le contraire. En quelques décennies, notre monde avait été retourné sens dessus dessous.

Pareillement, les Magellan du cœur ont rapporté l'existence d'étranges et nouveaux territoires. Ils nous disent : « Nos vieux modèles étaient fondés sur de l'information limitée [1]. » De nouvelles découvertes révèlent à présent qu'en chacun de nous existe une intelligence organisatrice et centrale qui peut nous porter au-dessus de nos problèmes pour nous permettre de passer à une nouvelle expérience d'épanouissement, même en plein chaos. C'est une source intuitive et extrêmement rapide de sagesse et de perception claire, une intelligence qui englobe et stimule l'intelligence mentale et émotionnelle. Nous l'appelons « l'intelligence du cœur ».

L'intelligence du cœur est le flux intelligent de conscience et d'intuition que nous ressentons lorsque le mental et les émotions se trouvent dans un état d'équilibre et de cohérence par un processus qui s'amorce lui-même. Cette forme d'intelligence, vécue comme une sagesse directe et intuitive, se manifeste dans les pensées et les émotions qui sont bénéfiques pour nous-mêmes et pour les autres.

La solution HeartMath fournit une façon systématique d'activer et de développer consciemment cette intelligence du cœur. Avec cette solution, nous pouvons apprendre à étendre notre conscience et à rendre notre vie plus cohérente. Bref, nous pouvons dépasser le stade du cerveau.

Les premières explorations du cœur

Lorsque j'ai fondé l'Institute of HeartMath, en 1991, mes collègues et moi (Doc) avons entrepris une étude poussée de la recherche et de la documentation publiées sur le cœur. Ayant connu des améliorations importantes dans nos propres vies, par la pratique de l'écoute et du respect du cœur, nous avons dirigé notre curiosité vers la recherche du comment et du pourquoi du fonctionnement de ce processus. Nous nous sommes demandé : « Le cœur fonctionne-t-il tout simplement sous la direction du cerveau ou possède-t-il une intelligence quelconque qui influence notre mental et nos émotions? » Nous voulions comprendre comment le cœur physique communique avec le corps et influence tout notre système.

Bien que les mots « cœur » et « math » soient rarement utilisés côte à côte, j'avais l'impression que cette combinaison stimulante reflétait les deux aspects les plus fondamentaux de notre travail. Le mot « cœur » a un sens pour presque tout le monde, bien sûr. Lorsque nous pensons à « cœur », nous pensons au cœur physique, de même qu'à des qualités comme la sagesse, l'amour, la compassion, le courage et la force — les aspects supérieurs de tous les êtres humains. Le mot « math » éveille également des résonances chez la plupart des gens. Dans le contexte de « HeartMath », il fait référence aux pierres d'assise du système : l'approche pratique du développement systématique des qualités du « cœur ». Il désigne également les équations physiologiques et psychologiques qui permettent d'accéder à l'incroyable potentiel du cœur et de le développer. Le terme « HeartMath » représente ainsi l'importance du feu et de la précision dans notre exploration du cœur.

Depuis des siècles, des poètes et des philosophes ont eu l'impression que le cœur est au centre de notre vie. Saint-Exupéry, peut-être l'auteur le plus spontanément gamin de notre époque, a écrit : « Voici mon secret. Il est très simple : on ne voit bien qu'avec le cœur. L'essentiel est invisible pour les yeux [2]. »

Toutes les langues du monde sont remplies d'expressions en rapport avec le cœur. Nous les utilisons pour exprimer notre connaissance instinctive que le cœur est la source de nos qualités supérieures. Lorsque les gens sont sincères, nous disons souvent que leurs paroles « viennent du cœur ». Lorsqu'ils se jettent dans une activité, nous disons qu'ils le font « de tout leur cœur ». Lorsqu'ils trahissent leurs propres intérêts, nous disons qu'ils « pensent avec leur tête, et non avec leur cœur ». Et lorsqu'ils tombent dans le désespoir, nous nous inquiétons qu'ils soient devenus « écœurés ». Même nos gestes indiquent l'importance que nous accordons au cœur. Par exemple, quand on se désigne soi-même, on désigne habituellement le cœur.

Dans nos recherches, nous avons accordé une grande attention à tout ce qui a été écrit et dit à propos du cœur au cours de l'histoire, en nous demandant si le mot « cœur » était plus qu'une simple métaphore. Si notre culture était la seule à utiliser le cœur comme métaphore pour désigner des sentiments élevés, nous pourrions considérer que ce n'est là qu'une expression particulière transmise par nos ancêtres. Cependant, au cours des siècles et dans presque toutes les cultures, on a dit du cœur qu'il était une source de sentiments et de sagesse. En outre, de nombreuses religions désignent le cœur comme étant le siège de l'âme ou le lien entre l'esprit et l'humain.

L'une des observations qui nous a le plus intrigués, c'est que, à travers les âges, le cœur a été considéré comme une source non seulement de vertu, mais aussi d'intelligence. Le rôle du cœur en tant qu'intelligence dans le système humain constitue l'un des thèmes les plus courants dans les anciennes traditions et dans les écrits inspirés. Blaise Pascal affirmait : «Le cœur a ses raisons que la raison ne connaît pas.» Lord Chesterfield a écrit : «Le cœur a une telle influence sur l'intelligence qu'il vaut la peine de le mettre à contribution pour tout ce qui nous intéresse.» Et Thomas Carlyle concluait : «C'est le cœur qui voit toujours, avant la tête.»

Dans plusieurs cultures anciennes, comme chez les Mésopotamiens, les Égyptiens, les Babyloniens et les Grecs, on soutenait que le principal organe capable d'influencer et de diriger nos émotions, notre moralité et notre capacité de prendre des décisions était le cœur; et, par conséquent, ces cultures ont attaché une énorme signification émotionnelle et morale à son comportement.

Des conceptions semblables se retrouvent dans les bibles hébraïque et chrétienne, de même que dans les traditions chinoise, hindoue et musulmane. L'Ancien Testament dit, dans Proverbes 23, 7 : «Car un homme est comme les pensées de son cœur»; ce que le Nouveau Testament développe dans Luc 5, 22 : «Pourquoi ces pensées dans vos cœurs?» Ce ne sont là que deux exemples. Et dans la tradition judaïque ancienne, le centre du cœur, l'une des sefira (centres d'énergie), s'appelle *Tiffer* (beauté, harmonie, équilibre).

Dans la kabbale, le cœur est la Sphère centrale, la seule des dix à toucher toutes les autres, et elle est censée détenir la clé de la santé rayonnante, de la joie et du bien-être. L'atteinte de l'équilibre corporel est également attribuée au cœur dans les traditions yogiques, qui reconnaissent ce dernier comme étant le siège de la conscience individuelle, le centre de la vie. Dans la pratique du yoga, le cœur physique est considéré à la fois au sens littéral et au sens figuré, le guide ou «gourou» interne, et, à cette fin, bien des pratiques yogiques cultivent chez l'adepte la conscience de son propre rythme cardiaque.

Dans la médecine traditionnelle chinoise, le cœur est considéré comme étant le siège du lien entre l'esprit et le corps, formant un pont entre les deux. On dit que dans le sang du cœur loge le *shen*, que l'on peut traduire à la fois par «esprit» et par «âme». Ainsi, l'esprit ou l'âme loge dans le cœur, et les vaisseaux sanguins sont les canaux de communication qui transportent les messages rythmiques essentiels du cœur à travers le corps, permettant à toutes ses composantes de fonctionner en synchronie. Il n'est pas étonnant, alors, que la médecine chinoise prétende que l'état de chaque organe corporel, ainsi que le fonctionnement intégral du corps dans son ensemble, puisse être évalué au moyen du pouls cardiaque.

Tandis qu'en Occident la pensée est exclusivement considérée comme une fonction du cerveau, la langue chinoise même présente une perspective différente. Les caractères chinois qui signifient «penser», «la pensée», «l'intention», «écouter», «la vertu» et «l'amour» comportent tous le caractère du «cœur». Un dictionnaire chinois ancien décrit les «fils de soie» qui relient le cœur au cerveau. Le japonais possède deux mots distincts pour désigner le cœur : *shinzu* représente l'organe physique, tandis que *kokoro* correspond à «l'esprit du cœur [2a]».

Toutes ces conceptions entretiennent à propos du cœur un point de vue commun : le cœur a une «intelligence» indépendante du cerveau, qui, pourtant, communique avec lui. Les cultures qui partagent ce point de vue seraient-elles toutes simplement incorrectes, peut-être pas suffisamment évoluées scientifiquement pour comprendre l'intelligence?

Une nouvelle compréhension du cœur

Malgré les magnifiques métaphores du cœur qui émaillent les nombreuses langues du monde, la plupart d'entre nous avons appris que le cœur n'est qu'un muscle d'environ trois cents grammes qui pompe le sang et en entretient la circulation jusqu'à notre mort. Quand quelque chose va mal, on embauche un technicien, appelé médecin, pour qu'il répare l'organe. Dans le pire des cas, on fait remplacer sa pompe par celle de quelqu'un d'autre qui vient de mourir. De ce point de vue biologique, le cœur est considéré comme un rouage, dépourvu d'intelligence ou d'émotion indépendantes.

Du point de vue biologique, le cœur est d'une efficacité étonnante. Il fonctionne sans interruption durant soixante-dix à quatre-vingts ans, sans entretien ni nettoyage, sans réparation ni remplacement. Sur une période de soixante-dix ans, il bat cent mille fois par jour, environ quarante millions de fois par année, soit presque trois milliards de pulsations, au total. Il pompe huit litres de sang à la minute — plus de quatre cents litres par jour — à travers un système vasculaire de près de 100 000 kilomètres de longueur (plus de deux fois la circonférence de la Terre [3]).

Le cœur commence à battre avant la naissance, dans le fœtus, avant même la formation du cerveau. Les scientifiques ne savent pas encore exactement ce qui déclenche ce battement, mais ils utilisent le mot « autorythmique » pour indiquer qu'il s'amorce de lui-même à l'intérieur du cœur.

Lorsque le cerveau commence à se développer, il le fait du bas vers le haut. À partir de sa partie la plus primitive (le bulbe rachidien), les centres des émotions (l'amygdale cérébelleuse et l'hippocampe) commencent à apparaître. Les spécialistes de la recherche du cerveau savent bien que cet organe pensant pousse ensuite à partir des régions émotionnelles. Cela en dit long sur la relation entre la pensée et le sentiment. Chez le fœtus, le cerveau émotionnel se développe avant le cerveau rationnel, et le cœur commence à battre avant.

Tandis que la source du battement cardiaque est à l'intérieur même du cœur, le rythme de ce battement serait contrôlé par le cerveau, à travers le système nerveux autonome. Mais, étonnamment, le cœur n'a pas besoin d'un lien physique avec le cerveau pour continuer à battre. Par exemple, lors d'une transplantation cardiaque, les nerfs qui relient le cerveau au cœur sont sectionnés, et les chirurgiens ne savent pas encore comment les rebrancher. Cela n'empêche toutefois pas le cœur de fonctionner. Après que les chirurgiens ont implanté un cœur et rétabli son battement dans la poitrine du receveur, ce cœur continue de battre, même s'il n'a plus aucun lien avec le cerveau.

Le cerveau du cœur

Au cours des récentes années, des neuroscientifiques ont fait une découverte stimulante. Ils ont découvert que le cœur a son propre système nerveux — un système complexe, appelé « le cerveau du cœur ». Il y a dans le cœur au moins quarante mille neurones (cellules nerveuses), soit autant que dans divers centres sous-corticaux du cerveau [4]. Le cerveau intrinsèque et le système nerveux du cœur relaient de l'information au cerveau, dans le crâne, créant un système de communication à double sens entre le cœur et le cerveau. Les signaux envoyés du cœur au cerveau affectent bien des régions et fonctions de l'amygdale cérébelleuse, du thalamus et du cortex.

L'amygdale cérébelleuse est une structure en forme d'amande, enfouie dans le système de traitement émotionnel du cerveau. Elle est spécialisée dans les souvenirs émotionnels forts. Le cortex est le lieu de l'apprentissage et du raisonnement. Il nous aide à résoudre des problèmes et à distinguer le bien du mal. L'amygdale cérébelleuse, le thalamus et le cortex fonctionnent étroitement ensemble. Lorsque arrive une nouvelle information, l'amygdale cérébelleuse en évalue l'importance émotionnelle. Elle cherche des associations, comparant ce qui, dans la mémoire émotionnelle, est familier à cette nouvelle information provenant du cerveau. Puis elle communique avec le cortex afin de déterminer les actions appropriées [5].

La découverte que le cœur a son propre système nerveux — un « cerveau » qui affecte l'amygdale cérébelleuse, le thalamus et le cortex — permet d'expliquer ce que les physiologistes John et Beatrice Lacey, du Fels Research Institute, ont compris dans les années 70. À l'époque, on savait que le système nerveux du corps reliait le cœur au cerveau, mais les scientifiques présumaient que le cerveau prenait toutes les décisions. La recherche des Lacey a montré qu'il n'en était pas ainsi.

Les Lacey ont découvert que, lorsque le cerveau envoyait des « ordres » au cœur à travers le système nerveux, le cœur n'obéissait pas automatiquement. Il réagissait plutôt comme s'il avait sa logique propre. Parfois, lorsque le cerveau envoyait un signal d'excitation au corps en réaction à des stimuli, le battement cardiaque accélérait en conséquence. Mais souvent, en réalité, il ralentissait, tandis que les autres organes réagissaient par l'excitation. La sélectivité de la réaction du cœur indiquait qu'il ne réagissait pas d'une façon purement mécanique à un signal du cerveau. La réaction du cœur semblait plutôt dépendre de la nature de la tâche particulière à effectuer *et du type de traitement mental qu'elle exigeait.*

Encore plus étonnant, les Lacey découvrirent que le cœur semblait renvoyer des messages au cerveau que celui-ci non seulement comprenait, mais exécutait. Et il semblait que ces messages du cœur pouvaient vraiment influencer le comportement d'une personne.

Les Lacey et d'autres découvrirent que nos battements cardiaques ne sont pas seulement les vibrations mécaniques d'une pompe appliquée, mais *un langage intelligent* qui influence de façon importante nos perceptions et nos réactions. Par la suite, d'autres chercheurs découvrirent également que les battements rythmiques du cœur se transforment en impulsions neuronales qui affectent directement l'activité électrique des centres cérébraux supérieurs — ceux qui sont engagés dans le traitement cognitif et émotionnel [7-9].

Dans les années 70, les idées des Lacey étaient controversées. Cependant, même à l'époque, des penseurs avant-gardistes saisirent la profondeur et la portée de ces découvertes. En 1977, le docteur Francis Waldrop, alors directeur du National Institute of Mental Health, affirma, dans un article évaluant le travail des Lacey, qu'« à long terme, leur recherche pourrait bien nous en dire long sur ce qui fait de chacun de nous une personne entière, et suggérer des techniques pouvant ramener à la santé une personne en détresse [10] ».

L'un de nos buts, en poursuivant la solution HeartMath, était de pousser le travail des Lacey encore plus loin. Ils avaient établi la capacité du cœur à « penser tout seul », en fait, dans certaines circonstances. Nous voulions comprendre comment le cœur formule sa logique et influence le comportement.

Qu'est-ce que l'intelligence?

Depuis des décennies, les chercheurs essaient de comprendre la nature de l'intelligence. Les premiers tests de mesure du Q.I. ont été conçus, au début du vingtième siècle, afin de mesurer l'intelligence en tant que capacité cognitive et intellectuelle, et nos systèmes éducatifs ont été réglés de façon à permettre le développement des deux. Parce qu'on a trouvé que les résultats de ces tests n'augmentaient pas beaucoup entre la garderie et l'âge adulte, quelle que fût la quantité d'éducation reçue, beaucoup d'experts en Q.I. ont déclaré que l'intelligence était héréditaire et ne pouvait être changée. Ils ont approuvé des estimations largement différentes du caractère héréditaire de l'intelligence, allant de 40% à 80% [11].

Puis, en 1985, Howard Gardner publia sa recherche sur les «intelligences multiples» dans son livre *Frames of Mind*, qui contestait nos idées reçues à propos de l'intelligence. Gardner détermina que l'intelligence était bien plus que le simple intellect. Il avança que le système humain avait plusieurs genres d'intelligences distincts, comme le logique-mathématique, le spatial, le musical, le corporel-kinesthésique, l'intrapersonnel (associé à la connaissance de soi) et l'interpersonnel (associé à la connaissance des autres). La recherche de Gardner amena beaucoup de gens à réexaminer la vision traditionnelle de l'intelligence en tant que construction unidimensionnelle et à reconsidérer les facteurs qui déterminent le succès personnel, social et professionnel [12]. Ses découvertes incitèrent les éducateurs à créer de nouveaux programmes scolaires pour aider les enfants à apprendre au moyen de leur intelligence dominante. Par exemple, les enfants dotés d'une forte intelligence corporelle-kinesthétique apprennent les mathématiques en utilisant des jeux physiques et des mouvements, afin d'augmenter la capacité d'apprentissage, la compréhension et la mémorisation.

Plus tard, au cours des années 80, John Mayer, un psychologue de l'université du New Hampshire, et Peter Salovey, de Yale, formulèrent ensemble une nouvelle théorie de l'«intelligence émotionnelle», qui donne forme à la qualité de nos relations «intrapersonnelles» et interpersonnelles. La définition de l'intelligence émotionnelle de Mayer et Salovey comprend cinq domaines : connaître ses émotions; gérer ses émotions; se motiver; reconnaître les émotions des autres; gérer ses relations [13]. Le développement de l'intelligence émotionnelle implique la conscience de soi, qui consiste à «prendre conscience de notre humeur et de nos pensées à propos de notre humeur [11]».

En 1985, Reuven Bar-On, un psychologue clinique et professeur de médecine à l'école de médecine de l'université de Tel Aviv, a inventé l'expression «quotient émotionnel» (ou «Q.E.»). Bar-On consacra plus de quinze années de recherche au développement d'un test psychologique formel ayant pour but de mesurer l'intelligence émotionnelle des gens. À partir de sa recherche et de ses résultats, il résuma comme suit les qualités qui contribuent à l'intelligence émotionnelle :

> *On croit que les individus ayant la plus grande intelligence émotionnelle sont ceux qui sont capables de reconnaître et d'exprimer leurs émotions, qui possèdent une vision positive d'eux-mêmes, et sont capables d'actualiser leurs capacités potentielles et de mener une vie plutôt heureuse; ils sont capables de comprendre la façon dont les autres se sentent et de créer et d'entretenir des relations interpersonnelles mutuellement satisfaisantes et responsables, sans devenir dépendants des autres; ils sont généralement optimistes, flexibles, réalistes, et réussissent assez bien à résoudre des problèmes et à affronter le stress sans perte de contrôle [14].*

En 1996, Daniel Goleman publia son livre révolutionnaire *L'intelligence émotionnelle.* Sa recherche exhaustive confirmait que le succès, dans la vie, est davantage fondé sur notre habileté à gérer nos émotions que sur notre capacité intellectuelle, et qu'un manque de succès est le plus souvent dû à notre mauvaise gestion des émotions. Sa recherche permet d'expliquer pourquoi de nombreux individus dotés d'un Q.I. élevé échouent, tandis que d'autres ayant un Q.I. modeste remportent un succès exceptionnel. Selon Goleman, la bonne nouvelle, concernant l'intelligence émotionnelle, c'est que, à la différence du Q.I., elle peut être développée et augmentée tout au long de la vie.

Dans son livre, Goleman dit que l'a b c de l'intelligence émotionnelle comprend «la conscience de soi, le fait de voir les liens entre les pensées, les sentiments et les réactions; le fait de savoir si ce sont les pensées ou les sentiments qui dirigent une décision; le fait de voir les conséquences des autres possibilités; et le fait d'appliquer ces aperçus aux choix».

Pour bien des gens, ce niveau de perception vive est bien difficile à exercer. Dans notre vie trépidante d'aujourd'hui, comment nous arrêter pour déceler tous ces facteurs subtils? Comment pouvons-nous trouver l'intelligence émotionnelle au milieu d'un argument ou d'une importante négociation commerciale—une situation où l'on joue gros et dans laquelle on doit faire des choix rapidement? Et comment augmenter l'intelligence émotionnelle dans l'ensemble de notre société? «La question, dit Goleman, c'est comment amener l'intelligence à nos émotions—et la civilité à nos rues et la sollicitude à notre vie communautaire [11]?»

Cultiver l'intelligence du cœur

La réponse, c'est de cultiver l'intelligence du cœur. Selon notre théorie, l'intelligence du cœur transfère vraiment l'intelligence aux émotions et confère le pouvoir de la gestion émotionnelle. Autrement dit, l'intelligence du cœur est réellement la source de l'intelligence émotionnelle. D'après notre recherche, à l'Institute of HeartMath, nous avons conclu que l'intelligence et l'intuition augmentent lorsque nous nous efforçons d'écouter plus profondément notre cœur. C'est en déchiffrant les messages de notre cœur que nous acquérons la perception enthousiaste nécessaire à la gestion efficace de nos émotions au milieu des situations et des défis de la vie. Plus nous apprenons à écouter et à suivre notre intelligence du cœur, plus nos émotions sont équilibrées et cohérentes.

Sans l'influence dominante du cœur, nous sommes facilement en proie à des émotions réactionnelles, telles que l'insécurité, la colère, la peur et le blâme, de même qu'à d'autres réactions et comportements qui épuisent notre énergie. C'est ce manque de gestion émotionnelle qui crée l'incivilité dans nos maisons et dans nos rues, et un manque de sollicitude dans nos interactions avec les autres — sans parler de la maladie et du vieillissement précoce.

Au début de la recherche de l'institut, nous avons observé que, lorsque des émotions négatives déséquilibraient le système nerveux, elles créaient un rythme cardiaque qui semblait en dents de scie, désordonné [15]. On voyait facilement qu'un état chronique de déséquilibre du système nerveux et cardiovasculaire imposait au cœur et à d'autres organes un stress qui pouvait mener à de graves problèmes de santé.

Les émotions positives, par contraste, augmentaient l'ordre et l'équilibre du système nerveux et produisaient des battements cardiaques réguliers et harmonieux. Mais ces rythmes harmonieux et cohérents faisaient plus que réduire le stress ; ils augmentaient vraiment la capacité des sujets à percevoir clairement le monde autour d'eux. Afin de pouvoir étudier davantage ces effets positifs, nous avons enseigné à nos sujets de recherche des techniques qui leur permettaient d'atteindre un état d'équilibre et d'harmonie intérieurs *à volonté* en laboratoire [9, 16, 17]. Ces techniques forment l'essentiel de la solution HeartMath.

Celles qui sont décrites dans ce livre ont donc été éprouvées sur des centaines de gens de tous les secteurs d'activité de la société. Lorsque le rythme cardiaque de ces sujets de recherche parvenait à l'équilibre et à l'harmonie, ils nous faisaient part constamment d'une augmentation de la clarté mentale et de l'intuition. Lorsque leur rythme cardiaque changeait, ils acquéraient un meilleur contrôle de leurs perceptions, ce qui leur permettait de réduire le stress et d'augmenter leur efficacité.

À mesure qu'ils continuaient de pratiquer ces techniques dans leur vie quotidienne, ils signalaient une augmentation de leur créativité, de la communication avec les autres, et un enrichissement de leur expérience émotionnelle des divers aspects de la vie. Ils découvraient aussi que, dans cet état plus équilibré et plus harmonieux, leur perception des problèmes ou des situations difficiles s'élargissait suffisamment pour qu'apparaissent de nouvelles perspectives et solutions.

Après que les scientifiques de l'Institute of HeartMath eurent commencé à obtenir des résultats cohérents en laboratoire, ils étendirent leurs expériences au milieu de travail. On demanda aux sujets de ces nouvelles études d'appliquer des techniques de la solution HeartMath au cours de situations stressantes. Les résultats démontrèrent que ces sujets pouvaient générer le même rythme cardiaque harmonieux et opérer les mêmes changements du système nerveux sur leur lieu de travail que ceux qui avaient appliqué ces techniques en laboratoire [17].

Les résultats à long terme furent encore plus encourageants. À mesure que les participants en milieu de travail s'appliquaient à atteindre dans leur vie quotidienne un rythme cardiaque équilibré, ils commencèrent à faire part de bienfaits qui dépassaient nos attentes. Ils jouissaient d'une plus grande capacité de *maintenir* une attitude positive, d'équilibrer leurs émotions et d'exercer leur intuition au jour le jour, même au milieu des défis.

Leur capacité de maintenir ces changements était importante car elle suggérait que les participants étaient vraiment capables de *recycler leur système* de façon à fonctionner dans un état de plus grande harmonie, tant physiquement que mentalement et émotionnellement.

Les techniques de la solution HeartMath avaient permis à ces sujets de ressentir des émotions positives à volonté. Mieux, elles avaient changé la qualité de leur vie en leur fournissant une expérience cohérente des émotions positives. Au lieu de constamment réagir aux circonstances, ces gens purent donner un sens cohérent à leur vie, grâce à l'intelligence du cœur.

À mesure que la science découvre comment on peut utiliser et diriger le pouvoir intelligent du cœur, elle offre un immense espoir que la société puisse passer du désordre et du chaos à une nouvelle ère de cohérence et de qualité de vie pour tous.

Comment fonctionne l'intelligence du cœur?

Tout au long de ce livre, nous présenterons des résultats de recherches expliquant comment et pourquoi l'intelligence du cœur fonctionne. En laboratoire, les scientifiques de l'institut ont découvert que, lorsque les sujets se concentraient sur la région du cœur et s'efforçaient d'activer un sentiment fondamental tel que l'amour, la reconnaissance ou la sollicitude, cette concentration modifiait immédiatement leur rythme cardiaque. Lorsque le rythme devenait plus cohérent, démarrait alors une série de réactions neuroniques et biochimiques affectant presque chaque organe du corps.

Les sentiments fondamentaux du cœur affectent les deux branches du système nerveux autonome. Ils *réduisent* l'activité du système nerveux sympathique (cette branche du système qui accélère le rythme cardiaque, contracte les vaisseaux sanguins et stimule la sécrétion d'hormones du stress) et *augmentent* l'activité du système nerveux parasympathique (la branche du système qui ralentit le rythme cardiaque et relaxe les systèmes internes du corps), accroissant par conséquent son efficacité. De plus, l'équilibre entre ces deux branches du système nerveux est amélioré, de sorte qu'elles collaborent avec une plus grande efficacité. Cette collaboration entraîne une diminution des frictions et de l'usure des nerfs et des organes internes.

Les émotions positives, telles que la joie, la reconnaissance, la compassion, la sollicitude et l'amour, non seulement changent le mode d'activité du système nerveux, mais aussi réduisent la production du cortisol, une hormone du stress. Puisque la même hormone précurseur est à la fois utilisée dans la fabrication du cortisol et de l'hormone anti-vieillissement DHEA, la production de DHEA augmente lorsque le cortisol est réduit. On sait que cette puissante hormone (DHEA) a des effets protecteurs et régénérateurs sur plusieurs systèmes du corps, et on croit qu'elle combat un grand nombre des effets du vieillissement [18].

Il a été démontré que l'expérience de la sollicitude et de la compassion augmente les niveaux d'IgA, un important anticorps excrétoire qui constitue la première ligne de défense du système immunitaire [19]. L'augmentation des niveaux d'IgA nous rend plus résistants à l'infection et à la maladie. De nombreuses études ont révélé que le fait de se sentir aimé et choyé, de même que de choyer ceux qui nous entourent, joue vraiment un plus grand rôle dans l'amélioration de notre santé et l'augmentation de notre longévité que des facteurs physiques tels que l'âge, la pression artérielle, le cholestérol ou le tabagisme [20-24].

Puisqu'il a été prouvé que l'évocation de l'intelligence du cœur facilite les fonctions cérébrales, ajuste le système nerveux autonome, abaisse la pression sanguine, augmente le niveau des hormones qui soulagent le stress et accroît les réactions immunitaires, nous ne devrions pas être étonnés que notre corps fasse l'expérience d'une sensation de bien-être jusque sur le plan cellulaire — une sensation que nous pouvons provoquer nous-même. Grâce à l'intelligence du cœur, nous nous sentons mieux, tant mentalement qu'émotionnellement, et, à long terme, il en résulte une meilleure santé physique. Le plus merveilleux, c'est que chacun d'entre nous peut obtenir ces effets.

Nous avons mesuré l'impact de l'activation de l'intelligence du cœur sur des employés de grandes organisations comme Motorola, Royal Dutch Shell, le département américain du Revenu, le département californien de la Justice, et le système de retraite des employés du secteur public californien (CalPERS). Après avoir appris pendant plusieurs semaines comment accéder à l'intelligence du cœur, ces employés ressentirent une réduction des nombreux symptômes courants du stress, y compris la tachycardie, l'insomnie, la fatigue, la tension, l'indigestion et les douleurs corporelles. Lors d'une étude menée en entreprise, la pression sanguine chez des individus hypertendus fut réduite à un niveau normal en seulement six mois, sans l'aide de médicaments [25].

Nos études de cas font état d'améliorations du statut clinique chez des gens atteints de diverses maladies ou troubles, dont l'arythmie, le prolapsus de la valvule mitrale, la fatigue, les troubles auto-immuns, l'épuisement du système nerveux autonome, l'anxiété, la dépression et les troubles de stress post-traumatique [26, 27]. Chez des individus sains, des changements positifs importants de l'équilibre hormonal ont été constatés en seulement un mois [18].

Pour atteindre ces résultats, nous guidons les gens à travers un processus qui leur enseigne graduellement à accéder au cœur. Dans le cadre de la formation, nous adaptons ce processus, présentant les outils et techniques appropriés sous une forme qui convient à des besoins précis. Dans ce livre, nous désignons sous l'appellation de HeartMath Solution toute une gamme de concepts, d'outils et de techniques utilisés pour activer l'intelligence du cœur. Les dix techniques et outils essentiels suivants régissent la solution HeartMath :

1. ***Reconnaissez l'intelligence de votre cœur et son importance dans les choix, petits et grands.***

D'abord, nous devons acquérir une meilleure compréhension du rôle important du cœur dans la santé, la perception et le bien-être général. Cette compréhension permet de saisir pourquoi et comment fonctionnent les outils et techniques de HeartMath.

La preuve scientifique que nous exposerons dans ces chapitres montrera comment le cœur communique avec le reste du corps et comment l'information s'échange entre le cœur et le cerveau. À mesure que vous comprendrez l'importance de cet échange d'information, vous prendrez conscience aussi de l'importance des valeurs et qualités essentielles depuis longtemps associées au cœur.

Cette première partie du processus d'apprentissage implique également le fait de distinguer la tête et le cœur, et d'observer à quel point nous percevons différemment le monde qui nous entoure lorsque nous sommes en contact avec l'intelligence du cœur. La tête — c'est-à-dire le cerveau ou le mental — fonctionne d'une manière linéaire et logique, qui nous sert bien dans nombre de situations, mais nous limite dans d'autres. Parfois, il nous faut plus que de l'analyse et de la logique pour résoudre un problème ou clarifier une question émotionnelle complexe. L'intelligence du cœur fournit une connaissance intuitive, directe, qui est un aspect fondamental de notre intelligence générale. Lorsque l'intelligence du cœur est enclenchée, notre conscience s'étend au-delà de la pensée linéaire et logique. Par conséquent, notre vision de la situation s'élargit et notre attitude devient plus souple et plus créatrice.

Par exemple, lorsque deux amoureux marchant dans un parc se font surprendre par une averse, ce n'est pas un drame. La pluie peut même les amuser. Parce que les amoureux sont liés par le cœur, il leur est facile d'accepter cet événement imprévu avec un esprit ludique.

Mais si ces mêmes amoureux sont en train de se quereller lorsqu'il commence à pleuvoir, leur réaction est fort différente car ils sont alors coupés du cœur. Vue de la tête, la pluie est irritante et elle devient un nouvel exutoire à leur frustration.

Dans cet exemple, il y a une nette différence entre les deux *perceptions* qu'a de la pluie le couple, selon la situation. Vue du cœur, la pluie est un événement naturel. Vue de la tête, c'est un problème frustrant. Lorsque l'intelligence du cœur est enclenchée, nous trouvons aux problèmes des solutions dépourvues de stress.

L'expérience continue de l'intelligence du cœur exige l'établissement d'un partenariat fiable entre la tête et le cœur — un partenariat qui commence lorsque vous apprenez à distinguer entre ces deux sources d'intelligence interactives, mais très différentes, et que vous savez quand vos pensées et sentiments sont dirigés par le cœur et quand ils ne le sont pas. Le fait d'acquérir un nouveau respect envers le cœur et une nouvelle confiance en lui mène à des possibilités nouvelles et à l'espoir de trouver des solutions à nos problèmes.

2. Réduisez le stress.

La recherche biomédicale sur la cohérence intérieure montre à quel point le stress est nuisible aux humains. La cohérence intérieure d'un individu se mesure en surveillant les schémas rythmiques du cœur. Lorsqu'un système est cohérent, presque aucune énergie n'est gaspillée; la puissance est utilisée au maximum. La cohérence rend l'action efficace. Les gens cohérents sont florissants, tant mentalement qu'émotionnellement et physiquement. Ils ont le pouvoir de s'adapter, d'innover. Par conséquent, ils ressentent peu de stress.

Les effets nets de l'augmentation de la cohérence intérieure sont importants : nous dépensons moins d'énergie à entretenir la santé, nous gaspillons moins d'énergie en pensées et en réactions inefficaces, et nous n'avons pas à faire subir de tensions au corps pour rester focalisés et productifs.

L'ennemi est le stress. Il crée un état intérieur incohérent, dressant nos systèmes biologiques les uns contre les autres, ce qui, à son tour, affecte notre façon de penser et de sentir. Dans l'incohérence engendrée par le stress, notre système nerveux et notre rythme cardiaque se désynchronisent, et notre équilibre hormonal est compromis. Par conséquent, l'incohérence diminue notre capacité de fonctionner et de mener une vie de qualité, et elle a un impact négatif sur notre santé. Il est essentiel d'apprendre la valeur de la cohérence et les conséquences de l'incohérence, car cela peut fournir les bases rationnelles d'une vie dirigée par le cœur.

*3. Apprenez à appliquer le FREEZE-FRAME**.

Le FREEZE-FRAME (arrêt sur image) est une technique simple, en cinq étapes, qui vous donne accès aux valeurs fondamentales du cœur et à sa force, pour vous mener de l'incohérence à la cohérence. Le FREEZE-FRAME crée un équilibre entre les deux branches du système nerveux autonome, le sympathique et le parasympathique. Le système nerveux autonome (SNA) interagit avec nos systèmes digestif, cardiovasculaire, immunitaire et hormonal. Les réactions mentales et émotionnelles négatives, telles que la colère et l'inquiétude, créent un désordre et un déséquilibre du SNA, tandis que les réactions positives, telles que la reconnaissance et la compassion, augmentent l'ordre et l'équilibre. L'augmentation de l'ordre entraîne à son tour un fonctionnement plus efficace du cerveau. En passant intentionnellement à un état de perception plus conscient grâce à la technique du FREEZE-FRAME, nous modifions l'apport du cœur au cerveau par l'intermédiaire du SNA.

Le FREEZE-FRAME est utile pour changer momentanément de perception et d'attitude. Lorsque vous avez besoin de clarté pour prendre des décisions — petites et grandes — ou pour réduire le stress, utilisez la technique FREEZE-FRAME.

Voici un exemple de la façon dont elle fonctionne. Disons que vous êtes au bureau, un jour de grande activité. Tout se passe très bien, mais soudain les choses commencent à devenir confuses et chaotiques. Vous vous sentez si débordé, si stressé, que vous ne savez plus comment procéder. Alors, vous vous arrêtez pendant soixante secondes et utilisez le FREEZE-FRAME pour calmer votre mental, synchroniser votre système nerveux et augmenter votre niveau de cohérence intérieure. Ensuite, vous voyez clairement les options dont vous disposez pour traiter la situation. À partir de l'état de conscience plus équilibré qu'engendre le FREEZE-FRAME,

---

* En accord avec les auteurs, il nous a semblé préférable de conserver l'usage de l'anglais pour désigner ces techniques-concepts. Vous trouverez une définition de celles-ci dans le lexique.

vous savez comment faire ce qu'il faut, en moins de temps et avec moins de stress. Bref, le FREEZE-FRAME vous aide à gérer vos pensées et vos réactions, et, par conséquent, réduit le stress.

4. Accumulez les actifs d'énergie et diminuez-en les déficits.

À cette étape clé de la solution HeartMath, vous développerez une nouvelle conscience de votre efficacité dans l'utilisation de vos réserves d'énergie mentale et émotionnelle. Notre force intérieure — autrement dit, la quantité d'énergie physique, mentale et émotionnelle que nous possédons — est un facteur déterminant dans la qualité de notre vie. La force intérieure se traduit par la vitalité et la résistance.

Les pensées et sentiments positifs apportent de l'énergie à notre système. Une attitude optimiste, un sentiment de reconnaissance ou un geste de gentillesse, par exemple, sont des actifs d'énergie. Les pensées et sentiments négatifs épuisent notre réserve d'énergie. La colère, la jalousie et les jugements, par exemple, sont des déficits d'énergie.

En apprenant à mieux observer nos pensées et sentiments, nos dépenses d'énergie mentale et émotionnelle, nous pouvons identifier les moments où nous perdons ou gagnons de la force intérieure. Avec cette nouvelle conscience, nous commençons à voir où nous avons besoin d'effectuer des changements afin d'augmenter cette force. Au chapitre 5, nous introduirons le concept d'efficacité énergétique et vous fournirons un outil — le bilan actif-déficit — qui vous servira à noter vos dépenses d'énergie mentale et émotionnelle.

5. Activez les sentiments fondamentaux du cœur.

Il y a plusieurs sentiments fondamentaux du cœur, comme l'amour, la compassion, la tolérance, le courage, la patience, la sincérité, le pardon, la reconnaissance et la sollicitude. Tous ces sentiments augmentent la synchronisation et la cohérence des schémas rythmiques du cœur. Au cours des prochains chapitres, nous nous concentrerons sur quatre sentiments fondamentaux du cœur : la reconnaissance, la tolérance, le pardon et la sollicitude (essentiels au déploiement des autres sentiments fondamentaux).

Chaque sentiment fondamental du cœur a un puissant effet bénéfique sur votre relation à la vie. Malheureusement, l'expérience des sentiments et comportements fondamentaux du cœur est habituellement aléatoire plutôt que consciente. Mais vous pouvez cultiver les sentiments fondamentaux du cœur et les activer sur demande, afin de faciliter votre croissance et votre santé personnelles.

6. Gérez vos émotions.

Les émotions sont complexes et parfois difficiles à gérer. Il vous est toutefois essentiel de les contrôler si vous désirez une vie saine et enrichissante. À mesure que vous apprendrez à connaître vos émotions — leur fonctionnement, leurs effets et la façon dont l'intégrité émotionnelle peut être compromise —, vous parviendrez à mieux les gérer.

Les émotions servent d'amplificateurs à nos pensées, à nos perceptions et à nos attitudes. Nous pouvons avoir une merveilleuse chaîne stéréo avec un lecteur de CD dernier cri et d'excellents haut-parleurs, mais si l'amplificateur — la source de puissance de notre chaîne stéréo — ne fonctionne pas correctement, le son produit par le système sera gravement déformé. De même, lorsque nos émotions — les amplificateurs de nos perceptions — sont en déséquilibre, notre vision de la vie est déformée.

Les états émotionnels positifs sont enrichissants et régénérateurs pour le cœur, le système immunitaire et le système hormonal, tandis que les émotions négatives drainent ces mêmes systèmes. Pour la plupart d'entre nous, chaque journée est une randonnée de montagnes russes — nous sommes parfois en haut, parfois en bas. À moins de développer consciemment notre capacité d'activer les états émotionnels positifs et d'interrompre les états émotionnels négatifs, il nous est difficile de demeurer en équilibre, en santé et satisfaits. Grâce aux découvertes biomédicales sur les émotions, nous pouvons apprendre à contrôler le pouvoir de celles-ci et à l'utiliser de manière à en bénéficier plutôt qu'à en souffrir.

7. Manifestez de la sollicitude — mais non du souci.

Il est essentiel d'apprendre la différence entre la sollicitude et le souci. La sollicitude envers soi-même et les autres est un élément fondamental d'une vie enrichissante. Malheureusement, la sollicitude peut également être stressante. Lorsque notre sollicitude va trop loin, nous développons la sur-protection ou le souci (un terme qui dénote un sens encombrant des responsabilités), accompagné d'inquiétude, d'anxiété ou d'insécurité. Une foule de problèmes surgissent lorsque nous laissons s'épuiser notre sollicitude, notamment un abaissement de la réaction immunitaire, un déséquilibre des niveaux hormonaux et une faculté de décision médiocre. Lorsque nous savons distinguer entre la sollicitude et le souci, nous pouvons consciemment choisir la première et éviter le second; cesser de pousser notre sollicitude — que ce soit à l'égard des gens, des choses, des problèmes — à l'extrême. Lorsque nous savons reconnaître le souci et comprenons son inefficacité, nous pouvons commencer à l'éliminer de nos pensées et de nos sentiments. Le fait de comprendre dans quelles circonstances vous vous faites du souci vous donnera un nouveau sentiment de liberté.

8. Apprenez à appliquer le CUT-THRU.

L'outil majeur suivant de la solution HeartMath est le CUT-THRU (le raccourci), une technique conçue scientifiquement pour vous aider à gérer vos émotions et à éliminer le souci.

Les pensées improductives n'ont un effet nuisible que dans la mesure où nous leur ajoutons des émotions. Par exemple, lorsqu'une question nous préoccupe et que nous y mettons vraiment des émotions, le souci peut aisément devenir de l'anxiété ou même de la panique. Le CUT-THRU constitue une méthode fiable qui vous permettra d'éliminer des émotions causant de l'incohérence et un déficit énergétique.

En pratiquant la solution HeartMath, vous serez à même de voir clairement vos moments de stress. Vous pourrez alors utiliser le FREEZE-FRAME pour déterminer la meilleure ligne de conduite. Cependant, même une fois que vous verrez avec une clarté intuitive ce qu'il faut faire, vous ressentirez peut-être encore des résidus de sentiments inconfortables ou embarrassants. Lorsque ces résidus bloquent l'organisme, vous devez appliquer le CUT-THRU, ce qui changera votre état émotionnel,de telle sorte que non seulement vous penserez mieux, mais aussi vous vous sentirez mieux.

Chez beaucoup d'entre nous, des problèmes émotionnels de longue date — des sentiments de trahison, d'indignité ou de peur, peut-être — imprègnent notre vie en nous empêchant de maintenir des états émotionnels agréables. Appliquer la technique CUT-THRU à ces résidus émotionnels aide à les dissoudre et à les libérer, même s'ils sont profondément incrustés.

Les recherches de l'Institute of HeartMath ont démontré que le CUT-THRU a un effet bénéfique sur l'équilibre hormonal, en réduisant les sentiments désagréables (tels que l'anxiété, la dépression, la culpabilité et l'épuisement professionnel) et en augmentant les sentiments positifs (tels que la compassion, l'acceptation et l'harmonie).

Cette technique est un peu plus complexe que le FREEZE-FRAME, mais, avec la pratique, elle peut être aisément apprise et appliquée aux domaines de votre vie où le besoin d'une plus grande gestion émotionnelle se fait sentir.

9. Faites des HEART LOCK-IN.

La troisième technique majeure de la solution HeartMath est le HEART LOCK-IN (l'arrimage au cœur). Pratiquer le HEART LOCK-IN amplifie la force de votre cœur. Calmer le mental et maintenir un lien solide avec le cœur — *s'arrimer* à sa force — ajoute de l'énergie régénératrice à tout votre système. Nous allons partager les résultats d'une recherche importante montrant comment le HEART LOCK-IN aide à maintenir l'équilibre de votre système nerveux et à améliorer les réactions de votre système immunitaire.

Le HEART LOCK-IN, qui exige de cinq à quinze minutes, renforce le lien entre le cœur et le cerveau. L'amélioration de ce lien permet de rester plus facilement en contact avec l'intelligence de votre cœur et ses messages intuitifs au milieu de vos activités quotidiennes. Tandis que le FREEZE-FRAME est utilisé pour gérer le mental et le CUT-THRU pour gérer les émotions, le HEART LOCK-IN s'emploie pour renforcer la pratique de ces autres techniques et pour activer un lien plus profond avec les sentiments fondamentaux ainsi que l'intelligence de votre cœur. L'usage quotidien du HEART LOCK-IN améliore la santé, augmente la créativité et favorise l'expérience d'intuitions plus fréquentes. Vous utiliserez le HEART LOCK-IN pour régénérer votre système sur les plans physique, mental et émotionnel.

10. Actualisez ce que vous savez.

La dernière étape de la solution HeartMath consiste à rassembler tout ce que vous avez appris des neuf premiers outils et techniques, et à appliquer cette connaissance à votre vie personnelle, professionnelle et sociale. Quelle que soit la technique étudiée, son application est la partie la plus importante du processus. Nous fournirons plusieurs exemples de gens ayant utilisé la solution HeartMath pour améliorer leur vie personnelle, leur santé, leurs relations familiales et leur organisation (notamment des entreprises, des établissements scolaires et des sociétés d'État). Ces exemples vous fourniront un aperçu de la façon dont la solution HeartMath peut s'appliquer à votre vie et vous inciteront à utiliser les techniques que vous aurez apprises.

Pour résumer, voici une équation psychologique clarifiant l'essence de la solution HeartMath :

Activer l'intelligence du cœur + gérer le mental + gérer les émotions = efficacité énergétique, cohérence accrue, conscience élargie et plus grande productivité.

Avec les bons outils, il n'est pas si difficile que cela de vivre à partir du cœur. Après tout, chacun de nous a déjà eu, bien des fois dans sa vie, des expériences du cœur — et d'ailleurs celles-ci sont généralement les plus agréables que nous ayons connues. Toutefois, elles semblent se produire par hasard et elles cessent rapidement. La solution HeartMath vous donnera la capacité de maintenir le lien avec votre cœur, en vous enseignant à écouter celui-ci attentivement et à le suivre, de manière à vivre des expériences enrichissantes.

L'histoire de Melanie Trowbridge illustre clairement le besoin d'une approche systématique de la vie à partir du cœur. Melanie était confrontée à de graves problèmes de santé. Après avoir reçu un diagnostic de cancer des ovaires, elle vécut six mois très difficiles : chirurgie, deux pneumonies (avec deux longs séjours à l'hôpital), six traitements de chimiothérapie de deux jours, et plusieurs journées de nausées et de faiblesse. Malgré l'âpreté de la situation, tout le monde lui disait qu'elle gérait celle-ci extrêmement bien, surtout pour quelqu'un qui n'avait jamais été malade auparavant.

«J'ai affronté la crise de la seule façon que j'ai pu : en ayant recours à mon cœur pour recevoir le meilleur soutien possible. Je me sentais mieux quand j'ai commencé, mais, avec le temps, j'ai perdu ce lien avec mon cœur. Après que le cancer fut entré en rémission et que j'eus repris mes habitudes "normales", je n'écoutais pas mon cœur aussi profondément qu'auparavant. Je me suis alors mise à ressentir une peur extrêmement stressante, car je craignais un retour du cancer.

« Quand j'ai participé, pour des raisons professionnelles, à un séminaire HeartMath, je me suis aperçue que, durant ma crise de santé, même si j'avais suivi mon cœur, je n'avais pas su comment le faire d'une manière cohérente. Je n'avais pas alors la moindre idée de ce que je faisais vraiment! Les outils et techniques de la solution HeartMath m'ont permis de demeurer reliée à l'intelligence de mon cœur; les recherches de l'Institute of HeartMath m'ont fait comprendre clairement l'importance de l'écouter. Depuis, je me sens plus en sécurité quant à ma santé. »

Le développement de l'intelligence du cœur nous permet donc d'établir un sentiment profond de sécurité intérieure. Il y a des gens qui passent leur vie à chercher la sécurité à l'extérieur d'eux-mêmes : au travail, dans le mariage, dans la religion et les croyances. À présent, il existe une approche scientifique pour créer la sécurité intérieure. À mesure que nous développerons une telle sécurité dans nos cœurs, nous pourrons mieux effectuer notre travail, améliorer notre mariage et vivre nos valeurs essentielles avec plus d'intégrité.

POINTS CLÉS À RETENIR

- Des preuves scientifiques démontrent que le cœur nous envoie des signaux émotionnels et intuitifs pour nous aider à gérer nos vies.

- De nombreuses cultures anciennes soutenaient que l'organe premier chargé d'influencer et de diriger les émotions, la moralité et la prise de décision était le cœur.

- Le cœur commence à battre dans un fœtus avant que le cerveau ne soit formé. Les scientifiques ne savent pas encore exactement ce qui fait qu'il commence à battre. Les battements sont générés de l'intérieur du cœur même et n'ont pas besoin d'un lien au cerveau pour continuer.

- Le cœur a son propre système nerveux indépendant, le «cerveau du cœur». Il y a au moins quarante mille neurones dans le cœur, soit autant que dans divers centres sous-corticaux du cerveau.

- Les sentiments fondamentaux du cœur *réduisent* l'activité du système nerveux sympathique (cette branche du système qui accélère le rythme cardiaque, contracte les vaisseaux sanguins et stimule la sécrétion d'hormones de stress en préparation de l'action) et *augmentent* l'activité du système nerveux parasympathique (cette branche du système qui ralentit le rythme cardiaque et relaxe les systèmes intérieurs du corps), accroissant par conséquent son efficacité.

- Les émotions positives, comme le bonheur, la reconnaissance, la compassion, la sollicitude et l'amour améliorent l'équilibre hormonal et les réactions du système immunitaire.

- À partir de la recherche menée à l'Institute of HeartMath, nous avons conclu que l'intelligence et l'intuition s'améliorent lorsque nous apprenons à écouter plus profondément notre cœur.
- La solution HeartMath comporte dix outils et techniques essentiels.

CHAPITRE 2

L'ultime partenariat

Preuve que votre cœur et votre tête peuvent atteindre l'harmonie parfaite

L'intellect vous rappelle rapidement combien précieuse est la toute nouvelle Corolla, car c'est une meilleure voiture pour moins cher.

Ah! mais le cœur bondit pour vous dire qu'avec la puissance additionnelle, les caractéristiques de sécurité et la belle apparence de la Corolla, vous voyagerez comme un dignitaire.

Ce qui montre bien que même des adversaires peuvent s'unir pour le bien commun.

(Annonce de Toyota parue dans la revue Scientific American en 1998.)

À l'un de nos séminaires, une femme nous a raconté une histoire classique impliquant la tête et le cœur. Des années auparavant, elle avait conclu une entente commerciale avec son cousin, qui avait toujours été prospère. L'entente paraissait infaillible, et cette dame avait hâte de signer les papiers en se rendant à la banque.

Cependant, lorsqu'elle y entra, elle commença à se sentir mal à l'aise. Elle avait le cœur serré et des papillons dans l'estomac. Quelque chose clochait quant à la signature de cette entente, mais, lorsqu'elle y repensa, tout lui sembla en ordre, et elle procéda.

Quatre ans plus tard, elle était encore aux prises avec les pertes financières et une foule de problèmes juridiques qui avaient résulté de cette décision commerciale. Elle nous a dit que ç'avait été là l'une des pires décisions qu'elle ait jamais prises. «Pourquoi n'ai-je pas écouté mon cœur et tout vérifié avant de signer?» a-t-elle déclaré en soupirant.

Son esprit n'avait conscience de rien qui eût pu lui donner un quelconque motif d'inquiétude alors qu'elle réfléchissait à l'entente commerciale qu'elle allait conclure, mais, «dans son cœur» elle sentait des problèmes. Comme nous tous, elle avait grandi dans une culture qui accorde une grande valeur à la raison et a tendance au scepticisme devant tout ce qui est aussi peu «concluant» que l'intuition. À cette occasion cependant, la raison n'était tout simplement pas suffisante. Lorsque cette dame regardait les faits, son esprit ne voyait aucune raison de reculer. Son cœur, par contre, saisissait des signaux auxquels son esprit n'avait pas réagi. Si elle avait pris en considération à la fois son cœur et sa tête, elle aurait pu s'épargner des années de tracas.

Le travail d'équipe intérieur

Lorsque, dans ces pages, nous parlons du cœur et de la tête, nous utilisons ces termes comme nous le ferions dans une conversation informelle. Dans ce contexte, nous associons généralement la «tête» à des processus tels que la pensée, la création d'images, la mémorisation, la planification, la déduction, le calcul, la manipulation et même, à l'occasion, l'autopunition. Nous associons le «cœur» à ce que nous pourrions appeler les «qualités de sentiment», telles que la sollicitude, l'amour, la sagesse, l'intuition, la compréhension, la sécurité et la reconnaissance. Gardez toutefois à l'esprit que nous ne parlons pas seulement de la tête et du cœur physiques, mais aussi des énergies et attitudes intérieures associées à ces régions de notre corps.

À mesure que les scientifiques de l'Institute of HeartMath (et d'autres qui sont à la fine pointe de la recherche en neurocardiologie) poursuivront leur investigation sur le cœur, nous finirons par avoir une compréhension beaucoup plus grande de l'impact qu'exercent l'un sur l'autre le cœur et le cerveau physiques. Déjà, les dernières découvertes de ces scientifiques nous ont donné une vision radicalement neuve et différente du rôle du cœur dans le système humain. Toutefois, jusqu'à l'avènement de nouvelles découvertes scientifiques, nous devons encore faire référence au cœur et à la tête d'une façon quelque peu métaphorique lorsque nous en décrivons les effets.

Le cœur et la tête traitent tous deux de l'information qui gouverne nos fonctions corporelles, détermine nos attitudes et réactions, et entretient d'une façon générale notre lien avec le monde qui nous entoure. Très souvent cependant, chacun approche cette information et l'interprète d'une façon assez différente.

La tête — qui, en ce qui nous concerne, comprend le cerveau et le mental — fonctionne d'une manière linéaire, logique. Ses fonctions primaires sont l'analyse, la mémorisation, la compartimentation, la comparaison et le tri des messages qui lui parviennent de nos sens et de nos expériences passées, et la transformation de ces données en perceptions, en pensées et en émotions. La tête régit également un grand nombre de nos fonctions corporelles.

C'est elle qui décide de ce qui est bon ou mauvais, approprié ou inapproprié. Elle sépare et divise, cataloguant à mesure, afin que nous puissions tirer parti d'expériences passées, tirer un sens du présent et réfléchir à l'avenir.

En accumulant et en combinant des millions de vérités partielles et des tonnes de données incomplètes, la tête s'arrange pour composer des schémas quelque peu cohérents de la réalité. Lorsque nous reconnaissons ces schémas dans notre vie, nous sommes à même d'effectuer certaines suppositions sur le monde qui nous épargnent temps et énergie. Imaginez ce que ce serait si, en allant au travail chaque matin, vous deviez réapprendre tout ce qu'il vous faut connaître sur votre travail. La vie serait nettement plus difficile et complexe si nous ne pouvions nous fier à des schémas.

Toutefois, cette capacité de créer des schémas, bien qu'elle soit essentielle, a des désavantages. La tête peut aisément s'enfermer dans des schémas établis. Au lieu de voir les choses dans une perspective nouvelle, elle peut présumer avec entêtement qu'elle « sait ce qu'elle sait » sur les gens, les lieux, les problèmes et nous-mêmes, nous empêchant de voir et d'accepter de nouvelles possibilités. Lorsque règnent des schémas mentaux têtus, toute nouvelle information que nous rencontrons doit se conformer au paradigme existant de la tête pour être perçue comme valide. Sur le plan de la survie, il est essentiel de maintenir un sentiment d'ordre et de stabilité, mais lorsque nous tentons de trouver de nouvelles solutions à des problèmes ou de développer de nouvelles attitudes, conduites ou perspectives, cela peut constituer un handicap.

Nous sommes nés avec la majeure partie des neurones que nous aurons jamais dans notre cerveau, mais les schémas selon lesquels ces cellules se relient les unes aux autres se développent et changent durant toute notre vie. À mesure que nous faisons l'expérience de notre environnement et développons de nouvelles aptitudes, les neurones se relient en une trame, ou réseau, formant des ensembles très élaborés — des circuits neuronaux, pour ainsi dire — qui sous-tendent nos perceptions, nos souvenirs, nos comportements et nos habitudes.

Vous rappelez-vous la première fois que vous avez conduit une voiture (surtout si elle avait une transmission manuelle) ? La plupart d'entre nous n'ont eu besoin que d'un peu de pratique — peut-être une ou deux semaines — pour pouvoir conduire d'une seule main, changer de station de radio de l'autre, et parler à un ami, tout cela en même temps ! Nous avons alors développé de nouveaux circuits cérébraux qui nous ont permis de maîtriser cette tâche redoutable. Et nos circuits changent quotidiennement. Plus nous répétons une action, plus le circuit se renforce en faveur de ce comportement, qui finit par devenir automatique pour nous.

Tout comme les habiletés physiques, telles que la conduite automobile, la marche ou la pratique d'un sport, les attitudes et comportements mentaux et émotionnels deviennent automatiques avec la répétition. À mesure que nous nous adonnons répétitivement aux mêmes pensées et sentiments, les circuits neuronaux qui sous-tendent ces schémas se renforcent. Essentiellement, nos schémas mentaux et émotionnels deviennent «gravés» dans les circuits de notre cerveau. Cela explique pourquoi notre tête est parfois si obstinée, et pourquoi des perceptions, émotions et attitudes fortement incrustées sont si difficiles à changer [1].

L'intelligence du cœur, par contre, traite l'information d'une façon moins linéaire, plus intuitive et directe. Le cœur est non seulement *ouvert* à de nouvelles possibilités, mais activement à l'affût de celles-ci, cherchant toujours une nouvelle façon intuitive de comprendre. En définitive, la tête «sait», mais le cœur «comprend». La tête utilise une gamme plus raffinée de capacités de traitement de l'information et elle a (comme nous allons le démontrer) une forte influence sur le fonctionnement de notre cerveau.

Le cœur nous montre les valeurs essentielles inhérentes à notre vie et nous rapproche du sentiment de sécurité et d'appartenance véritables que nous désirons tous ardemment. L'intelligence du cœur s'accompagne souvent d'un tel sentiment de sécurité et d'équilibre. Ainsi, lorsque nous sommes en contact avec le cœur, nous le savons par le sentiment que nous éprouvons alors. L'intelligence du cœur sert d'élan à ce que certains scientifiques appellent *qualia* — notre expérience des sentiments et des qualités de l'amour, de la compassion, de la tolérance, de la patience et du pardon. Ces qualités s'accompagnent souvent d'un état de conscience clair et paisible. Lorsque nous sommes engagés avec notre cœur, le mental ralentit et nos pensées deviennent plus rationnelles et plus focalisées. Le processus de déduction commence à opérer dans la clarté et la compréhension. Nous nous sentons davantage maîtres de notre sort et nous voyons la vie d'une façon plus optimiste, avec espoir. À mesure que l'on met en pratique les techniques tirant parti de l'intelligence du cœur, on est moins absorbé dans ses problèmes et dans le rythme trépidant de l'activité quotidienne. On a une plus large perspective de la vie.

Nous avons vu bien des cas qui illustrent les effets positifs réels que l'on obtient lorsque l'on cultive l'intelligence du cœur et met l'accent sur des valeurs fondamentales telles que la reconnaissance, la sollicitude, la sincérité et l'authenticité dans le milieu de travail. Par exemple, la division des services de technologie de l'information d'une grande société d'État de Californie avait amorcé une foule de changements afin d'affronter de nouveaux défis sur le marché des services d'information. Le stress associé à ces changements créait dans le bureau un environnement de fragmentation, de fausse perception et de mauvaise communication sur bien des plans. L'administration prit certaines mesures et invita une équipe de consultants et de formateurs de HeartMath à livrer à 117 employés un programme de formation en gestion de la qualité intérieure. Au cours de ce processus de formation, les employés furent informés du rôle important joué par le cœur, sur les plans biologique et psychologique, dans la gestion du changement. On leur fournit les outils et les techniques de la solution HeartMath pour leur permettre d'activer l'intelligence du cœur afin de renforcer leur sentiment de sécurité et leur travail en équipe, et pour réduire leur niveau de stress. On leur fit passer des tests psychologiques, avant et après le programme de formation, afin de mesurer des changements dans le stress et les attitudes sociales. Les symptômes physiques du stress furent aussi évalués.

En apprenant à fonctionner à partir des sentiments fondamentaux de leur cœur sur le moment et dans leurs interactions quotidiennes, les participants accrurent leur capacité de désamorcer le stress personnel et organisationnel. Après la formation HeartMath, les résultats montrèrent des diminutions importantes de la colère (20 %), de la dépression (26 %), de la tristesse (22 %) et de la fatigue (24 %), ainsi que des *augmentations* importantes de la paix intérieure (23 %) et de la vitalité (10 %). Les symptômes du stress étaient également réduits d'une façon importante, y compris l'anxiété (21 %), l'insomnie (24 %) et la tachycardie (19 %). Ces améliorations individuelles engendrèrent un processus d'application du changement organisationnel plus harmonieux. Ces résultats avaient pu être obtenus parce que l'on avait appris aux participants à utiliser l'intelligence de leur cœur en activant leurs sentiments fondamentaux afin d'affronter des situations difficiles [2] (voir figure 2.1.).

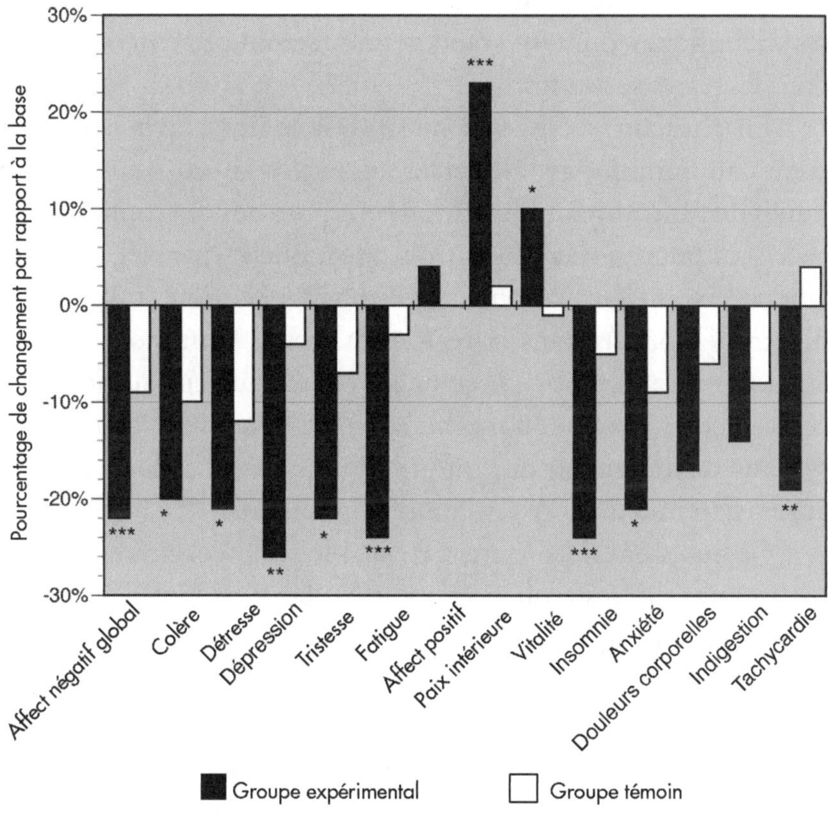

Améliorations de la santé émotionnelle et physique chez des employés utilisant les outils et techniques de la solution HeartMath

FIGURE 2.1. Seulement quelques semaines après avoir commencé à utiliser les outils et techniques de la solution HeartMath, les employés d'une société d'État californienne ont ressenti une importante diminution de stress, d'émotions négatives et de fatigue ; une paix intérieure et une vitalité accrues ; et la réduction de nombreux symptômes physiques courants du stress (voir colonnes noires). Un groupe témoin qui n'a pas utilisé les techniques n'a montré aucun changement significatif (voir colonnes blanches). *p- .05, **p - .01, ***p - .001.

La communication cœur-cerveau

L'amour et la sollicitude que nous ressentons dans notre cœur transcendent certainement la science, mais nous, à l'Institute of HeartMath, avons toujours pensé qu'il était important de comprendre autant que possible ce qui se passe biologiquement lorsque notre cœur «prend vie». Si le cœur est vraiment intelligent, nous voulons savoir comment il communique ses messages. Notre recherche sur cette question a conduit à de stimulantes découvertes scientifiques, dont un grand nombre seront présentées en détail dans les pages suivantes.

En étudiant les mécanismes physiologiques par lesquels le cœur communique avec le cerveau et le reste du corps, les scientifiques de l'Institute of HeartMath ont posé des questions comme celles-ci : pourquoi la plupart des gens, quelle que soit leur race, leur culture ou leur nationalité, vivent-ils le sentiment d'amour et d'autres émotions dans la région du cœur? Comment les états émotionnels affectent-ils le cœur, le système nerveux autonome, le cerveau et les systèmes hormonal et immunitaire? Et comment le système de traitement de l'information du cœur influence-t-il les autres systèmes du corps, y compris le cerveau?

Ce qu'ils ont découvert, c'est que le cœur communique avec le cerveau et le reste du corps de trois façons, dont il existe des preuves scientifiques certaines : *sur le plan neurologique* (par la transmission d'impulsions nerveuses), *sur le plan biochimique* (par les hormones et les neurotransmetteurs) et *sur le plan biophysique* (par les ondes de pression). En outre, on a de plus en plus d'indices de la possibilité que le cœur communique avec le cerveau et le corps d'une quatrième façon : *sur le plan énergétique* (par les interactions du champ électromagnétique). Grâce à ces systèmes de communication biologique, le cœur a une influence importante sur le fonctionnement de notre cerveau et de tous nos systèmes corporels[3].

La communication neurologique

Au cours des vingt dernières années, une nouvelle discipline appelée *neurocardiologie* a fait son apparition [4]. Elle combine l'étude du système nerveux et celle du cœur. Ce nouveau domaine stimulant nous fournit déjà des aperçus essentiels sur certaines des façons dont le cerveau et le cœur communiquent l'un avec l'autre et avec le reste du corps.

En 1991, après une vaste recherche, l'un des pionniers de la neurocardiologie, le docteur J. Andrew Armour, de l'université de Dalhousie, à Halifax, au Canada, a présenté des preuves d'un *cerveau du cœur* fonctionnel, ce «cerveau dans le cœur» que nous avons évoqué au chapitre 1 [5]. Du point de vue neuroscientifique, le système nerveux du cœur est suffisamment développé pour être considéré comme un petit cerveau. Le travail du docteur Armour a montré que ce cerveau du cœur est un réseau complexe de plusieurs types de neurones, de neurotransmetteurs, de protéines et de cellules de soutien. Ses circuits élaborés lui permettent d'agir indépendamment du cerveau de la tête. Il peut apprendre, se rappeler et même avoir des sentiments et des sensations. Grâce à la recherche du docteur Armour, une nouvelle image du cœur commence à émerger [6].

À chaque battement du cœur, une poussée d'activité neuronale est relayée au cerveau. Le cerveau du cœur perçoit l'information sur les hormones, le rythme et la pression, la traduit en impulsions neurologiques et traite cette information sur le plan interne. Il renvoie ensuite l'information au cerveau de la tête, par l'intermédiaire du nerf vague et de nerfs situés dans la colonne vertébrale. Ces mêmes voies nerveuses transportent aussi la douleur et d'autres sensations au cerveau. Les voies nerveuses allant du cœur au cerveau atteignent ce dernier dans une région appelée *medulla*, située à sa base [6].

Les signaux neurologiques que le cœur envoie au cerveau ont une influence régulatrice sur plusieurs des signaux du système nerveux autonome qui vont du cerveau au cœur, aux vaisseaux sanguins, et à d'autres organes et glandes. Cependant, les signaux que le cœur envoie au cerveau montent également en cascade dans les centres supérieurs de celui-ci et en influencent le fonctionnement. Le travail des Lacey (dont nous avons parlé au chapitre 1), de même que celui d'autres scientifiques après eux, montre que des messages neuronaux du cœur affectent l'activité du cortex, cette partie du cerveau qui gouverne notre pensée supérieure et nos capacités de raisonnement [7-9].

L'apport du cœur au cerveau influence aussi l'activité neuronale de l'amygdale cérébelleuse (le centre émotionnel important mentionné au chapitre 1) [10]. Selon la nature précise de l'apport du cœur, il peut parfois inhiber et parfois faciliter les processus cérébraux [7-9, 11].

Le cœur influence également, d'une façon continuelle, nos perceptions, nos émotions et notre conscience [3]. L'existence de voies de communication reliant le cœur à nos centres cérébraux supérieurs permet d'expliquer comment l'information du cœur peut modifier ces états mentaux et sensoriels, de même que la performance. La figure 2.2 fournit une illustration simplifiée des voies de communication neurologiques allant du cœur au cerveau.

La communication biologique

Le cœur communique également avec le cerveau et le reste du corps par le système hormonal. Une *hormone* est définie comme une substance chimique produite dans un organe ou une partie du corps, puis transportée par le réseau sanguin vers un autre organe ou tissu où elle exerce un effet spécifique. En 1983, le cœur fut formellement reclassé dans le système hormonal lorsqu'on découvrit une puissante et nouvelle hormone produite et sécrétée par les orifices des oreillettes. On l'a nommée *facteur natriurétique*

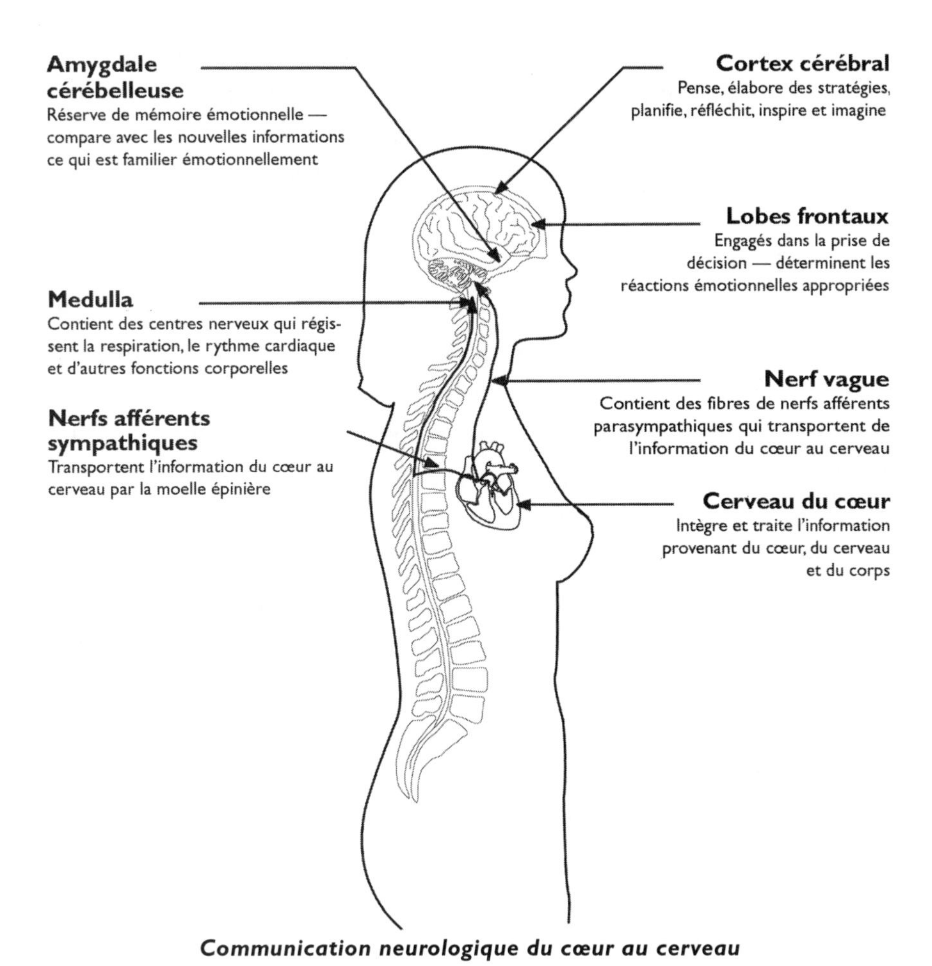

Communication neurologique du cœur au cerveau

FIGURE 2.2. Ce diagramme illustre les voies neurologiques par lesquelles le cœur communique avec le cerveau. Le système nerveux intrinsèque du cœur (le cerveau du cœur) contient des neurites sensoriels de même que des neurones de circuit local de plusieurs types. Les neurites sensoriels, qui sont distribués à travers le cœur, sentent et répondent à plusieurs informations biologiques, dont celles qui concernent le rythme cardiaque, la pression, les hormones et les neurotransmetteurs. Les neurones de circuit local sont disposés en stations de traitement qui intègrent de l'information neurologique affluant du cerveau et des organes corporels avec un apport des neurites sensoriels du cœur. Lorsque le cerveau du cœur a traité cette information, il envoie des messages au cerveau de la tête par l'intermédiaire de voies neurales «afférentes», c'est-à-dire des voies qui vont en direction du cerveau. Les nerfs afférents sympathiques se rendent au cerveau par l'épine dorsale. Le nerf vague contient des milliers de fibres nerveuses, dont plusieurs transmettent aussi de l'information du cœur au cerveau. Ces voies neuronales pénètrent dans le cerveau par la medulla, un centre cérébral qui régit de nombreuses fonctions corporelles fondamentales. De là, l'information neurologique provenant du cœur se rend jusqu'à des centres cérébraux supérieurs engagés dans le traitement des émotions, la prise de décision et le raisonnement.

auriculaire (FNA) ou *peptide auriculaire*. Cette hormone régule la pression sanguine, la rétention de liquides corporels et l'homéostasie électrolytique. Surnommée «l'hormone de l'équilibre», elle exerce ses effets de plusieurs façons : sur les vaisseaux sanguins, les reins, les surrénales et un grand nombre des régions régulatrices du cerveau [12].

En outre, les études indiquent que le FNA inhibe la sécrétion des hormones du stress [13], joue un rôle dans les voies hormonales qui stimulent la fonction et la croissance de nos organes reproducteurs [14] et pourrait bien interagir avec le système immunitaire [15]. Ce qui est encore plus intrigant, c'est que, selon certaines expériences, le FNA peut influencer le comportement motivé [16].

En plus du FNA et de plusieurs autres hormones, le cœur synthétise et libère de la noradrénaline et de la dopamine, des neurotransmetteurs qui, croyait-on auparavant, n'étaient produits que par le cerveau et dans les ganglions extérieurs au cœur [17]. Ces molécules figurent parmi les substances chimiques dont on sait qu'elles servent d'intermédiaires aux émotions dans le cerveau. Bien qu'on n'ait pas encore étudié le rôle précis de ces neurotransmetteurs produits par le cœur, certains scientifiques considèrent leur origine dans le cœur comme un argument supplémentaire appuyant la nouvelle vision émergente selon laquelle le «système émotionnel» humain n'est pas confiné au cerveau, mais qu'il est plutôt distribué dans un réseau s'étendant à travers tout le corps [18]. Le cœur joue un rôle essentiel dans ce réseau.

La communication biophysique

À chaque battement, le cœur génère une puissante onde de pression sanguine qui circule rapidement à travers les artères, beaucoup plus vite que le sang lui-même. Ce sont ces ondes de pression qui créent ce que nous sentons comme notre pouls.

Il existe des rythmes importants dans les oscillations des ondes de pression sanguine. Chez les individus en santé, une résonance complexe se produit entre les ondes de pression sanguine, la respiration et les rythmes du système nerveux autonome [19]. Parce que les schémas des ondes de pression varient selon l'activité rythmique du cœur, elles constituent un autre langage par lequel le cœur communique avec le reste du corps. Du côté des artères se trouvent toutes les glandes et tous les organes du corps. Essentiellement, toutes nos cellules «sentent» les ondes de pression engendrées par le cœur et dépendent d'elles à plusieurs égards. À la base, les ondes de pression poussent les cellules sanguines à travers les capillaires et fournissent de l'oxygène et des nutriments à toutes nos cellules. De plus, ces ondes élargissent les artères, leur faisant générer un voltage électrique relativement grand. Les ondes appliquent également une pression rythmique aux cellules, faisant générer à certaines des protéines qu'elles contiennent un courant électrique en réaction à la pression.

Les expériences menées à l'Institute of HeartMath ont montré que les ondes de pression sont un moyen biophysique utilisé par le cœur pour communiquer avec le cerveau et influencer son activité. Au cours de ces recherches, les chercheurs ont mesuré le temps mis par l'onde de pression sanguine pour arriver au cerveau tout en mesurant l'activité des ondes cérébrales. Un changement de l'activité électrique du cerveau était nettement visible lorsque l'onde de pression sanguine atteignait les cellules cérébrales [3].

La communication énergétique

Comme le savent beaucoup de médecins, la qualité et le schéma de l'énergie émise par le cœur sont transmis à travers tout le corps par le champ électromagnétique cardiaque. Des recherches récentes ont amené des scientifiques à proposer l'hypothèse que, tout comme les téléphones portables et les stations radiophoniques transmettent de l'information par l'intermédiaire d'un champ électromagnétique, un semblable processus de transfert d'information se produit par l'intermédiaire du champ électromagnétique généré par le cœur [3, 920]. Le champ électromagnétique du cœur est de loin le plus puissant qui soit produit par le corps; il est environ cinq mille fois plus fort que celui qui est produit par le cerveau, par exemple [20]. Le champ du cœur non seulement imprègne chaque cellule du corps, mais aussi irradie à l'extérieur de nous; il peut être mesuré jusqu'à une distance de trois mètres au moyen de détecteurs sensibles appelés *magnétomètres*. (Voir figure 2.3.)

Les scientifiques du laboratoire de l'institut et d'ailleurs ont découvert que les schémas d'information électrique générés par le cœur sont détectables dans nos ondes cérébrales au moyen d'un test appelé *électroencéphalogramme* (EEG) [20, 21]. Une série d'expériences de Gary Schwartz et de ses collègues de l'université d'Arizona a démontré que les schémas complexes d'activité cardiaque de nos ondes cérébrales ne pouvaient pas s'expliquer tout à fait par les voies de communication neurologiques et les autres voies connues. Leurs données fournissent la preuve qu'il y a une interaction énergétique directe entre le champ électromagnétique produit par le cœur et celui qui est produit par le cerveau [20].

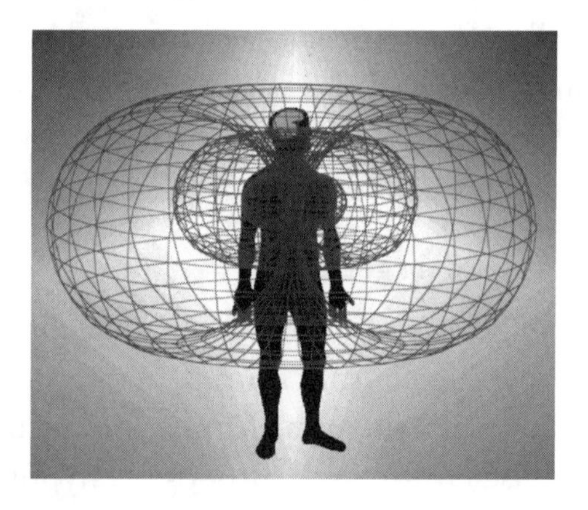

Le champ électromagnétique du cœur

FIGURE 2.3. Le champ électromagnétique généré par le cœur enveloppe tout le corps et s'étend dans toutes les directions dans l'espace qui nous entoure. Ce champ, de loin le plus puissant qui soit produit par le corps, peut être mesuré à plusieurs mètres de nous par des appareils sensibles.

La recherche de Schwartz et celle de l'Institute of HeartMath démontrent toutes deux que, lorsque nous concentrons notre attention sur notre cœur, la synchronisation entre celui-ci et notre cerveau augmente. Certaines expériences suggèrent que l'interaction énergétique entre le cœur et le cerveau joue un rôle dans ce processus [3, 20, 21].

De plus, des résultats de recherche indiquent que l'information énergétique contenue dans le champ du cœur n'est pas détectée seulement par nos propres cerveaux, mais peut aussi être enregistrée par les gens qui nous entourent [3, 22]. (Vous en apprendrez davantage sur ce fonctionnement au chapitre 8.)

Le maître du rythme

La recherche scientifique que nous venons d'examiner décrit nettement le cœur comme un système intelligent qui traite de nombreux types d'informations biologiques indépendantes du cerveau. Les messages neuronaux, biochimiques, biophysiques et électromagnétiques que le cœur génère et transmet au cerveau et au reste du corps ont une influence profonde sur nos processus physiologiques, mentaux et émotionnels. Mais comment décodons-nous ces messages? Y a-t-il une façon scientifique de détecter ou de mesurer ce que le cœur est en train de «dire», et de déterminer comment cette information affecte notre conscience à tel moment donné?

Au cours des années, nous avons expérimenté plusieurs types différents de mesures psychologiques et physiologiques. Les schémas de variation de la fréquence cardiaque (VFC), ou rythme cardiaque, sont apparus régulièrement comme les reflets les plus dynamiques et les plus fidèles de nos états émotionnels. La *variation de la fréquence cardiaque* est définie comme une mesure des changements du rythme cardiaque d'un battement à un autre.

Si vous consultez un médecin pour un examen physique, il vous dira peut-être que votre cœur a soixante-dix battements par minute (bpm). Ce n'est qu'un chiffre moyen, bien sûr, car l'intervalle entre les battements du cœur est toujours changeant. Si le médecin prend votre pouls du bout des doigts — c'est la méthode habituelle —, il compte le nombre total de pulsations au cours d'une certaine période de temps, et vous n'avez conscience d'aucune variation du rythme. Si, par contre, vous êtes relié à un moniteur de rythme cardiaque, vous pouvez vraiment observer la variation spectaculaire du rythme cardiaque qui se produit même durant l'inactivité.

Il y a seulement trente-cinq ans, les médecins croyaient qu'un rythme cardiaque régulier était un signe de bonne santé. Mais maintenant, par l'analyse de la VFC, nous savons qu'il est normal que le rythme cardiaque varie. En fait, ce rythme change à chaque battement, même lorsque nous dormons. Contrairement à ce que l'on croyait auparavant — qu'un rythme cardiaque régulier était un indicateur de santé —, nous savons à présent qu'une perte de la variation qui se produit naturellement dans le rythme cardiaque est en fait un signe de maladie et un fort indice de problèmes de santé futurs [23]. Parce que la variabilité du rythme cardiaque décline à mesure que nous vieillissons, elle permet de mesurer notre vieillissement physiologique [24]. En bref, la VFC est une mesure de la flexibilité de notre cœur et de notre système nerveux, et, en tant que telle, elle reflète notre santé et notre forme physique.

L'équipe de recherche de l'institut fut intriguée par la VFC, car les changements de schéma des battements rythmiques du cœur permettaient d'observer le fonctionnement intérieur des voies de communication entre le cœur, le cerveau et le corps. Il semblait possible que des schémas distincts d'activité neurologique, biochimique, biophysique et électromagnétique générés par des variations précises de l'intervalle entre les battements du cœur puissent fonctionner comme un langage intelligent au moyen duquel le cœur transmettrait de l'information importante au reste du corps. En mesurant et en analysant la VFC, les chercheurs de l'institut commencèrent à voir comment le cœur code ses messages. Encore plus séduisante fut la découverte que ce rythme cardiaque changeant s'avérait remarquablement sensible à nos pensées et sentiments. En mesurant la VFC de plusieurs sujets, l'équipe de recherche a pu voir comment le cœur et le système nerveux réagissent au stress et à diverses émotions au moment où nous les ressentons [25].

Lorsque l'on branche des gens sur un moniteur de rythme cardiaque au cours de nos séminaires, ils sont étonnés de voir que le moindre changement émotionnel apparaît immédiatement, à la fois dans un changement du rythme cardiaque et un changement du schéma de VFC. Lorsqu'un administrateur commercial assez calme fut branché sur le moniteur, il commença par un rythme cardiaque bas de 65 bpm et un schéma de VFC relativement doux. Mais, dès qu'il se mit à rire parce que quelqu'un avait fait une blague, son rythme cardiaque bondit à 94 bpm et y resta pendant un bon moment avant de se rétablir à son taux habituel.

Alors qu'il commençait à faire l'exercice stressant de compter à rebours de deux cents par intervalles de 17, son schéma de VFC révéla que son cœur changeait de rythme d'une façon erratique. (Ce même schéma erratique se produit lorsque nous ressentons du stress provenant de n'importe quelle forme de frustration ou d'anxiété.) Cependant, lorsqu'il se concentra sur son cœur en songeant fortement à quelqu'un qu'il aimait, sa VFC passa rapidement à un schéma cohérent, ordonné d'une façon régulière. Nous pouvions voir que son cœur, à présent, accélérait et ralentissait en un courant harmonieux.

L'analyse de la VFC nous permet d'écouter et d'interpréter des conversations entre le cœur et le cerveau. Pendant que nous percevons le monde et y réagissons, des messages envoyés par le cerveau à travers le système nerveux autonome affectent les schémas du battement cardiaque. En même temps, l'activité rythmique du cœur génère des signaux neuronaux qui retournent au cerveau, influençant nos perceptions, nos processus mentaux et nos sensations.

Comme nous l'avons mentionné au premier chapitre, il est devenu clair pour nous, au cours de notre recherche, que les émotions négatives — colère et frustration, par exemple —augmentent le désordre et l'incohérence dans le rythme cardiaque et dans le système nerveux autonome, affectant ainsi le reste du corps. Par contraste, les émotions positives comme l'amour, la sollicitude et la reconnaissance augmentent l'harmonie, l'ordre et la cohérence dans le rythme cardiaque et améliorent l'équilibre du système nerveux. On peut considérer la variation de la fréquence cardiaque comme une mesure importante de l'équilibre de notre vie, tant du point de vue mental qu'émotionnel [26].

Les implications pour la santé sont faciles à comprendre : la dissonance de notre rythme cardiaque mène à l'inefficacité et à une augmentation du stress sur le cœur et les autres organes, tandis qu'un rythme harmonieux est plus efficace et moins stressant pour les systèmes du corps.

Le schéma de VFC caractéristique de quelqu'un qui est en colère ou frustré paraît irrégulier et désordonné (figure 2.4). Les branches sympathique et parasympathique du système nerveux autonome sont désynchronisées l'une par rapport à l'autre, luttant pour le contrôle du rythme cardiaque, le sympathique tentant de l'accélérer et le parasympathique, de le ralentir. C'est comme si vous tentiez de conduire votre voiture en appuyant simultanément sur l'accélérateur et sur la pédale de frein. La plupart d'entre nous attachons trop d'importance à notre voiture pour la traiter ainsi, et pourtant, sans nous en apercevoir, nous nous traitons ainsi nous-mêmes beaucoup plus que nous ne le pensons.

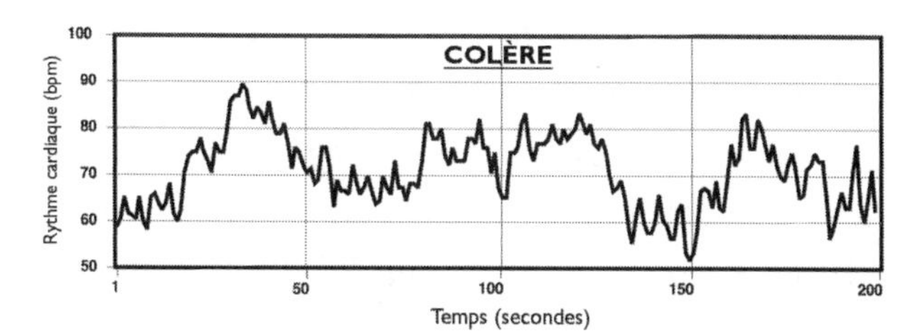

Émotions négatives et variation de la fréquence cardiaque

FIGURE 2.4. Dans les états émotionnels négatifs tels que la colère (représentée ici) et la frustration, le schéma de VFC est incohérent, aléatoire, saccadé. Cela indique la dissonance du système nerveux autonome, qui transporte l'information du cerveau au cœur et dans tout le corps.

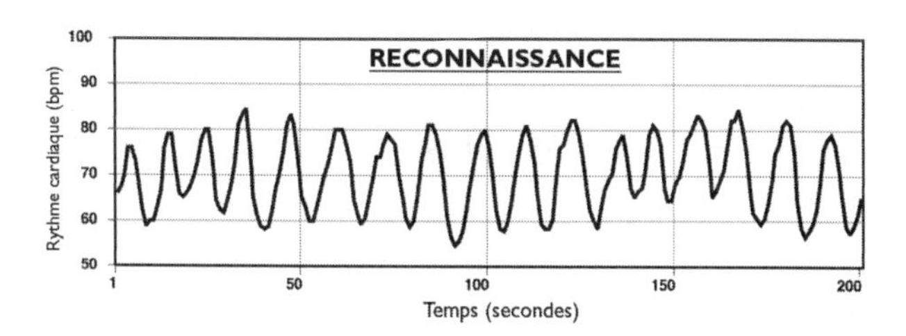

Émotions positives et variation de la fréquence cardiaque

FIGURE 2.5. Dans les états émotionnels positifs, tels que la reconnaissance (représentée ici), l'amour et la sollicitude, le schéma de VFC est cohérent et ordonné. Un tel schéma est généralement associé à l'équilibre du système nerveux autonome et à l'efficacité cardiovasculaire.

Lorsque nous sommes nerveux ou stressés, nous créons un rythme cardiaque désordonné. Cela engendre une réaction en chaîne dans notre corps : nos vaisseaux sanguins se contractent, notre pression sanguine s'élève, et il se gaspille beaucoup d'énergie. Si cela arrive régulièrement, il en résulte de l'hypertension (pression sanguine élevée), ce qui augmente grandement le risque de maladie cardiaque et d'infractus. On estime actuellement qu'un Américain sur quatre — environ cinquante millions de personnes — est hypertendu, et les maladies cardiovasculaires provoquent plus de décès chaque année aux États-Unis que les sept causes suivantes combinées [27].

La bonne nouvelle, c'est que les sentiments de reconnaissance, d'amour, de compassion et de sollicitude créent l'effet opposé. Ces sentiments positifs, fondés sur le cœur, génèrent des rythmes de VFC réguliers et harmonieux qui sont considérés comme des indicateurs d'efficacité cardiovasculaire et d'équilibre du système nerveux (figure 2.5).

Lorsque nous éprouvons des sentiments positifs, les deux branches du système nerveux sont synchronisées et travaillent en harmonie. C'est bon signe pour notre santé. Comme nous le verrons au cours de prochains chapitres, une augmentation de l'ordre dans le système nerveux autonome engendre des effets bénéfiques dans tout le corps, y compris une augmentation de l'immunité [28, 29] et de l'équilibre hormonal [30].

L'entraînement

Au XVIIe siècle, un inventeur européen du nom de Christiaan Huygens était très fier de son invention de l'horloge à pendule. Il entretenait une jolie collection de ces horloges dans son studio. Un jour, alors qu'il était au lit, il remarqua une chose étrange : tous les pendules oscillaient à l'unisson, même s'ils n'avaient pas été lancés ainsi.

Christiaan sortit du lit et relança différemment l'oscillation de tous les pendules, en rompant leur rythme synchronisé. À son grand étonnement, ils reprirent bientôt leur synchronisation. Chaque fois qu'il la brisait, ils se resynchronisaient.

Même si Christiaan ne put résoudre entièrement ce mystère, des scientifiques le firent plus tard : le plus grand pendule — celui dont le rythme était le plus fort — attirait les autres en synchronisation avec lui. Ce phénomène, appelé *entraînement*, est très répandu dans la nature (figure 2.6) [31].

Lorsque votre corps est en entraînement, ses systèmes majeurs fonctionnent en harmonie. Leur taux d'efficacité est alors plus

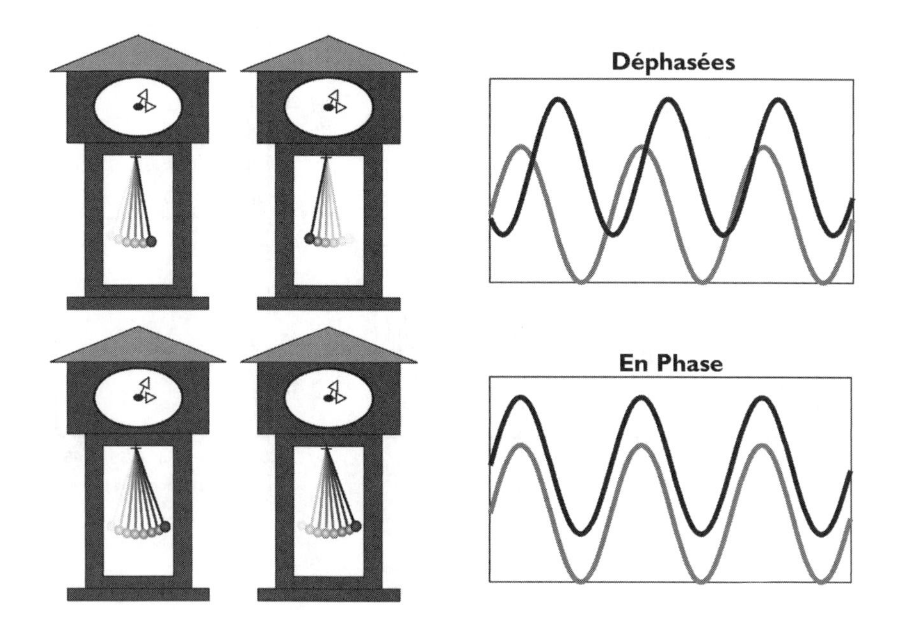

Entraînement

FIGURE 2.6. Lorsque deux horloges sont accrochées côte à côte sur le même mur, leurs pendules en viennent graduellement à osciller en harmonie. Dans cet état, elles génèrent le schéma ondulatoire illustré dans le tableau du bas, à droite. C'est un exemple classique du phénomène de l'entraînement, qui se produit dans toute la nature (chez les systèmes inanimés comme chez les organismes vivants). En général, lorsque les systèmes s'entraînent, ils fonctionnent avec une efficacité accrue. Dans le corps humain, le cœur, qui est le plus puissant oscillateur rythmique du corps, est le «pendule» central qui met en place l'entraînement des autres systèmes physiologiques.

élevé, et, par conséquent, vous pensez mieux et vous vous sentez mieux. Parce que le cœur est le plus fort oscillateur biologique du système humain — l'équivalent du pendule le plus fort d'une collection d'horloges —, les autres systèmes du corps peuvent être placés en entraînement avec ses rythmes. Par exemple, lorsque nous sommes dans un profond état d'amour ou de reconnaissance, le cerveau se synchronise — entre en harmonie — avec le rythme du cœur, comme le montre la figure 2.7 [3, 11]. Cet état d'entraînement tête-cœur se produit précisément lorsque le rythme cardiaque complète un cycle, toutes les dix secondes (0,1 Hz).

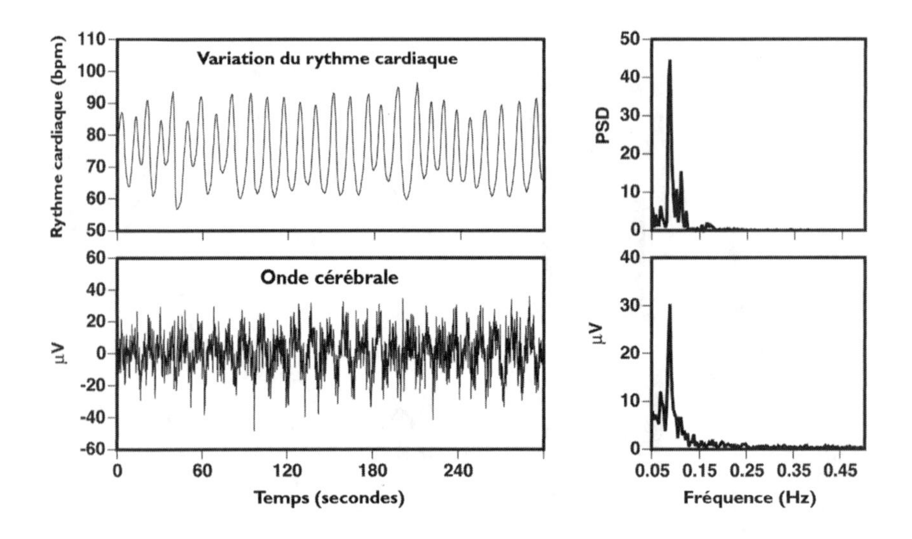

Entraînement tête-cœur

FIGURE 2.7. Ces graphiques montrent l'entraînement qui se produit entre la variation du rythme cardiaque et les schémas d'ondes cérébrales lorsque la personne en cours d'évaluation pratiquait le FREEZE-FRAME et ressentait une reconnaissance sincère. Les graphiques de gauche montrent les enregistrements en temps réel du rythme cardiaque et des ondes cérébrales de cette personne. Les graphiques de droite montrent les gammes de fréquence des mêmes données. Remarquez la synchronisation du rythme cardiaque et des ondes cérébrales à une fréquence d'environ 0,1 Hz (la grande pointe dans les graphiques de droite) durant le FREEZE-FRAME.

Lorsque les ondes cérébrales s'entraînent avec un rythme cardiaque à 0,1 Hz, des sujets de nos études rapportent un accroissement de la clarté intuitive et un plus grand sentiment de bien-être. Les techniques de HeartMath appelées FREEZE-FRAME, CUT-THRU et HEART LOCK-IN (dont il sera question aux chapitres 4, 9 et 10) sont conçues pour aider à synchroniser la tête et le cœur. Elles fonctionnent précisément parce qu'elles favorisent un état d'entraînement cohérent.

Selon nos études, dans tous ces moments fugaces où nous transcendons notre performance ordinaire et entrons en harmonie avec *autre chose,* que ce soit un magnifique coucher de soleil, une musique inspirante ou un autre être humain, ce avec quoi nous nous synchronisons vraiment, c'est *nous-mêmes*. Non seulement nous sentons-nous plus détendus et en paix dans ces moments-là, mais, aussi, l'état d'entraînement augmente notre capacité de bonne performance et offre de nombreux avantages pour la santé. Dans l'entraînement, nous nous trouvons à notre capacité de fonctionnement optimale.

Notre recherche démontre que l'on peut développer la capacité de maintenir un entraînement en entretenant des états sincères et focalisés sur le cœur, comme la reconnaissance et l'amour. Les résultats d'études sur l'entraînement tête-cœur suggèrent que, en modifiant intentionnellement notre état émotionnel au moyen de techniques précises, nous modifions l'apport du cœur au cerveau. Notre corps a été conçu de façon à fonctionner à sa capacité optimale lorsque le cœur et la tête sont fortement à l'écoute l'un de l'autre et travaillent ensemble.

Entendons-nous

L'information scientifique qui précède fournit une preuve certaine que le cœur communique de nombreux messages au cerveau. Mais de quoi faisons-nous l'expérience lorsque nous apprenons à raffiner et à augmenter cette communication entre le cœur et la tête?

Le défi, dans la maximisation de l'influence du cœur sur le cerveau, consiste à amener la tête à céder au cœur assez longtemps pour se relier à l'intelligence de celui-ci. Souvent, elle livre un véritable combat! Quelle que soit sa valeur, l'apport du cœur rompt généralement le mode d'opération familier du cerveau. Lorsque de vieux schémas neurologiques intégrés au cours de plusieurs années d'habitudes sont remis en question, ils s'accrochent parfois pour ne pas disparaître.

Si le cœur envoie un signal intuitif clair avec un sentiment qui dit : «Ne fais pas ça!», la tête peut résister vigoureusement, exigeant de savoir «Pourquoi?», «Comment?» et «Quand?» avec une telle insistance que ce signal du cœur est écarté. On peut avoir une intuition majeure sur le comportement qu'on a besoin de changer, par exemple, mais, avant d'avoir la chance de transformer cette intuition en action, on commence à songer à des justifications et à des rationalisations qui nous persuadent de ne pas changer.

Sally se fâchait chaque fois qu'elle entendait sa sœur Linda et le mari de celle-ci se disputer. Aussitôt, elle descendait dans l'arène pour servir d'intermédiaire et offrir ses conseils, et alors les trois finissaient par se quereller.

Se sentant incomprise et blessée, Sally quittait leur maison en faisant le vœu de ne plus jamais s'impliquer. Chaque fois qu'elle le faisait, elle demeurait fâchée pendant des jours, analysant la situation et ne pouvant s'empêcher de penser à ce qu'elle aurait dû dire différemment.

Bien des fois, au début d'une querelle, l'intuition de son cœur disait à Sally de rester à l'écart, mais sa tête soulevait immédiatement une objection en lui fournissant des raisons de s'impliquer : «Linda est ma sœur. Je l'aime et je ne peux pas supporter de la voir souffrir ainsi. Elle a besoin de mon aide.» Ce processus continua pendant des années, la tête gagnant à chaque fois, et Sally en était malheureuse.

Si elle avait eu les outils et techniques de la solution HeartMath à sa disposition, elle aurait été à même d'établir un lien solide entre son cœur et sa tête, et, avec ce lien, elle aurait compris plus clairement la sagesse de son cœur. À partir de cette perspective plus intégrée, elle aurait pu exprimer son amour pour sa sœur et son beau-frère sans s'impliquer émotionnellement dans leurs problèmes.

La plupart d'entre nous avons déjà eu de telles intuitions claires du cœur à propos de ce qu'il fallait faire (ou ne pas faire), mais nous avons alors suranalysé la situation, tournant en rond pour essayer d'y voir clair. Dans le cas de Sally, les circonstances influèrent sur ses émotions — l'amour qu'elle ressentait envers sa sœur et sa propre anxiété quant à la douleur qu'ils semblaient se causer l'un à l'autre. Mais, au lieu de laisser son cœur accroître sa conscience, la tête de Sally s'engageait dans un «processus de réduction de l'intelligence» qui l'empêchait de voir d'autres options.

La tête nous amène souvent à rationaliser et à conceptualiser une question au lieu d'actualiser ce que le cœur sait déjà et a déjà communiqué. Lorsque nous réagissons à la vie à partir de la tête, sans s'unir au cœur, notre détermination nous amène souvent à un comportement puéril et sans élégance dont nous avons honte. Si, d'un autre côté, nous synchronisons la tête avec le cœur, nous bénéficions alors d'un travail d'équipe et nous pouvons effectuer les changements qui nous paraissent adéquats.

Cœur supérieur et cœur inférieur

Minute, direz-vous. J'ai déjà suivi mon cœur et j'ai été blessé et trompé.» C'est certainement une expérience courante. Vous faites confiance à quelqu'un, croyant qu'il se préoccupe de vous autant que vous vous souciez de lui, pour finir par découvrir qu'il ne pense qu'à lui, et à vos dépens. Ce genre de prise de conscience est si courant, en réalité, que le fait d'apprendre à en accuser le coup avec grâce est l'un des rites de passage à l'âge adulte.

Avec l'expérience, nous en venons à anticiper la trahison plus tôt et à en adoucir la morsure. Mais, intérieurement, bien des gens revoient de vieux événements pénibles avec une amertume nocive et autodestructrice. Croyant que leur vulnérabilité et leur sollicitude les ont amenés à être blessés, ils se sont coupés de l'expression spontanée du cœur. Ils sont toujours sur leurs gardes et redoutent d'aimer à nouveau. «C'est mon cœur qui m'a fait tomber dans ce panneau», se disent-ils.

La capacité de se protéger de la douleur est un mécanisme de survie important. Toutefois, se séparer du cœur est une attitude défensive mal éclairée, enracinée dans la croyance que suivre le cœur veut dire suivre ses émotions, une croyance qui est tout simplement fausse. Le fait que nous ressentions fortement une émotion — la colère, la peur ou le désir — ne veut pas dire qu'elle est dirigée par le cœur. En fait, la tête utilise souvent des réserves émotionnelles pour parvenir à ses fins, détournant nos émotions pour défendre ses peurs, ses projections et ses désirs, qu'ils soient alignés ou non avec l'intelligence du cœur.

Lorsque nous ne faisons que commencer à différencier la tête et le cœur, nous nous laissons tromper facilement. Il existe cependant une grande différence entre les émotions dirigées par la tête et celles du cœur véritable. Pour éviter la confusion, nous parlerons ici des émotions en termes de cœur «supérieur» et de cœur «inférieur».

Le cœur inférieur désigne les sentiments qui sont marqués par les attachements et les conditions que leur impose le mental. L'amour conditionnel en est un bon exemple : «Je t'aimerai aussi longtemps que tu feras ce que j'aime.» Le cœur veut donner, mais le mental veut manquer à sa parole, se couvrir et obtenir ce qu'il veut.

Le cœur supérieur est plus permissif. Il ne se dérobe pas et ne fait pas de troc. Au lieu de dire : «Je ferai ceci si tu fais cela», il s'exprime avec authenticité, sans attentes. Pour le cœur supérieur, l'authenticité est sa propre récompense. Mais il faut de la maturité émotionnelle pour manifester les qualités du cœur avec constance.

Prenons, par exemple, le sentiment d'empathie. Il semble certainement admirable à première vue. Lorsqu'un ami vous dit, avec preuves à l'appui, que sa vie est devenue un enfer, vous ressentez naturellement de l'empathie, puis vous commencez à souffrir pour lui. Qu'y a-t-il de mal à cela? Mais pensez-y un peu : comment vous sentez-vous après avoir passé du temps avec lui? Épuisé? Vidé? Avez-vous besoin d'une pause? Le «cœur sur la main» empathique est le cœur inférieur. Il est admirable de ressentir ce que quelqu'un d'autre ressent, mais nous devons avoir de la prudence en exprimant notre empathie et nos intentions bienveillantes.

Nous avons remarqué dans nos propres vies qu'un excès d'empathie n'est pas utile, et que c'est même plutôt épuisant. L'empathie commence lorsque notre tête s'identifie à l'excès avec quelqu'un qui est dans le besoin, et que nous projetons sur cette personne nos propres préoccupations. Notre tête nous persuade que, pour être un bon ami, nous devons «entrer» dans la douleur de cette personne, nous identifier à cette douleur et la faire nôtre. Mais cela implique de nous enfoncer dans les mêmes émotions épuisantes dont souffre notre ami. Au moment où nous projetons nos propres inquiétudes sur les siennes, nous coulons dans un marécage émotionnel qui n'est utile à personne. C'est pourquoi une offre d'empathie entraîne souvent deux personnes à pleurer dans leur bière au lieu d'une seule… et sans solution en vue.

La compassion, par contre, régénère, en offrant une compréhension intuitive et des solutions potentielles. Elle nous laisse ressentir ce qu'un autre ressent, sans perdre notre authenticité. Nous pouvons comprendre notre ami souffrant sans tomber dans l'excès de responsabilité et le désespoir. Se préoccuper des problèmes et des soucis de ceux que nous aimons fait naturellement partie de l'amitié, mais nous devons nous assurer que notre sollicitude mène à une compassion du cœur supérieur plutôt qu'à une empathie du cœur inférieur.

Parce que nous ne faisons habituellement pas la distinction entre le cœur supérieur et le cœur inférieur, nous avons tendance à ne pas remarquer cette différence, confondant ces deux émotions dans la catégorie «cœur». Repensez à la dernière fois que vous avez donné votre cœur à quelqu'un et que vous avez été blessé. Pouvez-vous dire, avec la sagesse du recul, quel type de "cœur" vous ressentiez? Suiviez-vous votre cœur sincère ou bien répondiez-vous à un amalgame d'attentes de la tête, d'émotions du cœur inférieur, et de sentiments du cœur? La douleur que vous avez ressentie était-elle causée par l'amour ou par des conditions non réalisées et des espoirs insatisfaits?

Lorsque nous apprenons à gérer nos émotions assez longtemps pour porter notre attention sur le message plus discret du cœur, nous pouvons en tirer une vision plus large de n'importe quelle situation, nous protégeant souvent nous-mêmes de la blessure, de la frustration et de la douleur.

À 21 ans, j'ai (Howard) découvert à quel point il était difficile de trouver le cœur véritable. De but en blanc, ma copine m'a laissé pour un homme plus mûr (et beaucoup plus riche). Je fus complètement pris au dépourvu par sa défection. Nous étions ensemble depuis quatre ans lorsqu'elle m'a envoyé sa lettre de rupture, qui commençait par ces mots : «Cher Howard». J'avais le cœur brisé. J'étais en état de choc, affolé par la douleur, le remords, la gêne et le désespoir. Quand j'ai découvert que deux de mes amis avaient encouragé la nouvelle relation à mon insu, j'ai ajouté la colère et la vengeance à ma liste croissante d'émotions négatives.

Dans cet état de détresse émotionnelle, j'ai décidé que, parce que je l'aimais vraiment, j'allais la ramener à moi. Après tout, c'était *ma copine*, et je n'allais pas laisser un quelconque gros bonnet partir avec elle sans me battre. Je me suis donc arrangé pour la revoir, et nous avons eu «la conversation», tous deux sous l'emprise de notre histoire de cœur. En un moment d'intense lien émotionnel, je lui ai demandé de m'épouser. Profondément touchée par l'expression de mon engagement, elle est repartie en pensant à ma proposition. Cette fois, j'avais vraiment suivi mon cœur— c'était du moins ce que je croyais.

Le lendemain, quand Doc est arrivé, je lui ai dit fièrement ce que j'avais fait. À ma grande surprise, son point de vue sur la situation était un peu différent du mien... et c'est le moins qu'on puisse dire. Il m'a expliqué que la partie de moi que je sentais brisée n'était pas mon cœur, n'était pas l'essence véritable de l'amour que je ressentais pour elle. Que c'étaient mon attachement et mes attentes qui étaient brisés, et que ce dommage alimentait mon insécurité. Il suggéra également que le véritable acte d'amour que je devais lui montrer, c'était de la rejoindre à nouveau et de la libérer de la proposition de mariage.

« Si elle revient d'elle-même, m'a-t-il dit, tu auras quelque chose de solide et de propre sur quoi bâtir. Si elle ne revient pas, tu auras tout de même fait ce que tu avais de plus aimant à faire dans la situation, et, quelque part en cours de route, ce sera récompensé. Tu n'auras qu'à recoller les morceaux et à passer à autre chose, mais tu ne l'aimeras vraiment qu'en lui laissant la liberté dont elle a besoin pour prendre sa décision. »

C'était plus ou moins la dernière chose que je voulais l'entendre dire, mais j'ai suivi son conseil. J'avais déjà lu quelque chose sur l'amour inconditionnel, mais ma situation était bien réelle, non conceptuelle. C'était difficile à assumer, à cause de l'amour que je ressentais pour elle, mais, en même temps, je trouvais sensé de tendre vers une forme supérieure d'amour au lieu d'un amour fondé sur ma propre insécurité et mes blessures. Plusieurs heures après le départ de Doc, ma tête et mon cœur se livraient encore bataille. Mais, finalement, le cœur a gagné. J'ai téléphoné à ma copine et lui ai donné une libération inconditionnelle. Elle ne m'est pas revenue; elle a épousé l'autre homme et, à ma connaissance, elle est encore heureuse d'être mariée avec lui.

Même si je n'ai pas immédiatement vécu un sentiment de paix ou de libération, j'ai vraiment ressenti une valorisation qui m'a apporté un sentiment de sécurité et de confiance en moi. Avec le temps, ce don a pris de la valeur et m'a permis d'aimer d'une tout autre façon. J'ai continué ma vie, j'ai facilement trouvé des relations nouvelles et enrichissantes, et aujourd'hui je suis moi-même marié et plus qu'heureux.

Souvent, ce qui semble appartenir au cœur ne lui appartient pas vraiment. Souvent aussi, ce que le cœur véritable nous dit n'est pas ce que la tête veut entendre. Comme cette dernière est motivée par des résultats rapides, elle se décourage si les récompenses du cœur sont lentes à apparaître. Malgré ces difficultés, toutefois, l'écoute de votre cœur, avec ses profondes révélations et sa compréhension intuitive, est toujours la ligne de conduite la plus sage.

À l'institut, de même que dans d'autres institutions, la recherche a révélé que le fait de savoir comment les choses fonctionnent peut profondément améliorer l'appréciation que nous en avons. Comme le souligne le docteur Mark George, psychiatre principal à l'Université médicale de la Caroline du Sud : « Si je comprends bien [...] tout ce qu'il faut savoir sur le son qui provient d'un violon, atteint mon oreille et se fraie un chemin dans mon cerveau, ne m'empêche pas d'apprécier une symphonie bien jouée. Le fait de connaître les mécanismes n'enlève rien à la joie de l'expérience et ajoute même souvent une autre dimension [32]. »

C'est la même chose pour la science du cœur. Quand on en vient à l'essentiel, c'est-à-dire notre façon de vivre et de faire l'expérience de l'existence, l'aspect le plus important de l'intelligence du cœur est qu'elle *fonctionne* et que, lorsque vous la mettez en pratique, vous maximisez votre propre potentiel de santé et de bien-être. Nous n'avons pas besoin de la science pour écouter notre cœur. Les gens le font depuis toujours. Cependant, pour améliorer notre expérience et notre appréciation de l'intelligence du cœur, nous pouvons nous tourner vers la science pour comprendre comment elle fonctionne.

Il est plus facile que vous ne le croyez d'écouter les signaux et les messages du cœur. Nous sommes programmés naturellement pour cette communication. Jusque sur le plan biologique, les composantes de l'ultime partenariat existent déjà.

Nous avons tous déjà entendu la voix de notre cœur, que nous l'ayons suivie ou non. À mesure que nous en apprenons plus sur le cœur et découvrons que nous pouvons nous fier à ses contributions à notre conscience, nous faisons l'expérience d'une vie nouvelle et plus enrichissante, à la fois en tant qu'individus et en tant que société. Étant donné la récompense potentielle, suivre le cœur vaut certainement la peine d'être envisagé. Après tout, une vie sans cœur n'est pas très amusante.

POINTS CLÉS À RETENIR

- De nouvelles découvertes scientifiques nous offrent une vision radicalement nouvelle et différente du rôle du cœur dans le système humain.
- L'information envoyée par le cœur au cerveau peut avoir de profonds effets sur nos centres cérébraux supérieurs.
- Nos états émotionnels se reflètent dans notre rythme cardiaque, comme on le voit dans les mesures de variation de la fréquence cardiaque. Notre rythme cardiaque affecte la capacité du cerveau à traiter l'information, à prendre des décisions, à résoudre des problèmes et à exprimer la créativité.
- Parce que le cœur est le plus fort oscillateur biologique du système humain, les autres systèmes du corps sont attirés en entraînement avec les rythmes du cœur.
- Quand des sujets d'études de recherche atteignent l'entraînement du cerveau avec le cœur, ils rapportent une augmentation de leur clarté intuitive et un plus grand sentiment de bien-être.

- Les sentiments positifs tels que la reconnaissance accroissent l'ordre et l'équilibre du système nerveux autonome, entraînant une augmentation de l'immunité, une amélioration de l'équilibre hormonal et un fonctionnement cérébral plus efficace.

- En modifiant intentionnellement notre état émotionnel au moyen de techniques focalisées sur le cœur, tel le FREEZE-FRAME, nous modifions l'apport du cœur au cerveau. Le flux de l'information modifiée passant du cœur au cerveau peut faciliter les fonctions supérieures du cerveau.

- Lorsque nous synchronisons notre tête avec notre cœur, nous bénéficions de la force des deux et nous pouvons effectuer des changements que nous savons nécessaires.

- Ce qu'on appelle le cœur inférieur gouverne des sentiments qui sont marqués par des attachements et des conditions imposés par le mental.

PARTIE 2

Accéder à l'intelligence du cœur

Maintenant que nous apprécions l'importance de l'intelligence du cœur et comprenons son fonctionnement biologique, il nous faut apprendre à y accéder systématiquement.

Dans cette deuxième partie, il sera d'abord question de ce qui nous tient à l'écart de l'intelligence du cœur, puis nous verrons comment éliminer ces obstacles afin de créer un partenariat fiable entre la tête et le cœur.

L'un des buts premiers de la solution HeartMath est d'augmenter la cohérence, qui nous amène à un état d'efficacité optimale. Comme le stress crée de l'incohérence dans notre système, *l'augmentation* de la cohérence exige une *réduction* du stress. Dans le chapitre qui suit, nous détaillerons les dangers du stress.

Ensuite, lorsque nous aurons bien vu à quel point le stress nous vide et à quel point il est essentiel de l'éliminer, nous présenterons la technique du FREEZE-FRAME, au chapitre 4. Le FREEZE-FRAME constitue un moyen d'augmenter et d'améliorer la communication entre le cœur et l'esprit, tout en réduisant le stress.

Exercice rapide d'une minute, cette technique est d'une valeur inestimable pour la gestion des pensées, qui prévient l'épuisement inutile de l'énergie. Parce qu'elle augmente la clarté mentale, elle vous aidera à prendre de bonnes décisions, même dans des situations qui, auparavant, auraient été fortement stressantes. Au lieu de céder au stress, vous pratiquerez le FREEZE-FRAME et vous en bénéficierez immédiatement.

Afin de maximiser le potentiel de l'intelligence du cœur, il est également important de surveiller de près les pensées et les sentiments. Certains de nos dialogues intérieurs fournissent de l'énergie à nos systèmes, tandis que d'autres les épuisent. Nous examinerons les actifs et déficits énergétiques au chapitre 5, avant de présenter un exercice qui vous aidera à déterminer avec quelle efficacité vous utilisez l'énergie qui vous est disponible. La compréhension des actifs et déficits d'énergie facilite l'accès à l'intelligence du cœur.

Les sentiments fondamentaux du cœur, tels que la reconnaissance, la tolérance et le pardon, augmentent les actifs énergétiques et éliminent de nombreux déficits. Ces qualités sont comme des codes d'accès qui enclenchent l'intelligence du cœur. Au dernier chapitre de cette section, il sera question des «outils performants du cœur», lesquels utilisent les sentiments fondamentaux du cœur pour accéder à son intelligence et la mettre en application.

Au cours de la deuxième partie, vous allez :

- reconnaître l'importance de l'élimination du stress;
- apprendre à appliquer le FREEZE-FRAME;
- devenir plus conscient de vos pensées et sentiments, et apprendre comment les deux vous affectent;
- comprendre la signification des sentiments fondamentaux du cœur et apprendre comment les appliquer afin d'accéder à l'intelligence du cœur.

CHAPITRE 3

Les risques de l'incohérence

Élise était une mère célibataire de deux enfants, divorcée depuis seulement un an. Elle ressentait encore la tension émotionnelle et financière du divorce lorsque son employeur la congédia d'une façon inattendue. Il lui promit une prime de départ, mais cela ne changeait rien au fait qu'elle était maintenant au chômage.

Après deux semaines d'entrevues infructueuses, Élise devint si inquiète de l'avenir qu'elle ne pouvait plus dormir. « Comment pourrai-je payer mes factures si je ne trouve pas un autre emploi bientôt? Que va-t-il arriver à mes enfants? Ma vie est en train de s'effondrer!» Elle était rongée par le stress et par des pensées si toxiques qu'elles empiraient son sort.

Elle fut bientôt si démoralisée qu'elle eut de la difficulté à trouver la confiance nécessaire pour se rendre à une entrevue. Elle craignait que les employeurs potentiels ne lisent son désespoir dans ses yeux.

Enfin, en désespoir de cause, elle présenta sa candidature pour un poste dont elle ne voulait pas, mais qu'elle était assez certaine d'obtenir. Comme cette entreprise avait la réputation de traiter ses employés plutôt mal et pour un salaire de misère, elle avait décidé d'y postuler en dernier ressort, se disant qu'elle n'y travaillerait pas à moins d'y être obligée. Elle fut plutôt secouée lorsqu'on la refusa.

Le soir de ce rejet, Élise mit les enfants au lit et, encore stupéfaite, alla s'asseoir seule sur le balcon. Si elle ne trouvait pas l'argent nécessaire pour effectuer son paiement d'hypothèque, qui était dû une ou deux semaines plus tard, elle perdrait sa maison, et son ex-mari pourrait la poursuivre pour la garde des enfants. Elle risquait de perdre tout ce qu'elle aimait. Fixant l'obscurité, elle fut prise de désespoir.

Ayant épuisé toutes les ressources auxquelles elle pouvait songer, Élise était laissée à elle-même. Soudain, elle réalisa que si *elle* ne se tirait pas de ce problème, personne ne le ferait pour elle. Étrangement, elle trouva l'idée encourageante. Alors que, tranquillement assise, elle faisait l'inventaire de toutes ses ressources internes, elle commença à connaître un sentiment de libération et même de paix, ainsi qu'une ouverture à de nouvelles possibilités. Le travail en entreprise ne lui avait jamais vraiment convenu. Et si elle ouvrait un bureau de consultation et devenait autonome? Et si c'était là l'occasion qu'elle avait attendue?

Élise ne le savait pas, mais elle tirait parti de la capacité d'espoir de son cœur. L'amour et l'optimisme qu'elle avait jadis connus avaient été réprimés sous une montagne de peurs et d'attentes périmées. Toutefois, en ce moment de grand désespoir, sa propre résistance naturelle lui permettait de se tourner instinctivement vers le cœur.

Lorsque Élise commença à accéder à son cœur, elle trouva incroyablement facile d'imaginer de nouvelles possibilités. Des façons créatives de démarrer sa propre entreprise et de résoudre ses problèmes financiers commencèrent à lui apparaître, non pas parce qu'elle s'était «remonté le moral», mais pour des raisons très claires et scientifiquement mesurables. Le fait de s'aligner sur les sentiments fondamentaux de son cœur avait fait passer son système de l'agitation à la cohérence.

La cohérence interne

Si vous pouvez déchiffrer les mots imprimés sur cette page, c'est en partie à cause de la lumière qui les éclaire. Que cette lumière soit celle du soleil ou d'une lampe, elle est diffuse— c'est-à-dire étendue—, et non hautement focalisée. Ses particules dansent autour de vous d'une façon apparemment aléatoire. Autrement dit, elles sont incohérentes, et c'est tant mieux. Si elles étaient concentrées en une structure unifiée, ces mêmes particules de lumière formeraient un brillant faisceau laser qui ferait un trou dans la page en la brûlant, puis transpercerait le livre.

La cohérence est plus qu'un concept puissant et harmonieux, comme un chant à l'unisson. Elle est cet état qui fait la différence entre une lampe de lecture et un rayon laser. Comprendre comment l'énergie mentale et émotionnelle peut devenir cohérente, puis mettre cette compréhension en pratique, est une partie essentielle de la solution HeartMath. La cohérence interne est un repère de l'intelligence et une pierre d'assise d'une vie efficace. Elle peut constituer une force puissante dans *votre* vie.

Il existe dans la nature des niveaux élevés d'organisation cohérente. En fait, si nos cellules mêmes ne maintenaient pas un sens de l'ordre et de la cohérence, nous nous écroulerions. D'une façon intuitive, il est facile de saisir qu'un certain degré de cohérence est essentiel chez tout organisme vivant.

Lorsqu'un système est cohérent, il ne se gaspille presque aucune énergie, car toutes ses composantes fonctionnent en harmonie. Il s'ensuit que, lorsque chaque système du corps est aligné, votre pouvoir personnel est à son sommet.

La plupart d'entre nous ont fait l'expérience de la satisfaction et de l'optimisme causés par des états émotionnels positifs. Lors de ces moments de gaieté, notre efficacité devant les tâches, grandes et petites, s'améliore presque sans effort. Les états émotionnels positifs produisent cet effet à cause de la cohérence qu'ils créent dans l'organisme humain.

Cultiver cet état de cohérence enrichissante améliore notre capacité d'adaptation, de flexibilité et d'innovation. Cela nous permet de retourner rapidement à un sentiment d'équilibre et de calme après des événements stressants et d'améliorer la communication, la santé et le bien-être général. Un cœur équilibré et un esprit agile donnent accès à l'intelligence innée et augmentent la capacité d'une plus grande cohérence interne, qui est l'état d'être optimal.

Avoir l'accès

Le défi que nous affrontons présentement est d'atteindre des niveaux plus élevés de cohérence interne à un époque où le chaos, la complexité et l'*in*cohérence sont à la hausse. Il ne suffit plus d'être astucieux. Nous avons besoin d'une nouvelle sorte d'intelligence, plus rapide, plus fiable et plus souple que l'intelligence linéaire, qui procède étape par étape, et à laquelle nous sommes habitués.

La plupart des gens, dans la société actuelle, ont le sentiment que le temps accélère, que les événements se précipitent, tant dans leur vie que sur la scène mondiale. Par conséquent, le stress est à la hausse. Des recherches récentes ont démontré que le plus grand facteur de stress chez les gens, c'est de devoir changer de concepts, d'intentions, et se focaliser sur plusieurs tâches différentes, plusieurs fois dans une heure [1].

À la différence d'il y a trente ans, la personne moyenne, aujourd'hui, est appelée à changer de concepts au moins sept ou huit fois par heure. Chaque interruption d'un collègue, d'un client ou d'un proche (en personne ou par courrier électronique, télécopieur ou téléphone), par exemple, exige un changement conceptuel. Et plusieurs d'entre nous subissent ce type de changement à plus de deux fois ce taux. Il n'est pas rare qu'une personne ait affaire à dix ou vingt (ou même plus) changements conceptuels par heure (ce qui équivaut à cent changements en une seule journée de travail de huit à dix heures). Étant donné cette pluie de changements conceptuels, il n'est pas étonnant que l'état optimal de cohérence interne soit plus difficile à maintenir et que le stress soit à la hausse.

Harmoniser notre cœur et notre tête augmente la cohérence entre le cœur et le cerveau, ce qui nous permet de fonctionner à un niveau de performance optimal [2]. Toutefois, lorsque nous sommes désynchronisés, la réduction de notre conscience générale diminue les compétences que nous avons déjà. Considérez le cœur comme un transmetteur radio qui diffuse vingt-quatre heures par jour. La qualité de la diffusion est gouvernée par chaque pensée et sentiment que nous avons. Lorsque nos pensées sont floues ou chaotiques, la diffusion est remplie de parasites et nous ne pouvons recevoir toute la transmission. Sur le plan de la perception, nous remarquons seulement que nous sommes irritables ou distraits, mais ces parasites affectent tous les sous-systèmes de notre corps, jusqu'au niveau cellulaire.

Le manque de cohérence affecte notre vision, notre capacité d'écoute, notre temps de réaction, notre clarté mentale, nos sentiments et notre sensibilité. Non seulement notre fonctionnement général est-il affaibli par l'incohérence, mais cet état nous prive d'un sentiment de satisfaction véritable. Même si nous faisons quelque chose que nous trouvons généralement satisfaisant, nous ne pouvons sentir qu'une partie de cette satisfaction lorsque notre organisme a des ratés et est désynchronisé.

Malheureusement, il ne faut pas grand-chose pour créer assez de parasites pour que notre perception soit affaiblie. Quelque chose d'aussi simple qu'une remarque pointue d'un ami ou d'un parent peut nous mettre dans une telle colère que nous n'avons plus les idées claires. Ce n'est que plus tard que nous nous disons : «Ce que j'*aurais dû* dire, c'est...!» Nous ne pouvons penser clairement lorsque nous sommes en colère, parce que nous sommes alors littéralement incohérents. Notre rythme cardiaque est devenu désordonné et inharmonieux. Cela empêche les centres supérieurs de notre cerveau de fonctionner aussi efficacement qu'ils le pourraient [2]. La raison pour laquelle nous pensons *plus tard* à ce que nous aurions dû dire, c'est qu'une fois calmé notre organisme fonctionne à nouveau d'une façon cohérente. Comme nous avons retrouvé l'équilibre, nous pouvons voir la situation d'un point de vue différent, soit notre propre point de vue, libéré du stress.

C'est un cercle vicieux : le stress détruit la cohérence, et l'incohérence provoque le stress. Et c'est de mauvais augure. Le stress est beaucoup plus dangereux que nous ne le pensions. Même une expérience stressante occasionnelle a un effet nocif sur notre corps. Nous avons la capacité innée de tolérer une certaine quantité de stress, mais le stress chronique, de même que des attitudes négatives telles que l'hostilité, la colère et la dépression, nous rendent malades et finissent par nous tuer [3-5]. Le stress ne fait pas que nous traverser comme une humeur fugace. Il s'empare de nous et ne nous lâche pas, changeant notre physiologie et altérant notre santé.

Les effets nocifs du stress

Selon l'American Institute of Stress, jusqu'à 75 % ou 90 % de toutes les visites aux médecins de premiers soins résultent de troubles liés au stress [6]. Pour contrer ces troubles, les Américains à eux seuls consomment à chaque année cinq milliards de tranquillisants, cinq milliards de barbituriques, trois milliards d'amphétamines et soixante mille *tonnes* d'aspirine (sans compter l'ibuprofène et l'acétaminophène [7]).

La médecine établit de plus en plus de liens entre des facteurs extérieurs, tels que le régime alimentaire, le mode de vie et l'environnement, et nos maladies les plus graves. Nous considérons à présent comme acquis qu'un taux élevé de cholestérol sanguin, le diabète sucré et la cigarette sont des facteurs de haut risque des maladies cardiaques. Cependant, dans plus de *la moitié* des nouveaux cas de maladie du cœur, aucun de ces facteurs de risque n'est présent [8].

Dans son étude historique de 1988, le docteur Hans Eysenck, de l'université de Londres, rapportait que les réactions au stress non gérées étaient davantage des facteurs de prédiction de décès par cancer et par maladie cardiaque que le fait de fumer la cigarette [9].

En fait, à la suite d'une crise cardiaque, les plus grands indices de rétablissement ne sont pas des facteurs physiologiques, comme l'état des artères et celui du cœur même, mais des facteurs émotionnels. Un rapport étonnant du secrétaire du département américain de la Santé, de l'Éducation et du Bien-être social révèle que la satisfaction au travail et «le bonheur en général» sont les facteurs les plus susceptibles de déterminer le rétablissement d'un patient. Des preuves scientifiques de plus en plus nombreuses démontrent l'impact direct des attitudes mentales et émotionnelles sur la santé et le bien-être.

- Une étude menée sur dix ans a démontré que les gens qui étaient incapables de gérer efficacement leur stress avaient un taux de mortalité de 40% supérieur à celui des individus non stressés [9].
- Une étude de l'école de médecine de Harvard portant sur 1623 survivants de crise cardiaque a révélé que, lorsque des sujets se mettaient en colère lors d'un conflit émotionnel, leur risque d'une crise cardiaque subséquente était plus que le double de celui des individus qui demeuraient calmes [10].
- Une étude étalée sur vingt ans, menée par l'école de santé publique de Harvard sur 1700 hommes âgés, a révélé que

l'inquiétude au sujet des conditions sociales, de la santé et des finances personnelles augmentait de façon importante le risque de maladie coronarienne [11].

- Dans une étude menée sur 202 professionnelles, la tension entre la carrière et l'engagement personnel envers un conjoint, des enfants et des amis était le facteur qui différenciait celles qui étaient atteintes de maladie cardiaque de celles qui étaient en santé [12].
- Une étude internationale menée sur 2829 personnes âgées de 55 à 85 ans a révélé que les individus qui rapportaient les niveaux les plus élevés de «maîtrise» personnelle, c'est-à-dire un sentiment de contrôle sur les événements de la vie, avaient un risque de décès de presque 60% inférieur, par comparaison avec ceux qui se sentaient relativement démunis devant les difficultés de la vie [13].
- Selon une étude effectuée à la clinique Mayo, portant sur des individus atteints de maladie cardiaque, le stress psychologique est l'indice le plus fort de futurs troubles cardiaques, y compris la mort cardiaque, l'arrêt cardiaque et la crise cardiaque [14].

Nous voyons tellement de statistiques dans les journaux, les magazines, les livres sur la santé et à la télévision, que la plupart d'entre nous semblent peu se soucier des maladies du cœur, jusqu'à ce que l'une d'elles nous affecte personnellement. Lorsqu'un ami proche ou un membre de la famille développe une maladie du cœur, nous commençons à nous demander quelles en sont les causes et les remèdes. Et quand notre médecin nous apprend que nous sommes nous-mêmes à risque, nous nous y intéressons soudain avec inquiétude.

Ce qu'il faut comprendre, c'est qu'une crise ou une maladie cardiaque se produit lorsque quelque chose qui fonctionne mal depuis longtemps finit par se briser. Le véritable facteur de précipitation n'est pas la maladie elle-même, mais plutôt ce qui s'est produit entre la bonne santé et la maladie.

Le mal dont il faut se préoccuper est le stress. Si nous vivons continuellement en état de stress, nous nous habituons au déséquilibre. Certains ont grandi dans des maisons où la colère, la dépression ou la déception étaient courantes, et ils considèrent que le stress provoqué par ces états émotionnels est normal. Dans les villes, presque tous les gens ont une vie trépidante et sont poursuivis par le stress, et, encore là, cela semble normal. Où que nous vivions, il est facile de trouver des gens malheureux qui se plaignent et qui ont plus tendance à remarquer ce qui va mal dans la vie qu'à trouver des choses à apprécier. Mais quelle que soit la fréquence de ce comportement, à tel point qu'il semble «normal», il a de graves conséquences sur notre santé.

Nous avons deux options : continuer à blâmer le monde entier pour notre stress ou assumer la responsabilité de nos propres réactions et délibérément changer notre climat émotionnel. Il ne fait plus aucun doute que la plupart des troubles cardiaques sont le résultat extrême de plusieurs années de stress intérieur.

Le stress chronique

En 1997, le *Journal of the American Medical Association* publia une étude de l'université Duke démontrant que des émotions courantes telles que la tension, la frustration et la tristesse peuvent déclencher une baisse de l'alimentation du cœur en sang. Dans la vie quotidienne, ces émotions *doublent* au moins le risque d'ischémie myocardique, une insuffisance de l'alimentation en sang des tissus cardiaques qui peut être un signe avant-coureur d'une crise cardiaque [15].

Selon les docteurs Murray Mittleman et Malcolm Maclure, de l'université Harvard, les découvertes du docteur Gullette rapportées dans cette étude de 1997 «suggèrent que des études antérieures d'événements rares et extrêmement stressants, tels que des séismes ou la guerre, ne représentaient que "la pointe de l'iceberg". Nous nous référons ici à la découverte que des niveaux inférieurs de stress ressentis couramment dans la vie quotidienne peuvent déclencher l'apparition de l'ischémie myocardique [16]».

Le stress est la réaction du corps et de l'esprit à toute pression qui ébranle leur équilibre normal. Il se produit lorsque notre perception des événements ne répond pas à nos attentes *et que nous ne gérons pas notre réaction à la déception*. Le stress, cette réaction non gérée, s'exprime comme une résistance, une tension, une pression ou une frustration, supprimant notre équilibre physiologique et psychologique et nous gardant désynchronisés. Si notre équilibre est perturbé pendant longtemps, le stress devient paralysant. Nous nous sentons anéantis par la surcharge, épuisés émotionnellement, et nous finissons par tomber malades.

Nous savons aujourd'hui que le stress implique plus de mille quatre cents réactions physiques et chimiques connues et plus de trente hormones et neurotransmetteurs. Les deux systèmes physiologiques essentiels qui coordonnent la réaction du corps au stress sont le système nerveux autonome, qui réagit presque immédiatement, et le système hormonal, dont les réactions s'étendent sur une période plus longue. Même des organes qui ne sont pas considérés comme faisant partie de l'un ou l'autre de ces systèmes, comme l'estomac et les reins, libèrent également des hormones en réaction au stress [4].

Lorsque nous éprouvons du stress, notre corps réagit rapidement en libérant dans le système sanguin l'hormone appelée adrénaline. Cette hormone augmente le rythme cardiaque et la pression sanguine, tend nos muscles et accélère la respiration, nous préparant à affronter la menace ou à fuir. D'autres hormones, dont la noradrénaline et le cortisol, sont également activées par le stress. Sans contrôle, leur sécrétion perpétuelle brûle le corps comme de l'acide. Même des *heures* après la disparition du stress, le niveau de ces hormones peut demeurer élevé.

Le cortisol est désormais appelé l'« hormone du stress », à cause du rôle étendu qu'il joue dans la réaction du corps au stress. En quantité équilibrée, il est essentiel au sain fonctionnement de notre corps, mais, lorsque son niveau est trop élevé, il peut être extrêmement nocif pour l'organisme. Lorsque nous sommes en proie à un stress chronique et que notre corps produit un niveau élevé de cortisol sur une longue période de temps, le thermostat interne du cerveau se réajuste et amène le corps à maintenir ce niveau élevé, comme s'il était normal. On a démontré qu'un niveau élevé chronique de cortisol porte atteinte à la fonction immunitaire [17], réduit l'utilisation du glucose [18], augmente la perte de l'ossature et favorise l'ostéoporose [19], réduit la masse musculaire, inhibe la croissance et la régénération de la peau [20], augmente l'accumulation de graisse (surtout autour de la taille et des hanches) [21], entrave la mémoire et l'apprentissage, et détruit des cellules cérébrales [22, 23].

Le stress chronique s'accumule jour après jour, semaine après semaine, année après année. Pour la plupart de gens, c'est l'accumulation *quotidienne* qui fait le plus de tort; les petits stress sont beaucoup plus nocifs que les fortes secousses. Nous nous ajustons au stress quotidien, mais c'est là une habitude totalement inutile, et le pilonnage biochimique régulier qui en résulte a un effet néfaste sur notre corps.

Nous nous habituons au stress parce que nous n'avons pas conscience de la gravité de ses conséquences et parce qu'il fait désormais partie de la routine, à tel point qu'il nous semble normal. Après tout, nos amis ne subissent-ils pas tous la même chose?

Toute la journée, nous refoulons si aisément le sentiment de défaite et le ressentiment que nous les remarquons à peine. Lorsque la situation nous oppresse ou nous contrarie, nous avons tous notre façon de réagir. Certaines personnes piquent immédiatement une colère, tandis que d'autres trouvent une compensation dans l'humour caustique. Certains se tournent vers l'alcool, les drogues ou l'excès de nourriture pour conjurer leur frustration. Et presque tous, nous nous plaignons régulièrement, chaque fois que nous rencontrons nos amis. Puisqu'ils ont également mille raisons de se plaindre de leur vie, cela semble une activité ordinaire, presque une coutume sociale. Toutefois, ce flot constant de pensées et d'émotions incohérentes épuise notre énergie comme un virus émotionnel, tout en renforçant une habitude neuronale nocive dans notre cerveau, ce qui nous permet de nous sentir plus facilement malheureux la prochaine fois.

Lorsque le stress devient chronique, notre corps n'a pas le temps de se rattraper chaque jour. Même si nous faisons une pause de quelques heures pour nous accorder un répit, notre chimie corporelle, qui a été modifiée aussi sûrement que si nous prenions une drogue, ne peut tout simplement pas se replacer instantanément. Après dix verres de whisky, ce n'est pas une tasse de café qui vous dégrisera. Vous devrez attendre que les effets de l'alcool se dissipent, sans boire (ou, dans ce cas, sans vous stresser) pendant que vous attendez!

Nous avons tous un seuil de stress ou un point de crise, au-delà duquel nous devenons gravement malades. Sous une pression bénigne, les décharges d'adrénaline et de cortisol causées par le stress peuvent mener à une augmentation temporaire de la performance, suivie d'une saine fatigue que nous éliminons en nous reposant. Cependant, avec une stimulation constante de l'adrénaline et du cortisol, notre performance répond de moins en moins aux attentes [24] et les choses finissent par se détériorer radicalement.

La moralité du stress

L'ironie veut que notre corps réagisse au stress exactement de la même façon quand nous avons une bonne raison d'être stressé et quand nous n'en avons pas. Il importe peu au corps que nous ayons raison ou tort. Même lorsque nous nous sentons parfaitement justifiés d'être en colère, nous disant que celle-ci, dans la situation que nous affrontons, est la réponse *saine*, nous le payons tout autant.

Par exemple, quelqu'un vous coupe la route dans la circulation. Ce geste grossier vous pousse à freiner et à vous ranger sur le côté, ce qui incite le conducteur qui vous suit à en faire autant. En vous penchant sur le volant, vous vous rendez compte que vous venez d'échapper de près à un carambolage de trois voitures. Cet idiot qui vous a coupé la route a vraiment mis votre vie en danger! N'est-ce pas là une bonne raison d'être en colère?

Toutefois, pendant que vous fulminez ainsi, votre système nerveux est mis en état d'alarme. Votre taux d'adrénaline s'élève, alors que vos hormones réagissent comme il se doit à la colère que vous ressentez. Que vous ayez raison ou non, vous devez vous demander : est-ce que ça en vaut la peine? Cet automobiliste a poursuivi sa route, parfaitement inconscient du danger qu'il a provoqué, tandis que, pendant les prochaines heures, vous allez payer lourdement votre réaction.

En ce qui concerne votre corps, il est tout simplement sans importance que votre colère soit justifiée ou non. Quelles que soient les *raisons* de vos sentiments, les conséquences physiques sont les mêmes.

Nous ressentons régulièrement toute une gamme d'émotions différentes, de l'amour à la haine, de la joie à la peine. Mais, comme les psychologues nous le démontrent depuis des décennies, les sentiments ne sont ni justes ni injustes. Ce ne sont que des sentiments. Notre corps ne porte aucun jugement moral sur nos sentiments; il ne fait que réagir en conséquence.

Nos réactions de stress justifiées nous sont si familières que nous traversons des états de stress incohérents, sans avoir conscience de leurs effets nocifs. Notre sensibilité finit cependant par se refermer, et une anxiété constante et de qualité inférieure s'installe.

Dans l'étude de 1997 de l'université Duke, mentionnée plus haut, le docteur Gullette fut étonné de découvrir que seul une minorité de patients cardiaques ressentaient de la douleur. Même si ceux-ci se trouvaient en grave danger de crise cardiaque, ils étaient complètement *inconscients* que le stress affectait leur cœur [15]. La conscience de leur corps était si diminuée qu'ils ne pouvaient sentir ce qui se passait.

La plupart d'entre nous avons appris qu'il est nocif de réprimer nos émotions, et il existe un grand nombre d'études de recherche qui l'ont démontré. Par exemple, la tendance à réprimer la détresse émotionnelle a été associée à une augmentation de la prédisposition au cancer [9, 25]. D'autres recherches ont démontré que la répression de la colère augmente les risques de maladie cardiaque [26].

Par ailleurs, l'une des croyances les plus courantes est qu'il est sain de piquer une crise de colère. Cette idée provient d'une pratique de Sigmund Freud, qui, à ses débuts, encourageait ses patients à exprimer leur colère afin de favoriser un nettoyage émotionnel. Ce qui est moins connu, c'est que Freud cessa plus tard cette pratique.

Contrairement à ce qu'on nous a enseigné, la science nous dit à présent que «piquer une crise» est non seulement nuisible à notre santé, mais, en fait, peut être *plus* nocif pour notre organisme que le seul fait de ruminer notre ressentiment. Selon une étude menée par le psychologue Aaron Siegman, de l'université du Maryland, les gens qui réagissent par des explosions impulsives de colère ont un plus haut risque de maladie coronarienne que ceux qui gardent leur colère en eux [27].

À ceux qui refoulent depuis longtemps leurs émotions, la psychologie fournit un service appréciable : elle les aide à prendre conscience de ce qu'ils ressentent. Cependant, les psychologues ont fini par s'apercevoir que le fait de revivre une colère ou un ressentiment ne les faisait pas disparaître. En fait, cela renforce le schéma émotionnel dans les circuits neuronaux du cerveau, engendrant davantage de colère et d'agressivité. Le simple fait de raconter à quel point une chose vous a rendu furieux peut raviver la colère, lui donnant ainsi un plus grand pouvoir de nuire à votre corps.

Céder à la colère est coûteux à maints égards. Le département américain des Transports rapporte que la rage au volant et la conduite agressive sont en cause dans le tiers des accidents routiers impliquant des blessures, et dans les deux tiers de ceux qui entraînent la mort [28]. D'autres études ont démontré que l'incapacité de maîtriser la colère figure en bonne place dans la perte de promotions, les congédiements et les retraites forcées [1].

Alors, si nous ne pouvons exprimer ni réprimer notre colère, que devons-nous donc en faire? La réponse est celle-ci : nous devons reconnaître la colère, mais choisir de réagir différemment à la situation. Facile à dire, n'est-ce pas? Pouvez-vous vous imaginer essayant de juguler votre colère pour la transformer en un sentiment plus amical? Ce ne serait pas possible. La détermination à elle seule ne suffit pas. Il faut une nouvelle intelligence pour comprendre et gérer vos émotions. En harmonisant votre tête et votre cœur, et en laissant libre cours à l'intelligence de ce dernier, vous aurez réellement la possibilité de transformer sainement votre colère.

Des signaux du cœur

Lorsque nous considérons le cerveau et le cœur à la lumière de notre nouvelle compréhension scientifique de leur puissant travail d'équipe intérieur, nous voyons apparaître un tableau optimiste. Au lieu de considérer le cerveau comme la seule source de notre intelligence, nous commencerons à le voir comme un remarquable partenaire de notre cœur, et non son maître. Lorsqu'il est convenablement synchronisé avec le cœur, il fonctionne en harmonie avec lui, à l'écoute du «code du cœur» — une expression créée par le docteur Paul Pearsall [29]. C'est l'intelligence du cœur qui, travaillant de concert avec la tête, nous donne la capacité d'éliminer le stress. La meilleure ordonnance pour la réduction du stress est celle-ci : cœur + tête = cohérence.

Depuis des années, les médecins peuvent voir et mesurer les effets de l'hostilité profonde au moyen de l'électrocardiographie [30]. En plaçant des électrodes sur les lobes de vos oreilles, sur vos orteils ou à n'importe quel autre endroit de votre corps, un médecin peut enregistrer votre rythme cardiaque sur un électrocardiogramme (ECG). À la différence de tout autre pouls interne, le battement du cœur est si fort qu'il peut être mesuré en n'importe quel point du corps. Son signal électromagnétique pénètre chaque cellule.

Récemment, des scientifiques ont trouvé des façons plus raffinées d'analyser les ECG. En appliquant les techniques d'analyse spectrale, ils ont pu observer que les rythmes cardiaques (les schémas de VFC) — qui, comme nous l'avons vu, sont influencés par des émotions telles que la frustration et la colère, de même que par l'amour, la reconnaissance, la compassion et la sollicitude— affectent les schémas de fréquence de l'ECG même. Autrement dit, *nos sentiments affectent l'information contenue dans le signal électromagnétique du cœur*. Ce que l'analyse spectrale a révélé, c'est que, lorsque les rythmes cardiaques deviennent plus ordonnés ou cohérents, le champ électromagnétique produit par le cœur le devient également [31, 32].

L'analyse spectrale détermine le mélange de fréquences individuelles contenu dans un signal électrique. C'est comme si l'on mettait un gâteau au chocolat dans une machine qui nous fournirait un tracé précisant les quantités de farine, de sucre, d'œufs, de beurre, de sel, de poudre à pâte et de chocolat qui sont entrées dans la confection de ce gâteau. En ce qui concerne notre rythme cardiaque, l'analyse spectrale montre aux chercheurs à quel point nos rythmes sont cohérents. À partir de cette information, ils peuvent également déterminer le degré de cohérence de la diffusion électrique du cœur atteignant toutes nos cellules ainsi que notre entourage.

Lors d'une étude menée par l'Institute of HeartMath, l'analyse spectrale fut appliquée aux données sur le rythme cardiaque enregistrées chez quelqu'un qui se sentait frustré. Rappelez-vous le graphe du chapitre 2 (figure 2.4) montrant à quoi ressemble un schéma de VFC incohérent résultant de la colère. Maintenant, jetez un coup d'œil à la figure 3.1. Le tableau de gauche montre le *spectre de fréquences* du rythme cardiaque de la personne en état de frustration. Ce graphe illustre bien que, lorsque nous sommes frustrés, la structure de fréquence du schéma rythmique du cœur devient désordonnée ou incohérente, ce qui indique un désordre dans le fonctionnement du système nerveux autonome. Lorsque le cœur fonctionne dans ce mode désordonné, il diffuse un signal électromagnétique incohérent à travers tout le corps et dans l'espace qui nous entoure.

Au cours de la même étude, des scientifiques ont observé le rythme cardiaque de quelqu'un ressentant une reconnaissance sincère. (Regardez à nouveau la figure 2.5 pour vous rappeler à quoi ressemble ce rythme cardiaque cohérent.) Le tableau de droite de la figure 3.1 montre le spectre de fréquences de ce rythme cardiaque. Comme vous pouvez le voir, le schéma de fréquence est fort différent de celui de quelqu'un en état de frustration. Ce graphe illustre que, lorsque nous ressentons de la reconnaissance, les deux branches de notre système nerveux autonome fonctionnent dans une plus grande harmonie afin de produire un seul rythme cardiaque cohérent. Lorsque votre spectre de fréquences rythmiques cardiaques ressemble à celui de droite, vous êtes en état d'*entraînement intérieur*. Dans cet état d'équilibre interne, les schémas du champ électromagnétique produit par votre cœur deviennent également plus cohérents et harmonieux [32].

Rappelez-vous que cette énergie électrique diffuse de l'information à chaque cellule du corps et de son entourage. Et vos perceptions affectent vraiment les signaux qui émanent de votre cœur, comme l'illustre la figure 3.1. La personne ressentant de la reconnaissance a généré une onde cohérente dans cette figure, tandis que la frustration a rendu incohérent le signal électrique. Cette différence radicale dans la cohérence interne est causée par un seul facteur très important : une différence dans la perception.

Vaincre le stress par le changement de perception

La solution à la gestion du stress repose sur la façon dont nous percevons les facteurs de stress dans notre vie. Ce ne sont pas vraiment des événements qui nous causent du stress, mais plutôt la perception que nous en avons. Par conséquent, le stress étant une réaction, et non l'événement qui la déclenche, nous pouvons le contrôler.

Lorsque nous changeons notre perception d'une situation et la voyons avec une clarté centrée sur le cœur, notre réaction de stress potentielle peut être réduite ou éliminée. La solution HeartMath nous permet de reconnaître le stress comme *une occasion non transformée de responsabilisation personnelle*. Il est difficile de considérer certains problèmes comme des occasions de responsabilisation, et pourtant la plupart de nos perceptions, attitudes,

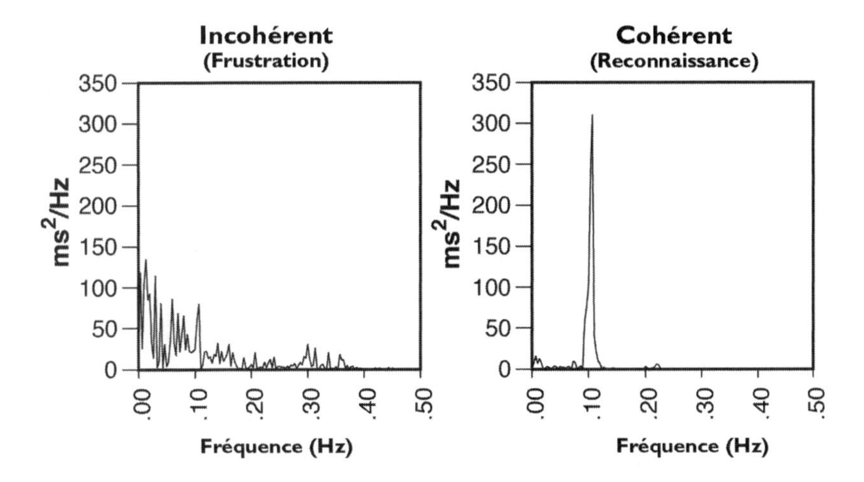

Rythme cardiaque incohérent et cohérent : spectres de fréquences

FIGURE 3.1. Cette figure montre les *spectres de fréquences* du rythme cardiaque d'une personne au cours de divers états émotionnels. Ces graphiques résultent de l'analyse spectrale des schémas de variation du rythme cardiaque. L'analyse spectrale divise le schéma du rythme cardiaque en les différentes fréquences individuelles qui le composent. Le graphique de gauche montre le spectre de fréquences du rythme cardiaque engendré par une personne qui ressent de la frustration. On dit que ce spectre est *incohérent*, parce que les fréquences sont éparpillées et désordonnées. Dans cet état, il y a un désordre du système nerveux autonome et du champ électromagnétique diffusé par le cœur. Le graphe de droite montre le spectre de fréquences du rythme cardiaque d'une personne qui ressent une reconnaissance sincère. Cela s'appelle un spectre *cohérent*, car la structure de fréquence des rythmes du cœur est ordonnée et harmonieuse. Dans cet état, il y a une augmentation de l'harmonie du système nerveux autonome, et le champ électromagnétique du cœur devient lui aussi plus cohérent.

actions et réactions peuvent être transformées grâce à une grande cohérence du cœur.

Au septième congrès international sur le stress (1995), le docteur Graham Burrows, président de l'International Society for Investigation of Stress, annonça que, après avoir réexaminé les résultats de plusieurs années de recherche sur le stress, il avait conclu que celui-ci se réduisait à deux causes fondamentales : (1) des problèmes de perception et (2) des problèmes de communication [33]. Nous ne pouvons changer nécessairement certains événements de la vie, mais nous pouvons en élargir notre perception. C'est là le secret de la gestion et de la réduction du stress. Il s'ensuit une amélioration de la communication entre le cœur et le cerveau, et on atteint alors la cohérence.

Lorsque nous comprenons bien que le stress commence par la perception, nous pouvons observer comment chaque perception déclenche une cascade d'effets biologiques qui influencent notre prochaine perception et la réaction qui s'ensuit — et la suivante, puis la suivante. En observant nos perceptions et réactions, puis en les considérant avec l'intelligence du cœur, nous pouvons éliminer le stress chronique qui se répand dans notre corps comme un poison lent. Toutefois, apprendre à modifier nos réactions habituelles en percevant les événements de la vie d'un point de vue inspiré par l'intuition, l'équilibre, le calme et la souplesse, cela demande un changement majeur : un passage de la tête au cœur.

Vous possédez à la fois le pouvoir de vous rendre malheureux par la pensée et celui d'arrêter ce processus. Et l'usage du pouvoir que vous aurez choisi déterminera votre qualité de vie. Comme nous l'avons vu, le manque d'autogestion provoque une accumulation continue et nocive du stress dans votre organisme. Il en résulte une souffrance émotionnelle et physique lorsque l'esprit ressasse des pensées anxieuses à propos de la journée, de l'avenir, du passé, se demandant quelle est la meilleure chose à faire, essayant continuellement d'anticiper, et revivant de vieilles émotions. Pour disperser le stress qui s'accumule par suite de toute cette cogitation, l'esprit cherche des diversions stimulantes et des tâches stupides, ne voyant pas que c'est précisément *cela*, la cause du stress — jusqu'à ce qu'il se produise un crash. Alors, il commence à mettre en question son approche et se tourne vers le cœur pour qu'il l'aide à ramasser les morceaux.

Il est possible d'arrêter cette chaîne d'événements destructrice. En faisant appel dès maintenant au pouvoir et à l'intelligence de votre cœur, et en harmonisant celui-ci avec votre tête, vous pouvez réduire considérablement (ou même éliminer) votre stress avant qu'il n'ait un effet néfaste, ce qui vous libérera et vous permettra de faire des choix plus efficaces. La réduction du stress est toutefois un processus qui doit être entrepris par étapes. Il ne s'agit pas de perfection, mais d'amélioration constante. Voici quatre points importants à se rappeler à propos du stress :

- Le stress est une question de perception. Ce ne sont pas les événements mêmes qui sont stressants, mais la perception que nous en avons.
- Le stress ne concerne pas les problèmes majeurs de la vie. Il s'accumule lorsque nous ne gérons pas les petits problèmes : nos réactions, actions, opinions, irritations et frustrations habituelles.
- Le ressentiment, la colère, la frustration, l'inquiétude, la déception — tous ces états émotionnels négatifs, qu'ils soient justifiés ou non —, ont des effets néfastes sur votre cœur, votre cerveau et le reste de votre corps.
- Il y a de l'espoir. En apprenant à accéder à la force fondamentale de votre cœur et aux sentiments du cœur supérieur qui y sont associés, vous pouvez accroître la cohérence de votre organisme. Cela vous procurera une nouvelle perception ainsi que l'intelligence nécessaire pour transformer le stress en occasion de responsabilisation personnelle.

Accéder à l'intelligence du cœur, qui apporte l'équilibre et la clarté de perception, est une ordonnance efficace pour réduire le stress. Si vous êtes sincère dans votre désir de gérer votre stress, vous atteindrez des résultats rapidement en pratiquant la technique suivante de la solution HeartMath : le FREEZE-FRAME.

Avec de la pratique, vous réussirez à rejeter les habituelles réactions négatives, le pessimisme et l'insatisfaction, et commencerez à vivre davantage «à partir du cœur». Bien que cette approche représente pour la plupart des gens un changement radical de focalisation, elle n'est pas aussi difficile qu'elle paraît. Plus vous comprendrez l'intelligence du cœur, plus vous pourrez transformer vos perceptions, réduire votre stress, augmenter votre cohérence et votre créativité, et devenir maître de votre propre réalité.

POINTS CLÉS À RETENIR

- Les états émotionnels positifs produisent de la cohérence dans l'organisme humain. La détresse produit de l'incohérence.

- Lorsqu'un système est cohérent, il ne gaspille presque aucune énergie, parce que ses composantes fonctionnent harmonieusement.

- En accédant à la force fondamentale de votre cœur et aux sentiments du cœur supérieur qui y sont associés, vous pourrez augmenter la cohérence de votre système.

- En établissant l'équilibre et l'harmonie entre votre tête et votre cœur, vous aurez une vision plus intelligente de votre stress, ce qui vous permettra de réduire son pouvoir d'épuiser votre énergie.

- Physiologiquement, que votre colère soit justifiée ou non importe peu. Le corps ne pose pas de jugements moraux sur les sentiments; il réagit tout simplement en fonction d'eux.

- La véritable maladie de la société actuelle, c'est ce qui se produit entre la bonne santé et la manifestation de la maladie : l'accumulation du stress et la diminution de la qualité de vie.

- Accéder à l'intelligence du cœur, qui apporte l'équilibre et la clarté de perception, est une ordonnance efficace pour la réduction du stress. Elle vous procurera l'intelligence nécessaire pour transformer le stress en occasion de prise du pouvoir personnel.

CHAPITRE 4

Le FREEZE-FRAME

Avant de découvrir HeartMath, Patricia Chapman était une bombe à retardement ambulante. Son cœur battait la chamade, produisant en excès 700 battements l'heure. D'après les médecins, elle courait un risque élevé de mort subite.

«J'essayais d'être la mère parfaite, l'épouse parfaite, l'employée parfaite, expliqua Patricia. Je dormais quatre heures par nuit, parce qu'il y avait tant à faire. J'étais si habituée à cette bouffée d'adrénaline que je ne savais pas ce que c'était de ne pas l'avoir.»

Même si Patricia avait un emploi extrêmement stressant dans une entreprise mondiale d'informatique, le rythme de son corps l'accablait. Elle prit un long congé de maladie. Les médecins lui avaient donné des bêtabloquants pour l'arythmie de même que du Valium après un épisode de tachycardie ventriculaire et quatre opérations chirurgicales; — elle faillit mourir de l'accélération continue de son rythme cardiaque.

Lorsqu'elle vint assister à un séminaire de HeartMath, à l'automne 1995, sur les conseils de l'un de ses médecins, elle perdait ses cheveux, avait des maux de tête et d'estomac continuels, et aucun de ses médecins ne semblait y pouvoir grand-chose.

Réalisant qu'elle était dans un état très dangereux pour sa vie, Patricia était déterminée à essayer HeartMath et à pratiquer régulièrement le FREEZE-FRAME. «Après mon week-end chez HeartMath, chaque fois que l'adrénaline recommençait à monter, je pouvais en arrêter le déclenchement. Le premier jour de mon retour au travail, je me suis levée huit fois pour aller m'enfermer dans les toilettes, où je fermais les yeux. C'est là que je faisais le FREEZE-FRAME. Maintenant, je n'ai plus besoin de fermer les yeux et je peux me rééquilibrer sans aller m'enfermer nulle part.»

Ses collègues remarquèrent immédiatement la différence : moins de stress et de tension, et plus de tranquillité, même durant des périodes de travail particulièrement mouvementées. Les spécialistes de l'université Stanford en étaient vraiment impressionnés.

En quelques semaines, ses médecins purent lui retirer le Valium; en cinq mois, ils diminuèrent de moitié la dose de médicaments qui contrôlaient son arythmie; et en neuf mois, elle avait un ECG normal sur vingt-quatre heures. Il n'y eut aucun autre épisode de tachycardie ventriculaire. Puisqu'elle n'avait effectué aucun autre changement médical ni modifié son mode de vie, son régime alimentaire ou son programme d'exercice physique, Patricia attribue ces profondes améliorations à son usage des outils et techniques de la solution HeartMath.

Plus de quatre ans ont passé et Patricia pratique encore régulièrement le FREEZE-FRAME. Son cœur bat à un rythme normal; la menace d'une bombe à retardement a cessé. Elle croit que le fait de pratiquer cette technique de focalisation sur le cœur lui a redonné sa vie. «À présent, je me sens calme et dans une forme absolument incroyable», dit-elle.

L'histoire de Patricia, comme celle de bien d'autres, démontre clairement que l'application sincère de l'intelligence du cœur peut avoir un effet spectaculaire sur la vie d'une personne. Patricia a suscité ces changements en utilisant le FREEZE-FRAME [1].

Qu'est-ce que le FREEZE-FRAME?

Le terme « FREEZE-FRAME » appartient au jargon cinématographique; il désigne l'arrêt d'un film sur une image pour que l'on puisse examiner celle-ci de plus près. Comme vous le savez, un film est fait d'innombrables images de pellicule. Le projecteur qui montre le film passe la séquence d'images fixes devant une lampe puissante, à une telle vitesse que nous les percevons comme étant continues, sans hiatus. Ensemble, ces images séparées créent le mouvement qui nous attire dans l'histoire qui se déroule. Si nous voulons voir un plan individuel de l'un de ces moments qui passent à toute vitesse, nous devons arrêter le projecteur, c'est-à-dire faire un *arrêt sur image*; en anglais, FREEZE-FRAME [2].

On peut considérer la vie comme un film ultrarapide. On devient si engagé dans le mouvement de l'histoire qui se déroule qu'on oublie facilement qu'elle est composée de moments distincts. De minute en minute, une gamme stupéfiante de pensées, d'émotions et d'expériences composent notre vie.

Songez à ceci. Combien de choses se sont passées en vous depuis que vous avez commencé à lire ce chapitre? Le téléphone a peut-être sonné ou vous avez peut-être été interrompu autrement. Vous avez peut-être dû bouger pour être plus à l'aise ou trouver le bon éclairage. Une certaine phrase vous a peut-être rappelé quelque chose et votre esprit a commencé à vagabonder. Chacun de ces événements a laissé une trace mentale ou émotionnelle dans votre monde intérieur.

Si l'interruption était agréable, vous êtes retourné à votre lecture dans un bon état d'esprit. Sinon, votre inconfort a été subtilement — ou pas très subtilement — inséré dans votre expérience alors que vous continuiez à lire. Vous avez compris que chaque réaction mène à l'image suivante. Vous êtes en train d'écrire l'histoire de votre vie, un moment à la fois.

La technique du FREEZE-FRAME vous permet à tout moment d'arrêter de réagir au film. Elle vous laisse décréter une interruption afin d'obtenir en une seule image une perspective plus claire de ce qui se passe. En vous aidant à aligner votre tête sur votre cœur, elle vous donne accès rapidement et efficacement à l'intelligence du cœur.

Accéder au cœur par le FREEZE-FRAME ne fait pas que réduire le stress. En changeant votre perspective, cela vous permet de puiser à une source plus profonde d'intuition et de pouvoir. Le FREEZE-FRAME utilise la force du cœur pour mieux gérer l'espoir. Parce que nos systèmes mentaux, émotionnels et physiques sont tous interreliés, le FREEZE-FRAME a également un effet puissant sur nos émotions et notre fonctionnement biologique. D'autres techniques présentées dans ce livre sont conçues spécialement pour gérer les émotions et régénérer le corps, mais le FREEZE-FRAME est la façon la plus rapide et la plus facile d'enclencher l'intelligence du cœur et de susciter une plus grande cohérence dans tous nos systèmes.

Cette technique simple, en cinq étapes, crée une relation harmonieuse entre la tête et le cœur [2]. Elle nous permet de monter la prochaine image du film à partir d'un point d'équilibre et de compréhension, afin de prendre des décisions intelligentes. Elle nous aide à réduire l'*auto-intoxication* par le stress et nous donne plutôt de l'*assurance*. Avec de la pratique, nous parviendrons à insérer systématiquement l'intelligence du cœur dans notre vie quotidienne.

Lorsque nous apprenons une nouvelle technique physique, tel que le golf, le tennis ou la danse — ou même une technique dangereuse, comme le parachutisme —, il y a des chances pour que notre instructeur nous rappelle de rester détendu et de nous fondre dans le rythme du sport. Les bons instructeurs savent que, lorsque notre corps est dépourvu de tensions et que la tête y est en harmonie avec le cœur, nous pouvons davantage déployer nos capacités naturelles. Les plus grands athlètes et danseurs sont ceux qui peuvent rester détendus en se concentrant sur ce qu'ils font. Chaque fois qu'ils atteignent cet équilibre entre la tête et le cœur, leur performance s'améliore sensiblement.

On le voit fréquemment dans les sports d'équipe et de compétition. Chaque amateur de sport le sait : quelle que soit la qualité de son équipe, certaines parties sont magiques. Elles dépassent les attentes de tout le monde. Pour une raison quelconque, les joueurs collaborent comme les composantes d'une machine bien huilée. On dirait qu'ils communiquent entre eux par télépathie. Leurs compétences individuelles en tant que protagonistes sont amplifiées par l'harmonie et la synchronisation du groupe.

Par ailleurs, lorsqu'une équipe est désynchronisée, rien ne semble fonctionner. Faisant les cent pas à l'écart, l'entraîneur n'en croit pas ses yeux et commence à marmonner. Non seulement son équipe est-elle en train de perdre la partie, mais ses membres jouent comme des empotés! Tout fait défaut : leur synchronisation, leur technique, leur coordination. Un entraîneur se trouvant dans cette position risque de demander un arrêt du jeu. Si son équipe bénéficie d'un moment de répit, elle peut se regrouper et revenir au jeu plus unie.

L'entraîneur est également susceptible de livrer à l'équipe de stimulantes paroles d'encouragement. Il sait que, si ses joueurs perdent courage à un tel moment, tout leur talent et toute leur expérience seront vains. Il en va de même pour vous dans votre vie. Il est bon, stratégiquement, de déclarer une pause de temps à autre afin de regrouper votre équipe intérieure, c'est-à-dire votre tête et votre cœur.

Vous croyez peut-être ne jamais avoir le temps de faire une pause, mais ce n'est pas le cas. Le FREEZE-FRAME a été conçu pour agir efficacement. La brève pause qu'il vous procure vous permet d'accéder sur-le-champ au pouvoir d'équilibration du cœur et à la perspicacité revitalisante de son intelligence.

Les cinq étapes du FREEZE-FRAME

Voici les cinq étapes de la technique du FREEZE-FRAME :

1. Reconnaissez le sentiment stressant et fixez-le au moyen du FREEZE-FRAME! Décrétez un arrêt du jeu.
2. Efforcez-vous sincèrement de vous concentrer sur la région qui entoure votre cœur, plutôt que sur votre esprit agité ou vos émotions perturbées. Faites comme si vous respireriez par le cœur, afin de focaliser votre énergie dans cette région. Maintenez-y votre attention pendant au moins dix secondes.
3. Rappelez-vous un sentiment positif et agréable que vous avez déjà éprouvé et essayez de le ressentir à nouveau.
4. Maintenant, en utilisant votre intuition et votre jugement, demandez à votre cœur, en toute sincérité : quelle serait la réaction la plus efficace à la situation, pour minimiser le stress, à l'avenir?
5. Écoutez ce que vous répond votre cœur. (C'est une façon efficace de contrôler les réactions de votre esprit et de vos émotions, et une source intérieure de solutions judicieuses!)

Le FREEZE-FRAME n'est pas difficile à apprendre. Avec la pratique, cette technique devient presque une seconde nature. Toutefois, ne vous laissez pas abuser par sa simplicité. D'une grande efficacité, la simplicité se manifeste généralement lorsque la complexité a fini par se défaire. La pratique systématique de ces cinq étapes donnera des résultats substantiels. Le FREEZE-FRAME fournit un accès à l'intelligence intuitive et établit un pont fiable entre le cœur et la tête. Avant d'essayer cette technique, voici des explications plus détaillées sur chacune des étapes.

Étape 1

Reconnaissez le sentiment stressant et fixez-le au moyen du FREEZE-FRAME! Décrétez un arrêt du jeu.

Chaque fois que nous nous sentons déséquilibrés, mentalement ou émotionnellement, nous ressentons un certain degré de stress. Cependant, parce que nous nous sommes adaptés à la présence constante d'un certain stress dans notre vie, il arrive souvent que nous ne le reconnaissions pas, même s'il nous ronge. Avec l'accélération progressive de l'activité quotidienne, nous vivons plusieurs petits stress successifs, jusqu'à ce que nous ne fonctionnions plus à notre capacité optimale. Cependant, ce n'est qu'en prenant conscience du moment où nous sommes stressés que nous avons une chance de mettre fin au stress.

Comme nous l'avons décrit au chapitre 3, nous vivons d'abord le stress mentalement et émotionnellement, à travers nos perceptions. Notre corps nous fournit généralement des signaux lorsque le stress est trop grand. Nous pouvons développer une tension musculaire, peut-être aux épaules et au cou. Nous pouvons aussi avoir l'estomac serré, ou mal à la tête, ou nous sentir irritables. Si nous ne faisons rien pour diminuer notre stress, nous pouvons devenir confus et oublier où nous allions ou ce que nous étions en train de faire. Nous devenons alors beaucoup moins courtois avec les gens et considérons tout commentaire comme une attaque personnelle. De toute façon, nous nous mettons au lit épuisés. Les premiers signes du stress diffèrent d'une personne à l'autre. L'important est d'apprendre à reconnaître nos propres signaux avertisseurs.

Au moment même où nous prenons conscience du stress, nous devons faire une pause et déclarer un arrêt du jeu, en reconnaissant que nous avons besoin de nous dégager du problème et d'adopter une nouvelle perspective. Ce peut être difficile, car nous devenons si absorbés dans nos activités et nos responsabilités.

La première étape du FREEZE-FRAME pourrait se comparer à l'acte d'appuyer sur le bouton d'un lecteur de DVD pour arrêter un film. Dans ce cas, cependant, il s'agit du film de notre vie. Voyez la chose ainsi : si nous voulons être le réalisateur de notre propre film et exercer un certain contrôle sur l'action, nous ne devons plus nous contenter d'en être un simple personnage, mais plutôt reculer un peu pour voir l'ensemble.

Étape 2

Efforcez-vous sincèrement de vous concentrer sur la région qui entoure votre cœur, plutôt que sur votre esprit agité ou vos émotions perturbées. Faites comme si vous respireriez par le cœur, afin de focaliser votre énergie dans cette région. Maintenez-y votre attention pendant au moins dix secondes.

En focalisant notre attention sur le cœur plutôt que sur le problème, nous transférons notre énergie de notre perception du problème à ses possibilités de solution.

Focaliser notre attention sur la région du cœur peut paraître une façon commode de distraire l'esprit, mais cela a aussi d'autres effets : une amélioration de l'équilibre du système nerveux, un accroissement de l'efficacité cardiovasculaire, une meilleure communication entre le cœur et le cerveau, et une plus grande cohérence de l'esprit et des émotions [3-6].

Si vous avez de la difficulté à déplacer votre attention vers la région du cœur, essayez ceci : concentrez-vous sur votre gros orteil gauche; remuez-le, sentez-le et remarquez à quel point il est facile de rediriger votre attention vers cette région. Maintenant, essayez de focaliser votre attention sur la région du cœur. Faites comme si vous inspiriez et expiriez par le cœur (ou placez la main sur votre cœur pour vous aider à focaliser votre attention sur lui). Maintenez-y votre concentration pendant au moins dix secondes.

Étape 3

Rappelez-vous un sentiment positif et agréable que vous avez déjà éprouvé et essayez de le ressentir à nouveau.

Par exemple, vous pouvez vous rappeler des vacances reposantes ; l'amour que vous ressentez pour un enfant, un conjoint ou un parent ; un moment particulier que vous avez passé dans la nature ; la reconnaissance que vous ressentez envers quelqu'un ou pour un quelconque bienfait qui agrémente votre vie. Rappelez-vous le *sentiment* que vous éprouviez, comme la joie, la reconnaissance, la sollicitude, la compassion ou l'amour. Il a été démontré en laboratoire que de ressentir ces sentiments fondamentaux du cœur régénère le système nerveux, le système immunitaire et le système hormonal, facilitant la santé et le bien-être [3, 6 à 8]. De plus, ces sentiments positifs nous aident à voir le monde avec davantage de clarté, de discernement et d'équilibre.

Ce qui compte, dans cette étape, c'est de refaire l'expérience du sentiment. Ce n'est pas seulement de la visualisation mentale ; il ne s'agit pas simplement de créer une image dans notre esprit. Par exemple, une femme qui désire utiliser ses dernières vacances à Hawaii pour déclencher un sentiment positif peut se rappeler le clair de lune luisant sur l'eau ou le vent soufflant légèrement à travers les palmiers alors qu'elle se promenait sur la plage avec son mari. Toutefois, l'important est *le sentiment* que procurait cette expérience, et non uniquement *le spectacle* qui la constituait. Cette étape est destinée à évoquer le souvenir du sentiment.

Nous avons enseigné le FREEZE-FRAME à des dizaines de milliers de gens et, pour beaucoup d'entre eux, cette troisième étape a été la plus difficile. Pour des personnes qui sont coupées de leur cœur, il peut être difficile de se rappeler un sentiment positif. Et ce peut être plus difficile encore lorsque la situation présente est extrêmement stressante et chargée émotionnellement. Si vous avez de la difficulté à accéder délibérément à des sentiments positifs, faites tout simplement de votre mieux. Le seul fait de vous concentrer sur un sentiment tel que la reconnaissance, qu'il vienne du passé ou du présent, vous aidera à neutraliser la réaction négative.

Le docteur Richard Podell, interniste et professeur clinicien à l'Université de médecine et d'art dentaire du New Jersey — et formateur certifié du FREEZE-FRAME —, utilise et enseigne cette technique depuis environ trois ans. Le docteur Podell a formé plus de cent patients, qui ont maîtrisé la technique en deux séances d'une heure. Il a découvert que, lorsqu'un patient a identifié l'image, l'expérience ou la personne qui déclenche le mieux les sentiments de reconnaissance, de sollicitude ou d'amour, le processus devient clair et les résultats sont appréciables.

Avec un peu d'efforts, les gens parviennent à trouver des déclencheurs essentiels qui activent les sentiments positifs du cœur nécessaires à cette étape. Le docteur Bruce Wilson, un cardiologue qui a inclus formellement le FREEZE-FRAME dans le programme de réhabilitation cardiaque de son hôpital de Milwaukee, dans leWisconsin, raconte l'expérience de l'un des nombreux patients auxquels il a enseigné cette technique : « Lorsque j'étais au Viêtnam, disait le patient, nous restions étendus dans les tranchées, continuellement terrifiés. Chaque jour, nous pensions mourir. Mais, un matin en particulier, le soleil était d'un orange vif à son lever et je le voyais à travers les arbres. Pendant une seconde, je fus tellement content d'être vivant. Quand je fais un FREEZE-FRAME, je me rappelle ce merveilleux moment. C'est ce qui me vient à chaque fois. »

Étape 4

Maintenant, en utilisant votre intuition et votre jugement, demandez à votre cœur, en toute sincérité : quelle serait la réaction la plus efficace à la situation, pour minimiser le stress, à l'avenir?

À cette étape, tout en gardant votre attention focalisée sur la région du cœur, demandez-vous tout simplement : quelle serait la réaction la plus efficace à la situation, pour minimiser le stress, à l'avenir? Si vous posez cette question à partir du cœur, votre intuition, votre jugement et votre sincérité s'activeront davantage. Même si vous n'avez pas nécessairement à chaque fois les idées claires comme du cristal, vous augmenterez graduellement vos chances de parvenir à des solutions convenables.

Lorsque vous pratiquez cette étape, rappelez-vous de garder votre attention dans la région du cœur. Cela vous aidera à y rester ancré, afin de ne pas retomber immédiatement dans la tête.

Étape 5

Écoutez ce que vous répond votre cœur. (C'est une façon efficace de contrôler les réactions de votre esprit et de vos émotions, et une source intérieure de solutions judicieuses!)

Lorsque l'agitation de votre esprit et de vos émotions a cessé, vous pouvez entendre ce que certains appellent «la petite voix paisible». Pour découvrir cette sagesse ou intuition intérieure, il faut passer de la tête au cœur, un changement que les quatre étapes précédentes vous auront aidé à faire. Maintenant que vous êtes concentré sur le cœur, essayez d'être calme intérieurement; détendez-vous et écoutez, tranquillement, un signal du cœur. À mesure que votre organisme deviendra plus cohérent, les ondes cérébrales commenceront à se synchroniser avec les rythmes cardiaques [3], ce qui facilitera la fonction corticale (exposée au chapitre 2) et fournira un accès accru à l'intelligence potentielle. Ce processus entraîne un changement de la perception et l'accès à des informations nouvelles.

Parfois, les réponses que nous obtenons au moyen du FREEZE-FRAME semblent très simples; en fait, elles ne font parfois que confirmer quelque chose que nous savions déjà. D'autres fois, cependant, nous obtenons des informations et des perspectives nouvelles. D'autres fois encore, nous éprouvons un sentiment plutôt que de percevoir une réponse claire. Si nous écoutons les signaux que nous envoie notre cœur, plus souvent qu'autrement, nous ferons l'expérience d'un changement d'énergie ou de perception. Ce qui compte, ici, c'est que nous nous efforcions de suivre le mieux possible les instructions du cœur, même s'il s'agit d'un sentiment fugace (ou, pire, de quelque chose que nous ne *voulons* pas entendre, comme : «Laisse tomber et passe à autre chose.»).

Bill, un entrepreneur qui avait subi un quadruple pontage et un remplacement d'aorte, avait de la difficulté à se relier à son cœur, mais, après avoir lu un texte portant sur les effets potentiels du FREEZE-FRAME sur le cœur, il décida d'essayer. La première chose à laquelle il appliqua la technique fut la rage au volant. Comme il se déplaçait chaque jour pour se rendre au travail, il avait de nombreuses occasions d'en faire usage. Très rapidement, son indignation face aux autres automobilistes fut transformée par le FREEZE-FRAME; bientôt, il ne se mit plus que très rarement en colère, et même alors, ce n'était qu'une colère douce. Il décida alors d'appliquer le FREEZE-FRAME à d'autres problèmes.

Bill, c'était bien connu, n'était plus très fréquentable depuis des années. Il avait laissé sa frustration conjugale donner le ton à sa vie. Quelque part en cours de route, sa relation avec sa fille de quarante-quatre ans s'était également détériorée.

«Un matin où je me rendais au travail en voiture, j'ai décidé de faire un FREEZE-FRAME sur ma relation avec ma fille. Après avoir parcouru les étapes une seule fois, je sus que j'avais changé.» Même s'il n'avait aucune pensée ou intuition particulière sur cette relation, il réussit à abandonner sa vieille attitude rigide et à retrouver sa compassion et son amour pour elle. Et cela suffit à tout changer.

«À présent, ma fille et moi, nous nous entendons très bien, dit-il. Nous nous parlons presque tous les jours au téléphone, et elle dit qu'elle aime la personne que je suis maintenant. Quelle expérience enrichissante!»

La biologie du FREEZE-FRAME

Que se passe-t-il dans notre corps lorsque nous faisons un FREEZE-FRAME? Que nous percevions une différence ou non, lorsque nous faisons sincèrement un FREEZE-FRAME, il y a une plus grande harmonie dans notre rythme cardiaque. Notre système nerveux, qui régule le rythme cardiaque, la pression sanguine et plusieurs glandes et organes, devient plus équilibré [3]. Cela permet aux centres de perception du cerveau de traiter l'information plus efficacement, en nous fournissant un meilleur accès à d'importantes informations que nous avons déjà emmagasinées dans notre cerveau, et en permettant de nouvelles solutions intuitives auxquelles le cœur a accédé et à des sentiments fondamentaux du cœur d'atteindre le conscient.

Comme nous l'avons vu au chapitre 2, cette technique a un tel effet d'équilibration sur les rythmes cardiaques — les plus forts du corps — que le cœur attire en entraînement plusieurs des autres systèmes biologiques rythmiques du corps, et, dans cet état, ils travaillent ensemble avec plus d'efficacité. Comme dans l'analogie sportive évoquée plus haut, notre équipe intérieure fonctionne alors en harmonie.

La figure 4.1 montre comment trois importants systèmes rythmiques biologiques interagissent avant et après le FREEZE-FRAME. Le sujet dont les résultats sont montrés ici a été observé pendant dix minutes afin d'évaluer sa variation du rythme cardiaque, le temps de transit du pouls (une mesure de la pression artérielle) et la respiration.

Cinq minutes (ou trois cents secondes) après le début de l'expérience, le sujet commença à faire un FREEZE-FRAME. La ligne verticale, au milieu du graphe en trois parties, marque ce moment. Comme vous pouvez le voir, les schémas irréguliers et en dents de scie sont aussitôt devenus ordonnés et cohérents, et les trois systèmes sont entrés en entraînement. Sa respiration, sa pression artérielle et son système nerveux ont commencé à collaborer plus efficacement entre eux dès qu'il s'est concentré sur son cœur. Cette découverte permet de comprendre pourquoi des gens comme Bill se sentent harmonisés sans pouvoir l'expliquer.

Une étude intéressante sur les effets de diverses émotions sur le système nerveux autonome et le cœur, menée à l'institut par Rollin McCraty, le directeur de la recherche, et son équipe de scientifiques, fut publiée dans l'*American Journal of Cardiology* en 1995. Dans cette étude, le FREEZE-FRAME fut utilisé comme méthode par des sujets pour passer intentionnellement à certains états émotionnels en se concentrant sur leur cœur. Selon le *Journal*, les résultats confirment que le FREEZE-FRAME offre une nouvelle façon d'améliorer la santé et le bien-être : « Les changements positifs de l'équilibre du système nerveux autonome que

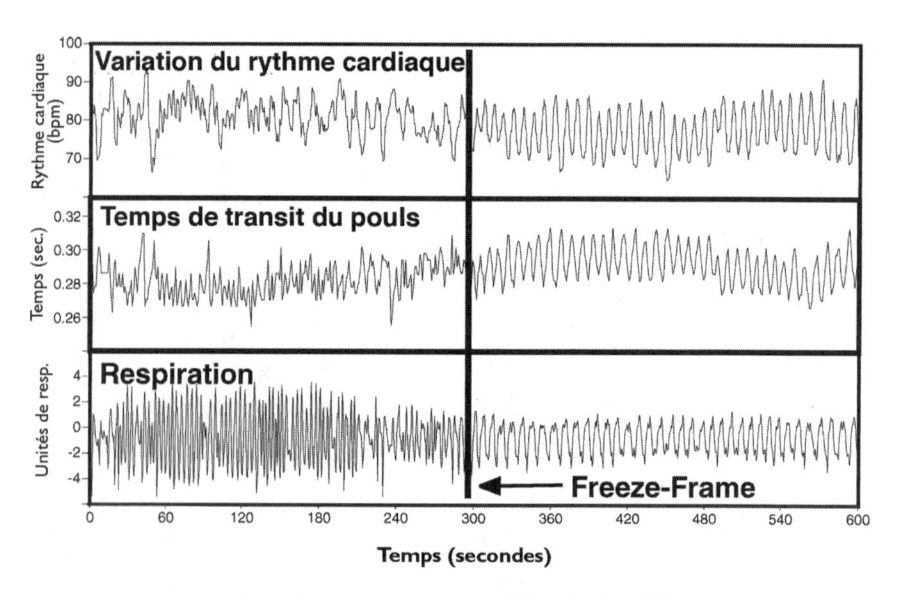

Entraînement durant le FREEZE-FRAME

FIGURE 4.1. Ce graphe montre la variation du rythme cardiaque, le temps de transit du pouls et le schéma de respiration d'une personne au cours d'une période de dix minutes. À trois cents secondes, l'individu a fait un FREEZE-FRAME et les trois systèmes physiologiques sont entrés en entraînement. Lorsque nos systèmes sont synchronisés ainsi, ils fonctionnent avec une efficacité accrue, épargnant une énergie précieuse et favorisant la santé.

tous les sujets ont pu obtenir au cours de cette étude au moyen du FREEZE-FRAME peuvent être bénéfiques dans le contrôle de l'hypertension et la réduction des risques de décès subit chez des patients ayant une défaillance cardiaque congestive et une maladie de l'artère coronarienne [3]. »

Exercice de FREEZE-FRAME

Le moment est venu de faire votre propre expérience du FREEZE-FRAME. Comme c'est votre première tentative, gardez-vous d'avoir des attentes irréalistes. Il vous faudra peut-être plusieurs séances d'entraînement avant de ressentir quoi que ce soit ou d'acquérir une clarté quelconque. N'allez donc pas croire que vous n'appliquez pas la technique adéquatement ou que vous êtes le seul à ne pas réussir la première ou la deuxième fois. Il n'est pas difficile d'écouter son cœur, mais *l'écoute* des signaux intérieurs est différente pour chacun et exige souvent un peu de pratique. Allez-y lentement et doucement, tout simplement, et notez les principes de base. Le FREEZE-FRAME est une *compétence acquise* qui développe l'intelligence de votre cœur à mesure que vous l'utilisez.

Passez maintenant la fiche d'exercices du FREEZE-FRAME, à la page 108, et commencez par cet exercice écrit. Le fait d'écrire vous aidera à clarifier votre conscience de soi et à voir des liens entre les pensées, les sentiments, les réactions et les options possibles. La fiche d'exercices du FREEZE-FRAME ressemble aux roues d'entraînement d'une bicyclette d'enfant. Lorsque vous aurez bien saisi cette technique, vous pourrez faire le FREEZE-FRAME et vous relier à la puissance d'intuition de votre cœur sans devoir tout écrire.

1. D'abord, pensez à une situation stressante que vous vivez actuellement et décrivez-la en quelques mots sous la rubrique « Situation ». Ne commencez *pas* par la plus importante

Fiche d'exercices du FREEZE-FRAME

Voici les cinq étapes de la technique du FREEZE-FRAME :

1. Reconnaissez le sentiment stressant et fixez-le au moyen du FREEZE-FRAME! Décrétez un arrêt du jeu.
2. Efforcez-vous sincèrement de vous concentrer sur la région qui entoure votre cœur, plutôt que sur votre esprit agité ou vos émotions perturbées. Faites comme si vous respireriez par le cœur, afin de focaliser votre énergie dans cette région. Maintenez-y votre attention pendant au moins dix secondes.
3. Rappelez-vous un sentiment positif et agréable que vous avez déjà éprouvé et essayez de le ressentir à nouveau.
4. Maintenant, en utilisant votre intuition et votre jugement, demandez à votre cœur, en toute sincérité : quelle serait la réaction la plus efficace à la situation, pour minimiser le stress, à l'avenir?
5. Écoutez ce que vous répond votre cœur. (C'est une façon efficace de contrôler les réactions de votre esprit et de vos émotions, et une source intérieure de solutions judicieuses!), une réaction qui minimiserait le

Situation ______________________________

____

____

Réaction de la tête ______________________________

____

____

____

____

FREEZE-FRAME

____

Réponse intuitive du cœur ______________________________

____

____

____

____

____

En faisant l'exercice du **FREEZE-FRAME**,

je suis passé de_____ à _____

et la plus chargée émotionnellement. Si vous alliez au gymnase pour vous entraîner pour la première fois, vous ne choisiriez pas les poids les plus lourds, n'est-ce pas? Certaines situations exigent plus de force musculaire que d'autres. Commencez par un stress du «niveau débutants» pour tester votre force, et vous pourrez ensuite augmenter le niveau.

2. Sous la rubrique «Réaction de la tête», écrivez ce que cette situation vous a fait subir : des pensées incessantes, des sentiments et des réactions qui ne cessent d'émerger, que ce soit la colère, la frustration, l'inquiétude, l'impatience, l'épuisement. Notez que l'expression «réaction de la tête» fait référence à une combinaison de pensées et d'émotions *générées par la tête* et non aux sentiments fondamentaux du cœur.
3. Après avoir décrit la situation et votre réaction de la tête, revoyez les cinq étapes du FREEZE-FRAME. Puis détendez-vous et effectuez-les, une par une. Fermez les yeux si vous le voulez. (Pendant que vous êtes en période d'apprentissage, le fait de garder les yeux fermés permet de déplacer plus facilement la perception. Lorsque vous maîtriserez la technique, cependant, vous pourrez faire un FREEZE-FRAME les yeux ouverts ou fermés.) Lorsque vous êtes prêt — après avoir focalisé votre attention sur la région du cœur, activé un sentiment fondamental et posé votre question à partir du cœur —, écrivez ce que votre cœur vous a répondu, sous la rubrique «Réponse intuitive du cœur».
4. Maintenant, revoyez votre fiche d'exercices du FREEZE-FRAME. Lisez ce que vous avez écrit sous «Réaction de la tête», puis sous «Réponse intuitive du cœur». Y a-t-il une différence? Si oui, décrivez-la.

5. Maintenant, trouvez un ou deux mots qui expriment l'essentiel de la réaction de la tête, par exemple : «en colère», «ému» ou «impatient». Puis trouvez un ou deux mots qui expriment la perspective intuitive, par exemple : «calme», «logique» ou «bienveillant». Écrivez ces mots dans les espaces prévus au bas de la fiche d'exercices. (Par exemple, quelqu'un peut faire un FREEZE-FRAME sur une situation et passer de la «confusion» à la «clarté» ou de la «colère» à l'«acceptation».)

Ne vous inquiétez pas s'il ne vous vient aucune idée qui puisse changer votre vie. Il est important de reconnaître que vous êtes en période d'apprentissage. Le seul fait de vous exercer sincèrement au FREEZE-FRAME est un pas important. Votre habileté s'améliorera avec la pratique.

Au départ, cependant, vous vous sentirez au moins plus équilibré et plus calme. Vous pourrez même ressentir un changement d'attitude ou de perspective subtil, mais important. Même si vous n'obtenez pas toutes les réponses dont vous avez besoin pour résoudre votre situation, vous vous sentirez plus lucide vis-à-vis d'elle et vous saurez que vous êtes dans la bonne direction. (Parfois, lorsque l'on n'obtient pas de réponse immédiatement, elle nous rattrape plus tard!)

À chaque répétition de la technique, vous puiserez plus profondément dans votre cœur. À mesure que vous accumulerez le pouvoir de votre cœur et améliorerez votre capacité d'exécuter le FREEZE-FRAME, les idées et les changements d'attitude et de perspective vous viendront plus rapidement et seront plus satisfaisants. Le secret se trouve dans la pratique.

En quoi le FREEZE-FRAME est-il différent?

Vous trouvez peut-être que votre expérience, au cours de l'exercice du FREEZE-FRAME, ressemble (du moins au départ) à quelque chose que vous avez déjà ressenti. Comme nous l'avons dit au début, nous avons tous déjà fait l'expérience de l'intelligence du cœur. Il est donc naturel que le sentiment éprouvé vous semble familier.

L'un des grands avantages de la solution HeartMath, c'est de vous permettre de susciter à nouveau ces états *à volonté*. Lorsque vous posséderez les outils, vous pourrez retourner systématiquement à votre cœur, ce qui vous permettra d'en cultiver davantage l'intelligence.

Des gens nous demandent souvent : «En quoi le FREEZE-FRAME est-il différent des exercices de respiration ou de la méditation?» C'est une question pertinente.

Pour la plupart d'entre nous qui sommes en proie au stress quotidiennement, le conseil de nos grands-parents — s'arrêter, respirer profondément à quelques reprises, et compter jusqu'à dix — ne procure plus de soulagement durable. L'esprit et les émotions recommencent à s'agiter dès que nous avons fini de compter. Nous avons besoin d'autre chose.

Respirer profondément à quelques reprises peut effectivement être utile, car nos schémas de respiration modulent nos rythmes cardiaques. En fait, il est possible d'entraîner nos schémas de respiration et nos rythmes cardiaques (sans nous concentrer sur la région du cœur) au moyen d'exercices de respiration «cognitifs», c'est-à-dire des exercices au moyen desquels nous prenons conscience du rythme et de la profondeur de notre souffle, et contrôlons ensuite consciemment son rythme, afin de respirer à la bonne fréquence [6].

Les exercices de respiration cognitifs *imposent* un rythme de respiration à notre fréquence cardiaque lorsque nous respirons de façon lente et rythmique (disons : cinq secondes d'inspiration et cinq secondes d'expiration), ce qui facilite l'entraînement. Mais nous avons découvert que les gens trouvent très difficile de maintenir consciemment un rythme de respiration lent pendant un long moment. Ils se fatiguent rapidement de respirer ainsi.

Lorsque les gens se focalisent sur le cœur et respirent «à travers» lui d'une façon détendue, des schémas de VFC souples et entraînés se produisent plus naturellement. Par conséquent, ceux-ci sont plus faciles à maintenir pendant de longues périodes. Il en est ainsi parce que *le cœur est le régulateur principal* du rythme respiratoire [9].

Le FREEZE-FRAME permet l'apparition d'une cohérence ou d'un entraînement spontané, rendant ainsi inutile le besoin du contrôle cognitif de la respiration. L'esprit dégage la voie au lieu de diriger le processus du souffle. Non seulement cela fait du bien, mais c'est également facile à maintenir.

Le FREEZE-FRAME crée également un changement d'humeur, générant des sentiments harmonieux comme la sollicitude et la reconnaissance, ce qui aide à créer et à maintenir l'entraînement entre le cœur et le cerveau [4]. Le rythme respiratoire se synchronise avec les signaux provenant des nerfs allant du cœur au cerveau [9].

Le succès du FREEZE-FRAME repose sur l'utilisation de la force de votre cœur pour l'entraînement de vos systèmes biologique, mental et émotionnel. Vous parviendrez à de meilleurs résultats avec le FREEZE-FRAME en procédant comme suit : focalisez votre attention sur la région du cœur; respirez à quelques reprises, lentement et à fond; ressentez sincèrement des émotions telles que l'amour, la sollicitude ou la reconnaissance; puis oubliez la respiration tout en maintenant ce sentiment. Avec ce processus, vous retirerez l'avantage à la fois de la respiration lente et du changement émotionnel créé par le FREEZE-FRAME, alors que vous produirez et maintiendrez des schémas de VFC bénéfiques.

Plusieurs techniques de méditation et de visualisation impliquent une concentration sur la tête — le centre du front ou la couronne — et tentent d'utiliser l'esprit pour calmer l'esprit. Ces techniques peuvent être très difficiles à maîtriser. Tandis que des chercheurs constatent que des états méditatifs produisent des modifications d'ondes cérébrales et certaines autres réactions corporelles (y compris une réduction de l'activité autonome), ils observent rarement une cohérence du rythme cardiaque.

Souvent, même des techniques de méditation qui vous font vous concentrer sur le cœur utilisent uniquement l'esprit pour diriger l'énergie, au lieu de susciter les sentiments fondamentaux du cœur qui sont nécessaires pour permettre à ce dernier de distribuer le courant d'énergie. Susciter un sentiment fondamental du cœur accroît la cohérence du rythme cardiaque, ce qui est un résultat précieux. Des recherches menées par l'institut ont démontré que la cohérence du rythme cardiaque est nécessaire pour atteindre un véritable calme de l'esprit et un réel état intuitif.

C'est cette compréhension qui m'a amené (Doc), au départ, à développer la technique du FREEZE-FRAME. J'ai découvert, à partir de ma propre expérience de la méditation et de la prière pendant plus de vingt ans (et de l'observation d'autres personnes utilisant des techniques similaires), qu'une assez longue période de pratique et de discipline est nécessaire pour calmer l'esprit suffisamment pour obtenir les avantages physiologiques et intuitifs de la méditation. Même des méditants de longue date n'obtiennent que des avantages limités si leur cœur n'est pas fortement engagé; voilà pourquoi ils sont souvent frustrés par leur manque de progrès.

Je respecte profondément tous les efforts de ceux qui ont développé une technique personnelle de prière ou de méditation. En créant le FREEZE-FRAME, j'ai voulu aider ceux qui n'ont ni l'envie ni le temps de méditer. J'ai également voulu aider ceux qui utilisent la prière, la méditation ou d'autres méthodes de croissance personnelle, à entrer plus profondément dans leur cœur afin de retirer le plus grand bienfait de leurs efforts.

Comme la prière, le FREEZE-FRAME peut s'exécuter lorsqu'on est en route pour le travail, en attente d'une réunion, ou au restaurant; il peut se faire n'importe quand et n'importe où. Comme la méditation, on peut l'effectuer pendant de plus longues périodes de temps si on le veut. Cependant, comme la plupart des gens n'ont pas beaucoup de temps, c'est un bon outil à utiliser pour obtenir des résultats rapides.

L'un des avantages les plus appréciés du FREEZE-FRAME, c'est qu'on peut l'accomplir sur-le-champ chaque fois qu'on veut ressentir une paix plus grande ou accéder rapidement à l'intuition. On y arrive en moins d'une minute, une fois qu'on s'y est exercé. On n'a pas à se rendre dans un lieu particulier pour méditer seul. Même si la méditation produit chez vous de bons résultats, vous ne pouvez pas toujours vous retirer dans un endroit tranquille pour y passer vingt minutes dans la solitude. Lorsqu'on se trouve en pleine réunion frustrante au bureau ou que l'on ramène des enfants criards de l'école, on ne peut tout simplement pas se replier dans un état modifié de conscience.

Nous ne saurions trop insister sur l'importance de faire le FREEZE-FRAME en *temps réel*, c'est-à-dire au moment même où l'on subit le stress, pour trouver la paix et l'harmonie. Les impacts physiologiques et psychologiques du stress, de la frustration et de l'anxiété sont alors immédiatement neutralisés. Le FREEZE-FRAME interrompt l'épuisement des systèmes nerveux, hormonal et immunitaire qui se serait produit si l'on avait permis à la réaction de stress de suivre son cours. Lorsqu'on s'arrête pour effectuer le FREEZE-FRAME et qu'on engage vraiment son cœur, on retrouve aussitôt l'équilibre, et le stress cesse immédiatement. C'est pourquoi le FREEZE-FRAME a été conçu comme un outil à utiliser *sur-le-champ*.

Toute technique de méditation, de visualisation, de prière, d'affirmation ou de réduction du stress peut être améliorée en ajoutant au processus la concentration sur le cœur. Jack, un méditant de longue date, nous a dit : «Après plus de dix ans de méditation quotidienne, le FREEZE-FRAME a vraiment créé un changement important. J'ai pu atteindre en seulement quelques séances d'entraînement ce que j'avais essayé d'acquérir durant toutes ces années : la capacité de sentir mon cœur plus intensément et de retrouver ma paix intérieure plus rapidement quand je la perdais. C'est surtout utile au milieu de l'activité quotidienne, car c'est là que je cours le plus de risques, du point de vue mental et émotionnel.»

Quelles que soient les techniques que vous pratiquez, comprenez bien que le message du cœur devient plus clair lorsque l'esprit est tranquille. Et, afin de vraiment calmer l'esprit, nous devons aligner la tête sur le cœur. C'est le *degré de cœur* que vous mettez dans n'importe quelle pratique de santé — que ce soit le régime alimentaire, l'exercice, la prière, la méditation ou la discipline d'auto-assistance — qui constitue son degré d'efficacité. Le FREEZE-FRAME, avec ses étapes faciles et évaluées par la recherche scientifique, peut ajouter la force cohérente du cœur à toutes les techniques que vous utilisez.

Les outils et techniques de HeartMath sont conçus pour faciliter et non concurrencer les méthodes de croissance personnelle ou spirituelle. Nous respectons tout processus qui aide les gens à trouver la paix, l'inspiration, le bien-être ou l'amélioration de la santé. Le FREEZE-FRAME est une méthode commode, abordable et efficace, d'acquérir la clarté, la sécurité intérieure et la paix chaque fois qu'on en a besoin.

Trouver la zone neutre

Cependant, avouons-le, le fait d'accéder à un sentiment positif avec une telle compassion (sans parler de reconnaissance) peut parfois être difficile, surtout si la situation est extrêmement stressante et chargée émotionnellement. Dans ce cas, nous pouvons au moins faire l'effort de devenir plus neutre. Si nous y réussissons, ce peut être un plus grand succès que nous ne l'imaginons.

Ne sous-estimez pas le pouvoir de l'état de neutralité. Il épargne de l'énergie et fournit un terrain fertile à la croissance de nouvelles intuitions. La capacité de se mettre au neutre et d'y rester jusqu'à ce que le cœur révèle clairement ce qu'il faut faire est un signe d'équilibre et de maturité. Le contrôle impulsif, c'est-à-dire la capacité de retarder la gratification des impulsions, est une mesure de l'intelligence émotionnelle. Lorsque nous arrivons à atteindre un état neutre, notre rythme cardiaque retrouve bientôt son équilibre, de telle façon que nous pouvons percevoir de nouvelles possibilités d'action, au lieu de réagir mécaniquement à l'impulsion et d'avoir à le payer (en le regrettant probablement) plus tard.

Les pensées et les sentiments jouent un rôle majeur dans tous nos actes. C'est grâce à ces processus intérieurs que nous connaissons le bonheur et la paix intérieure, de même que ces moments terribles que nous préférons oublier. Le FREEZE-FRAME ne changera pas chacune des situations désagréables que nous allons affronter. La vie sera toujours la vie. Mais cette technique peut nous aider à passer au neutre, afin de ne pas être épuisés à chaque fois.

Lorsque nous sommes au neutre, nous nous adaptons plus rapidement, même si les choses ne vont pas comme nous le voudrions. Au lieu de perdre de l'énergie à juger défavorablement une personne ou une situation, nous nous retirons en attendant de pouvoir trouver un niveau d'intuition plus profond. Nous n'avançons ni ne reculons; nous restons détendus, au neutre. Et le FREEZE-FRAME peut nous y amener. Il dissipe le brouillard dans notre esprit pour que nous puissions voir clairement. Ensuite, nous avons la possibilité de recadrer la situation [2].

L'état neutre constitue sur le moment un canal pour l'objectivité. Essayer de rester neutre pendant que la tête produit frénétiquement des opinions et des jugements représente un véritable défi. La tête veut arriver à une conclusion *maintenant.* Elle languit de dire «Je *sais* ce qui se passe ici!», que ses opinions soient fondées ou non.

Dans chaque situation qui déclenche le stress, nous entendons un tapage dans notre tête et sentons s'amorcer le processus familier, mais il suffit de continuer à pratiquer les deux premières étapes du FREEZE-FRAME pour trouver ce point neutre. À partir de là, nous pouvons nous demander : «Et si la situation était plus complexe que ce que j'en ai perçu? Et s'il y avait quelque chose d'autre que je ne sais pas?» Il est étonnant de voir combien on économise d'énergie au neutre, où nous ne laissons pas notre esprit accepter automatiquement qu'une chose soit de telle ou telle façon.

Les parents savent qu'il faut beaucoup d'efforts pour calmer des enfants qui piquent une crise de colère, mais ces efforts en valent la peine, parce que nous les aimons. Nos crises de colère intérieures sont tout aussi difficiles à contrôler. Nous en avons tous parfois, et elles ne disparaissent pas sur commande, mais l'effort accompli pour les contenir en vaut la peine. Essayez de ne pas être impatient. Ayez autant de compassion pour vous-même que vous en auriez pour vos enfants. Chaque fois que, dans une situation stressante, vous faites un FREEZE-FRAME et trouvez la zone neutre, vous développez un peu plus votre habileté. Chaque fois, le processus devient plus facile.

Je (Howard) raconte souvent une histoire personnelle sur la capacité de rester au neutre. Un jour, j'étais passager d'un vol d'affaires vers Los Angeles et j'ai abouti dans l'un de ces sièges qui se trouvent directement en face d'une autre rangée. J'avais le siège côté allée, une jeune femme était assise à côté de moi, et un homme d'affaires bien habillé occupait le siège situé près de la fenêtre. En face de nous, il y avait une jeune mère avec deux enfants : un garçon d'environ trois ans et un petit bébé.

Les choses se sont bien passées pour un temps, mais le petit garçon a fini par s'agiter et il s'est mis à lancer ses voitures jouets partout. Comme sa mère voyait que cela irritait l'homme d'affaires, elle a tiré la table-plateau du garçon et lui a donné des biscuits et une petite boîte de jus de raisin munie d'une paille. Bientôt, le garçon se mit à frapper la table-plateau à grands coups de boîte de jus. Vous devinez bien que le contenant a bondi de sa main et volé en direction de l'homme d'affaires, l'aspergeant de jus de raisin de la tête aux pieds.

Alors que la mère faisait de son mieux pour apaiser l'homme et calmer l'enfant agité, le bébé s'est mis à pleurer. La mère, décidant qu'il était temps de changer sa couche, a retiré celle-ci et l'a posée sur la table-plateau du bébé, juste devant moi. Toute la zone était remplie de l'odeur âcre.

Alors qu'elle s'affairait à mettre en place la nouvelle couche, le capitaine ouvrit l'interphone pour dire que nous allions bientôt amorcer notre descente. La jeune femme à côté de moi me tapota le bras en disant : «Excusez-moi, monsieur, mais j'ai peur des avions. Ça ne vous dérangerait pas trop si je m'accrochais à vous pendant l'atterrissage?»

«Pas du tout», lui ai-je dit, ne sachant pas à quoi m'attendre. Une fois la permission accordée, la femme a agrippé mon avant-bras à deux mains et profondément enfoncé sa tête dans mon épaule.

Alors, j'étais là, pris au piège dans un avion, avec un homme d'affaires irrité dans un costume couleur raisin, une femme terrifiée, une jeune mère soucieuse, un bambin incontrôlable, un bébé qui pleurait et, oui, cette couche bien utilisée qui me narguait encore…

Cela m'a semblé un moment idéal pour mettre à l'épreuve l'efficacité du FREEZE-FRAME. J'ai effectué les trois premières étapes, mais je n'arrivais qu'à me mettre au neutre. J'ai dû me reposer là quelques instants, les yeux fermés, puis je me suis posé la question suivante : quelle serait la réaction la plus efficace à la situation, pour minimiser le stress, à l'avenir?

La première réponse que je reçus du cœur fut qu'il me fallait avoir de la compassion envers tous ceux qui étaient impliqués. La situation était tout simplement difficile pour chacun.

Puis j'ai été frappé par le comique de tout cela. Je ressentais véritablement de la compassion pour toutes les personnes impliquées, mais toute la situation elle-même m'a soudainement paru très drôle. J'ai dû ouvrir les yeux pour contrôler mon rire, et aussi pour vérifier si le sang circulait toujours dans mon bras. L'avion atterrissait, et l'emprise de la femme était au maximum.

Au sortir de l'avion, j'étais content que le vol soit terminé… mais j'avais le sourire aux lèvres.

Améliorer la vie quotidienne

Nous avons tous connu des expériences que nous aimerions revivre et changer. Même en supposant que nous ne pouvions empêcher une situation difficile de se produire, nous aimerions changer la façon dont nous l'avons traitée, reformuler ce que nous avons dit. Puisque nous n'avons jamais cette possibilité, nous devons bien faire la première fois. Le pouvoir d'arrêter un esprit débridé et de calmer des émotions perturbées pour pouvoir évaluer une situation stressante est inhérent au cœur de chaque individu. Lorsque nous utilisons ce pouvoir, en agissant consciemment à partir d'un cœur équilibré, notre besoin de regretter diminue, parce que nous nous connectons plus naturellement à ce que notre être *réel* — et non notre être réactif — veut penser ou faire.

La première fois que Rosemary a utilisé le FREEZE-FRAME, c'était durant une semaine de conflit avec son mari et sa fille. Pour elle comme pour bien des familles, les questions parentales figuraient parmi les plus chargées émotionnellement.

«Nous avons récemment appris que notre fille était devenue sexuellement active, expliqua Rosemary. Scott et moi avons immédiatement été stressés à ce sujet. Après plusieurs jours, Scott s'est mis à me blâmer et j'ai réagi d'une manière défensive pour moi-même et protectrice pour ma fille. Je me suis dit qu'il était devenu schizophrène. Il me révélait un aspect de lui que je ne connaissais pas et que je n'aimais pas.

«Quand j'ai parlé de ce qui se passait à l'une de mes meilleures amies, elle m'a suggéré d'essayer d'accéder à mon cœur, en faisant passer ma conscience vers cette région du corps et en respirant par là. Elle m'a fait passer toutes les étapes du FREEZE-FRAME, même si je ne savais pas alors que cela s'appelait ainsi. Le processus semblait très naturel.

«Lors de la conversation suivante avec mon mari ce soir-là à propos de notre fille, j'ai commencé par réagir selon le même vieux schéma, puis je me suis rappelé d'essayer d'accéder à mon cœur en utilisant la technique que mon amie m'avait enseignée. Je suis passée par toutes les étapes pendant que mon mari parlait.

«J'ai immédiatement ressenti un changement. Pour la première fois, j'étais capable d'entendre sa peur, sa douleur, ses problèmes irrésolus concernant sa propre sexualité, et les deux poids, deux mesures qu'il utilisait pour ses fils et ses filles. J'ai ressenti de la compassion plutôt que de la colère et j'ai pu répondre à partir de mon cœur au lieu de réagir à partir de ma tête.

«Le changement d'énergie a été si puissant que j'étais presque abasourdie. Par la suite, nos conflits se sont résolus très rapidement et beaucoup plus tendrement. J'étais étonnée que la force du cœur puisse me donner autant d'intuition.»

Le FREEZE-FRAME est un outil précieux quand nous sommes aux prises avec des relations personnelles, mais il est également utile au travail. Des clients qui sont dans les affaires nous ont raconté des centaines d'histoires sur la façon dont le FREEZE-FRAME les avait aidés à sauver du temps et de l'énergie. Plusieurs ont utilisé le FREEZE-FRAME pour trier et élaguer le flot d'informations qui leur arrivait chaque jour. Cet outil a été particulièrement utile pour les équipes qui doivent rester constamment concentrées sur leur but et dont la communication, la créativité et la synergie d'équipe constituent des conditions essentielles au succès.

Dan, un cadre moyen, fit remarquer que les réunions étaient généralement la partie la plus stressante et la plus épuisante de sa journée. «Mon emploi exige souvent que je participe à trois ou quatre réunions par jour, habituellement avec des collègues que je connais bien, nous dit-il. L'un de nos cadres, Mary, est bien connue pour placer à tout prix ses arguments et les répéter sans cesse. Cela en dérange plusieurs, mais surtout moi, parce que je suis assez concis et que je n'ai pas beaucoup de patience. Quelques jours après avoir appris le FREEZE-FRAME, j'écoutais Mary, au cours d'une réunion, et je sentais grandir mon impatience, lorsque soudain j'ai pensé au FREEZE-FRAME. Je suis descendu le plus possible dans mon cœur, et tous mes jugements ont disparu. Je ressentis véritablement de la compassion pour cette femme et son besoin d'élaborer sur tout. Pouvoir l'écouter avec compassion fut une expérience merveilleusement libératrice.»

La pratique du FREEZE-FRAME

Toute nouvelle aptitude comporte des embûches potentielles. Oublier. Se décourager. Ne pas avoir suffisamment de temps. Qu'on soit homme d'affaires, camionneur, enseignant, parent ou étudiant, il est facile d'être pris au piège de la routine quotidienne. Changer cette routine exige un effort personnel sincère.

On ne peut s'attendre à des miracles du jour au lendemain dans des difficultés qui durent depuis des années. Cependant, vous serez étonné du progrès que vous réaliserez. Lorsque vous commencerez à obtenir des résultats, vous serez motivé à continuer afin d'être encore plus en contact avec le cœur. Et, à mesure que vous continuerez, cela deviendra plus facile, comme pour toute aptitude.

Pendant quelques semaines, appliquez le FREEZE-FRAME à au moins quatre ou cinq situations quotidiennes. Voici quelques suggestions utiles (et vous pouvez ajouter vos propres idées dans l'espace fourni plus bas) :

Quand appliquer le FREEZE-FRAME à la maison

- Aux points de transition (de la maison au travail et du travail à la maison), afin que vous puissiez laisser le travail au travail, les conflits familiaux à la maison, et être pleinement présents dans l'instant.
- Avant les conversations ou les appels téléphoniques, pour améliorer la sincérité, la profondeur du contact et la capacité d'écoute.
- Chaque fois que la communication commence à dévier.
- Quand les enfants sont en colère, se disputent ou se conduisent mal.
- Au commencement de la journée, pour démarrer par une activité positive, équilibrer votre système, et enlever la poussière mentale et émotionnelle de la veille.

- À la fin de la journée, pour la terminer sur une note positive et s'assurer un bon sommeil.
- À d'autres moments : ______________________________
____

Quand appliquer le FREEZE-FRAME au travail

- Aux points de transition, pour renouveler la cohérence (en se déplaçant de la maison au travail, du travail à la maison, et avant et après les réunions, les procédures, les rendez-vous et les appels téléphoniques).
- Lors de séances de planification et durant d'autres activités créatrices.
- Avant de livrer un discours ou de participer à tout événement exigeant de la clarté mentale, de l'équilibre émotionnel et une intelligence maximale.
- Après une interaction difficile avec un collègue ou un client, ou avant une interaction qui pourrait être difficile.
- Dans le cadre de toute pause — café, lunch, soirée, week-end, congé —, pour se régénérer.
- À tout moment stressant ou impliquant un choix.
- À d'autres moments : ______________________________
____

Utiliser le FREEZE-FRAME pour la santé et la créativité

- Pour soulager les troubles de santé tels que la haute pression artérielle, l'arythmie, les maux de tête dus à la tension, le SPM, les crises de panique, le syndrome de fatigue chronique, et ainsi de suite.
- Pour aider à déterminer un régime alimentaire équilibré et un programme d'exercices.
- Pour favoriser l'inspiration créatrice.
- Pour améliorer la performance au golf, au tennis ou à tout autre sport.

- Pour bonifier des projets créatifs tels que l'écriture, la peinture, et les passe-temps.
- Pour d'autres raisons : ______________________________

____

Suggestions pratiques

Il est utile d'établir un système d'aide-mémoire pour la pratique du FREEZE-FRAME. Vous pouvez laisser des notes sur la glace de la salle de bains ou sur la porte du réfrigérateur, ou régler votre montre numérique pour qu'elle sonne au moment que vous aurez choisi pour faire un FREEZE-FRAME. Si vous travaillez à l'ordinateur, vous pouvez laisser une note sur l'écran. Vous pouvez aussi remplir une feuille d'exercices de FREEZE-FRAME pour obtenir les révélations intuitives de votre cœur sur la meilleure façon d'intégrer le FREEZE-FRAME dans votre vie.

Gardez à l'esprit à quel point il est important de gérer les petits problèmes au moyen du FREEZE-FRAME. Si vous attendez qu'une crise survienne, vous n'aurez peut-être pas accumulé suffisamment de force du cœur pour trouver la solution dont vous aurez besoin. Débutez doucement et cheminez pas à pas. Commencez par les irritations, frustrations et déceptions quotidiennes à mesure qu'elles se produisent, en sachant que vous êtes en train d'accumuler des réserves pour des événements ultérieurs plus importants et inattendus.

Une chose est certaine : vous aurez de très nombreuses occasions de pratiquer le FREEZE-FRAME. La vie est remplie de situations potentiellement stressantes. Si vous essayez d'utiliser le FREEZE-FRAME dans ces situations à mesure qu'elles se produisent, vous commencerez à contrebalancer le stress. Non seulement cela vous rendra-t-il de bonne humeur toute la journée, mais votre corps entier en bénéficiera.

Vous n'aurez cependant pas à effectuer le FREEZE-FRAME durant le reste de votre vie. Tout le but de cette technique d'une minute est de vous mener consciemment à un processus automatique. Avec le temps, un grand changement se produira. Au lieu de devoir faire le FREEZE-FRAME à intervalles réguliers ou d'«appliquer» la technique au stress comme de l'antiseptique sur une blessure, vous découvrirez que vous demeurez dans le cœur et dans le «courant» pour des périodes de plus en plus longues.

Après un certain temps, il se produira un changement de polarité de la tête au cœur. Lorsque vous aurez effectué ce changement, vous trouverez inconfortable de ne pas être relié à votre cœur. En ces rares occasions où vous réagirez uniquement avec votre tête, cela ne semblera pas naturel et vous voudrez faire le FREEZE-FRAME pour revenir rapidement au cœur.

Rappelez-vous que cette technique n'est pas une affaire de perfection, mais d'augmentation de la durée de votre rapport avec le cœur. À mesure que vous accroîtrez cette durée, vous augmenterez le flux des sentiments de reconnaissance, de compassion et de sollicitude qui vous envahiront toute la journée durant. L'amour, plutôt que le stress, deviendra votre nouveau mode d'être.

POINTS CLÉS À RETENIR

- Le FREEZE-FRAME améliore votre capacité de stopper à tout moment votre réaction au film de la vie. Il vous procure en une seule image une perspective plus claire sur ce qui arrive et vous permet de monter la prochaine image à partir d'un point de vue caractérisé par l'équilibre et la compréhension.
- Le succès du FREEZE-FRAME repose sur l'utilisation du pouvoir de votre cœur d'entraîner vos systèmes biologiques. À mesure que votre cerveau commence à se synchroniser avec votre cœur, le cortex s'en trouve aidé. Cela entraîne un accès à de nouvelles informations et un changement de perception.
- En dirigeant l'attention sur votre cœur plutôt que sur le problème que vous affrontez, vous détournez l'énergie de votre perception du problème. Lorsque vous agissez consciemment à partir d'un point d'équilibre du cœur, vous vous reliez plus naturellement avec ce que votre être réel — et non votre être réactif — veut penser ou faire.
- Il n'est pas difficile d'écouter son cœur, mais s'accorder à ses signaux intérieurs est différent pour chacun et demande souvent un peu de pratique.
- On peut effectuer le FREEZE-FRAME n'importe quand, n'importe où, chaque fois que l'on veut faire cesser le stress et accéder rapidement à l'intuition. C'est en le pratiquant que vous en viendrez à insérer systématiquement l'intelligence du cœur dans votre vie quotidienne.

- Un simple système d'aide-mémoire peut facilement aider le débutant à pratiquer le FREEZE-FRAME. On peut régler la sonnerie de sa montre numérique ou coller des notes sur une glace, un réfrigérateur ou un écran d'ordinateur, par exemple.

- Ne sous-estimez pas le pouvoir de l'état neutre. La capacité de se mettre au neutre, d'y rester calmement jusqu'à ce que votre cœur vous montre clairement quoi faire, est un signe d'équilibre et de maturité. L'état neutre constitue sur le moment un canal pour l'objectivité.

- Le FREEZE-FRAME vous offre une méthode facile et éprouvée scientifiquement, destinée à ajouter une force du cœur cohérente à tout ce que vous faites. Les outils et techniques de HeartMath sont conçus pour faciliter et non concurrencer les méthodes de développement spirituel et de croissance personnelle.

CHAPITRE 5

L'éfficacité énergétique

Le réveil sonne à 6 h 30 et, avant même que Steve n'ouvre les yeux, des pensées désagréables commencent à prendre forme. «Je déteste me lever. Je ne veux pas aller au travail. Aujourd'hui, ça va vraiment être moche.»

Steve se traîne jusque sous la douche, tout en continuant à ruminer en silence une kyrielle de problèmes, ses soucis d'hier et ses angoisses d'aujourd'hui : sa charge de travail, le temps froid, et son épuisement.

«Ça ira mieux dès que j'aurai pris ma tasse de café», se jure-t-il alors que la douche chaude commence à neutraliser le choc du réveil. Il s'habille et descend, pour découvrir que la cafetière automatique ne s'est pas allumée. Le café n'est pas prêt, et il n'a pas le temps d'en commencer un. «Merde! je ne peux pas le croire!» dit-il en claquant la main sur le comptoir, alors que ses émotions commencent à bouillonner.

En route pour le travail (sans café en main), Steve allume la radio de sa voiture et entend un animateur de talk-show informer ses auditeurs de la montée de l'usage des drogues chez les adolescents. Il pense à son propre fils adolescent et à son comportement bizarre des derniers temps. L'anxiété au sujet de son fils et de son possible usage de la drogue commence à l'envahir. Il repousse ces pensées et change de chaîne, pour entendre que son équipe de basket-ball préférée a perdu un match important la veille par seulement deux points et a été éliminée des finales. «Et quoi encore?» pense-t-il.

Lorsqu'il arrive au travail, la réceptionniste sourit et dit : «Bonjour, Steve. Ça va?»

«Mieux que jamais», répond-il machinalement.

Près de son bureau, il repère un collègue avec lequel il a eu un conflit majeur plusieurs jours auparavant. L'irritation commence à s'installer, comme prévu. «Ce salaud, murmure-t-il. Je vais le rattraper au moment où il s'y attendra le moins.»

Une fois entré dans son bureau, il écoute ses messages téléphoniques, tout en démarrant son ordinateur pour revoir une liste de courriels de la veille auxquels il n'a pas répondu. Dix messages vocaux, trente courriels. Steve se sent déjà surchargé, et sa journée ne fait que commencer.

Étonnamment, cependant, elle se passe assez bien. Lorsqu'il apprend le progrès d'une entente commerciale qu'il avait préparée, il s'enthousiasme. Une nouvelle cliente l'impressionne vraiment, et il a une conversation agréable avec elle.

Juste avant le lunch, il échange quelques paroles dures avec sa secrétaire à propos d'une lettre incomplète. En mangeant, il évalue l'incident et s'aperçoit qu'il ne lui avait pas donné suffisamment d'informations pour qu'elle fasse ce qu'il avait demandé. En retournant au bureau, il s'excuse. Il est content d'avoir fait cet effort de bienveillance.

Plus tard, un collègue amical s'arrête pour le remercier d'une faveur, geste de reconnaissance qui le réconforte encore davantage.

En quittant le travail, Steve éprouve une impression familière : les choses ne vont pas comme sur des roulettes, mais elles ne vont pas trop mal non plus.

De retour chez lui, il salue sa femme, qui commence à lui raconter en détail un problème de santé de sa sœur. Les médecins ne savent pas encore ce que c'est, mais elle va passer des examens dans quelques jours. Ils se mettent alors à discuter des possibilités et ils émettent une série de sombres hypothèses.

Lorsqu'ils s'assoient pour dîner, Steve se sent épuisé, mais il tente de s'encourager en songeant à son émission de télé préférée, qu'il regardera dans la soirée. Puis sa femme lui rappelle que leur agent d'assurances sera là dans une heure pour discuter de la prolongation de leur police d'assurance vie. Voyant lui échapper une occasion de se changer les idées, Steve commence à se plaindre. Bien que sa femme n'y soit pour rien dans son niveau de tension, il échange des paroles brusques avec elle.

Lorsque l'agent d'assurances finit par partir, c'est l'heure de se mettre au lit. Lorsque sa tête tombe sur l'oreiller, Steve est épuisé, vidé. «Au moins, c'est déjà mercredi demain. Encore quelques jours et j'aurai la fin de semaine pour me relaxer.»

L'expérience de Steve est commune à des millions de gens prospères qui ont réussi : carrière, famille, voiture de l'année, santé stable. Malgré leur succès, ils sont en mode de survie sur le plan émotionnel. Leur réserve d'énergie est épuisée; ils se sentent fatigués et surchargés. Cette qualité de vie médiocre résulte d'un manque de gestion des pensées et des sentiments.

Dans l'expérience de Steve, quelle proportion de son dialogue intérieur provenait de réactions de la tête machinales et non gérées, et quelle proportion venait de son cœur? Utilisait-il son énergie mentale et émotionnelle efficacement ou non? Quelles pensées et sentiments amélioraient sa qualité de vie, et lesquels produisaient du stress?

Le FREEZE-FRAME, la technique que vous avez apprise au chapitre précédent, est conçu pour traiter ces problèmes, tout comme les «outils performants» et le CUT-THRU, que vous découvrirez plus loin. Si Steve utilisait ces outils et techniques pour devenir plus cohérent, il éliminerait les pensées et sentiments qui minent son énergie. Il saurait également comment faire l'expérience consciente des types de pensées et de sentiments qui accroissent le niveau énergétique de son organisme. Au lieu de se lancer dans une succession épuisante d'émotions dont le rythme ne fait que s'accélérer tout au long de la journée, il aurait les moyens d'éliminer ce processus dès qu'il s'enclenche. Malheureusement, plusieurs d'entre nous sont complètement inconscients de la façon dont ils dépensent leurs réserves d'énergie vitale. Par conséquent, leur santé et leur bonheur en souffrent.

Que nous en soyons conscients ou non, l'énergie change constamment en nous tout au long de notre vie. Chaque jour, nous avons des milliers de pensées, de sentiments et d'impressions qui exercent un effet direct sur notre niveau d'énergie. Il n'est pas facile de les suivre tous, mais, en nous observant, nous pouvons nous ressaisir devant des pensées et des sentiments qui grugent notre énergie, et adopter plutôt une attitude et une perspective qui nous renforcent. Même au beau milieu d'une situation problématique, lorsqu'il n'est pas facile d'apprécier grand-chose, nous pouvons neutraliser nos réactions et retrouver l'équilibre en entrant doucement dans le cœur et en utilisant le FREEZE-FRAME pour modifier notre perspective.

Cela ne veut pas dire que nous devons trouver merveilleux tout ce qui nous arrive chaque jour, en recouvrant les problèmes d'un faux vernis. Mais il est possible d'affronter les difficultés avec équilibre, de réagir aux déceptions avec sagesse et intuition, et de voir au-delà de notre programme personnel dans nos interactions avec les autres. Autrement dit, nous devons enfin grandir. Vivre dans la maturité, c'est voir les problèmes pour ce qu'ils sont, sans exagérer leur importance ni sacrifier des valeurs essentielles pour les résoudre.

Des nutriments quantiques

Dès l'enfance, on nous enseigne à faire attention à ce que nous introduisons dans notre corps. À l'école élémentaire, nous apprenons que des repas équilibrés sont le secret d'une bonne nutrition. Toutefois, la recherche que nous décrivons dans ce livre démontre que les pensées et les sentiments que nous entretenons sont tout aussi importants, sinon plus. Notre régime mental et émotionnel détermine notre niveau d'énergie général, notre santé et notre bien-être, beaucoup plus que la plupart des gens ne s'en rendent compte.

Du point de vue physiologique, lorsque nous ressentons du stress, nos réserves d'énergie sont *redirigées*. Des processus qui décomposent les réserves d'énergie du corps pour un usage immédiat sont activés aux *dépens* de processus qui entretiennent, réparent et régénèrent notre organisme. Le corps met de l'énergie à notre disposition pour nous aider à affronter notre stress [1].

Il se passe tout simplement ceci : lorsque nos réserves d'énergie sont continuellement canalisées vers le stress, il n'en reste pas assez pour soutenir les processus régénérateurs qui remplacent les ressources que nous avons perdues, réparent les dégâts subis par notre corps et nous défendent contre la maladie. La synthèse des nouvelles réserves de protéines, de gras et de glucides est stoppée; le remplacement de la plupart des types de cellules est diminué; la réparation des os et la guérison des blessures sont ralenties; et le taux de circulation des cellules immunitaires et des anticorps retombe [1]. À long terme, comme nous l'avons vu au chapitre 3, le stress épuise notre organisme et peut causer un tort sérieux à notre santé.

Des recherches récentes démontrent qu'un niveau élevé de détresse émotionnelle peut même nuire aux processus de réparation moléculaire essentiels qui contrôlent les lésions causées à l'ADN [2]. Et nous savons qu'un niveau élevé de cortisol, hormone du stress, détruit nos neurones [3].

Par ailleurs, chaque fois que nous activons le pouvoir de notre cœur et vivons des sentiments positifs, tels que la reconnaissance sincère, la sollicitude et l'amour, nous permettons à l'énergie électrique de notre cœur de travailler à notre bien-être. Bien que l'amélioration de notre humeur puisse se voir, les effets les plus puissants sont généralement invisibles. Lorsque nous choisissons consciemment un sentiment fondamental du cœur plutôt qu'un sentiment négatif, nous interceptons effectivement la réaction de stress physiologique qui épuise et abîme notre organisme et nous permettons aux capacités régénératrices naturelles du corps de se mettre à l'œuvre. Au lieu d'être mis à rude épreuve, nos systèmes mental et émotionnel sont renouvelés. Par conséquent, ils sont plus aptes à écarter les futurs «dévoreurs d'énergie» comme le stress, l'anxiété et la colère, avant même que ceux-ci ne s'installent.

Alors que notre organisme entier s'aligne sur ces émotions bénéfiques, nous commençons à ressentir un nouveau et puissant niveau d'efficacité énergétique. Ce qui commence comme une nutrition *psychologique* devient *physiologique* sur les plans les plus fondamentaux. Il y a une plus grande coopération et moins de frictions entre les deux branches du système nerveux autonome, ce qui réduit grandement l'usure du cœur, du cerveau et de tous les autres organes du corps, et améliore l'efficacité avec laquelle ce dernier accomplit les nombreuses fonctions qui nous tiennent vivants et en santé [4]. Plusieurs études ont révélé que les gens qui utilisent les outils et les techniques de la solution HeartMath pour gérer leur mental et leurs émotions, et intégrer plus de sentiments fondamentaux du cœur à leur vie quotidienne, ressentent beaucoup moins de fatigue et beaucoup plus d'énergie physique et de vitalité [5 à 9].

Des sentiments positifs et sincères ont non seulement des effets sur la santé psychologique. Ils fortifient nos systèmes d'énergie interne et nourrissent le corps jusque sur le plan cellulaire. Pour cette raison, nous préférons appeler ces émotions des «nutriments quantiques».

Des réserves quotidiennes

La façon dont nous accumulons et dépensons nos réserves d'énergie vitale est le facteur premier de notre qualité de vie. La plupart d'entre nous n'avons pas l'habitude d'associer nos émotions à notre niveau d'énergie. Nous sommes peut-être vaguement conscients que, lorsque nous sommes enthousiastes, notre énergie s'accroît. Mais combien de fois associons-nous nos émotions de la journée à notre degré de fatigue à la fin de celle-ci?

Si, après une semaine stressante, il ne nous reste aucune énergie pour la fin de semaine, combien de fois nous disons-nous : «Voyons voir! Je me suis permis d'être en colère deux fois mardi et mercredi; puis, presque toute la journée de jeudi et de vendredi, je me suis rongé d'inquiétude au sujet de notre date de tombée. Avec ce genre de mauvaise gestion émotionnelle, il n'est pas étonnant que je sois vidé!»

Pour remarquer nos pertes et nos gains énergétiques, il faut un changement de conscience et un peu d'expérimentation. Cependant, l'accroissement d'énergie qui en résulte parle de lui-même.

Que nous le voulions ou non, nous sommes responsables de nos dépenses d'énergie. En physique, la loi de la conservation de l'énergie affirme que l'énergie ne peut être ni créée ni détruite, et qu'elle ne peut que passer d'une forme à une autre.

Nous nous éveillons le matin avec une certaine quantité d'énergie vitale à dépenser au cours de la journée. À nous de la consacrer à des pensées, à des sentiments et à des attitudes efficaces ou non. Comme nous l'avons vu, laisser régner l'incohérence dans notre corps dissipe rapidement l'énergie interne, tandis que la cohérence économise l'énergie, gardant notre organisme en harmonie.

Rien ne peut se passer sans énergie. Pour que quelque chose bouge ou change, il faut de l'énergie. Lorsque nous comprenons comment l'énergie agit dans nos systèmes mental, émotionnel et physique, nous pouvons amener cette énergie à travailler *pour* nous, plutôt que *contre* nous. Lorsque nous nous vidons d'énergie par l'incohérence, nous devons reconstruire nos réserves (tout comme nous devons mettre de l'argent dans notre compte de chèques lorsque celui-ci est sans provision).

La gestion de notre compte énergétique

Bien des psychologues considèrent l'argent comme un symbole du pouvoir et de l'énergie présents dans nos vies. Dans notre société de consommation, nous avons tendance à passer beaucoup de temps à penser à l'argent, en termes de dépenses et de revenus, de pertes passées et de besoins futurs.

Les sociologues disent que, pour être des adultes prospères dans le monde actuel — pour mener notre propre vie —, nous devons maîtriser des capacités qui n'étaient l'apanage autrefois que des banquiers, des administrateurs et des spécialistes de la gestion du temps. Tandis que certaines personnes se soucient peu d'équilibrer leur carnet de chèques ou ne paient même pas le minimum dû sur leur carte de crédit, la plupart d'entre nous sommes habitués à surveiller nos liquidités et dépenses, et à équilibrer nos comptes. Pourquoi ne pas appliquer ces mêmes capacités à la gestion de notre énergie?

Imaginez que nous ayons un ordinateur intérieur — un ordinateur du cœur — qui pourrait calculer chaque pensée, chaque sentiment, chaque émotion. Supposez qu'il en tienne un registre, qu'il détermine si telle pensée particulière, tel sentiment, telle émotion ajoute ou soustrait de l'énergie, qu'il évalue le degré d'accroissement ou d'épuisement de notre vitalité, puis fournisse un graphique imprimé illustrant nos réserves d'énergies disponibles.

En un sens, cet ordinateur intérieur existe. Chaque pensée et chaque sentiment, grand ou petit, a *véritablement* un effet sur nos réserves d'énergie intérieure. Et, à tout moment, notre condition physiologique reflète l'état de notre compte.

Nous pouvons apprendre à surveiller et à gérer notre compte énergétique, en prenant note de nos dépôts et retraits, afin d'assurer une croissance de sa «valeur nette». Lorsque nous commençons à surveiller notre compte énergétique, nous remarquons d'abord les dépenses flagrantes. Valait-il vraiment la peine de tant s'en faire au sujet de certaines broutilles au bureau, au point de se sentir fatigué et agité au cours de nos précieux moments de détente à la maison? Après tout, le temps de qualité n'est pas de *qualité* si nous devons lutter contre le stress.

Il est certes important d'éliminer les dépenses extravagantes dues au stress et qui vident notre compte énergétique; des dépenses telles que la colère causée sur le chemin du retour à la maison par cet automobiliste qui conduisait à quinze kilomètres sous la limite de vitesse et qui ne voulait pas arrêter sa voiture sur le bord de la route pour nous laisser passer. Mais, à mesure que nous pratiquons l'écoute du cœur, nous commençons à remarquer que même les petites contrariétés nous vident.

Ces petits luxes émotionnels — l'inquiétude, la culpabilité et les jugements sur nous-mêmes ou les autres, par exemple — coûtent beaucoup plus cher que nous ne le réalisons. Sur le plan financier, nous connaissons tous l'effet de ces petites dépenses quotidiennes apparemment inoffensives. Même si, généralement, nous n'incluons pas ces dépenses dans le budget, nous savons que les quelques dollars sacrifiés quotidiennement pour un cappuccino ou un magazine qu'on feuillettera à l'heure du lunch s'additionnent rapidement. Et s'il nous manque une centaine de dollars pour faire réparer notre voiture à la fin du mois, nous savons où ils sont passés : à d'insidieuses petites dépenses auxquelles nous pensons à peine sur le moment.

Récemment, Deborah Rozman, l'une de nos associées, donnait un atelier sur le FREEZE-FRAME à tout le personnel d'un talk-show diffusé par un grand réseau de télévision, y compris les producteurs, secrétaires, caméramans et rédacteurs. Les animateurs l'intervieweraient en ondes le lendemain et ils voulaient d'abord faire eux-mêmes l'expérience du FREEZE-FRAME.

Au cours de la formation, chaque personne remplissait un bilan énergétique, en termes d'actif et de passif — nous y viendrons un peu plus loin —, pour déterminer les dépenses énergétiques efficaces ou non des trois jours précédents. Par la suite, ils discutaient des résultats.

Puisque ces participants savaient que la télévision est une profession à stress élevé, causé par une succession ininterrompue d'échéances, ils ne furent pas étonnés de voir que leur déficit énergétique dépassait leur actif. Ils pouvaient le *sentir*. Mais ce qu'ils ne réalisaient pas, c'est que la plus grande partie de ce déficit n'était pas causée par des échéances de travail, mais par des relations, des problèmes de communication, des soucis monétaires et des jugements.

L'un des animateurs dit : « Vous savez, ma vie ressemble au film *Le jour de la marmotte*. Chaque matin, au réveil, j'ai l'impression que la même journée va se répéter encore une fois. Chaque soir, je me mets au lit en me disant que quelque chose doit changer.

« Je ne sens pas les textures de la vie dont vous parlez. En fait, la plupart du temps, je me sens engourdi. Comment sortir de ce manège? Arrêter de travailler et aller vivre à la campagne? »

Au cours de la vive discussion qui suivit, la plus grande partie du personnel dit ressentir exactement la même chose. Jusque-là, ils avaient attribué ce sentiment à la nature de leur emploi et à la vie à New York. Mais même les bibliothécaires de petites villes américaines se plaignent d'être vidés par le stress au point d'en être engourdis.

On ne peut blâmer la stimulation du milieu de travail ou de la ville; c'est l'*environnement intérieur* d'irritation, de frustration, de colère, de blâme et de jugement qui crée notre stress et fait se fermer le cœur. Les sentiments fondamentaux sont oblitérés par les jugements ou les blâmes, et ensuite nous ne pouvons plus sentir les textures nourrissantes de la vie. Lorsque nous perdons contact avec la reconnaissance, la sollicitude et l'amour, la vie devient terne et stressante, et l'esprit fonctionne machinalement, sans intuition ni clarté.

Mais si la solution n'est pas de quitter notre emploi et de s'établir à la campagne, quelle est-elle donc? Que faire pour retrouver notre qualité de vie? La première étape est d'obtenir un graphique imprimé de notre ordinateur du cœur. Si nous pouvions voir combien d'énergie nous gaspillons par un seul état émotionnel négatif — par exemple, un jugement — en une seule semaine, nous serions étonnés.

Ensuite, lorsque nous connaissons notre état d'esprit et de cœur, nous pouvons avancer. Il suffit de remarquer ces jugements (ou inquiétudes, ou sentiments de culpabilité) à mesure qu'ils se produisent, et de les remplacer consciemment par la reconnaissance, la compassion et la tolérance dans l'instant. Ce simple geste de «conversion» interrompt la fuite d'énergie et rétablit le pouvoir de régénération. Après cette étape, nous pouvons revenir au cœur, graduellement et en douceur.

La plus grande partie de la surcharge de stress que nous éprouvons n'est rien d'autre que les taxes que nous payons sur une gestion énergétique, mentale et émotionnelle inefficace. Nous pouvons évidemment blâmer les événements et notre entourage pour tout ce stress que nous subissons, mais c'est nous qui passons trop de temps à l'ordinateur sans faire de pause, ou qui abattons notre journée de travail uniquement à force d'adrénaline et de volonté, au lieu de nous arrêter pour restaurer nos réserves. Si nous prenions une minute de temps à autre pour faire un FREEZE-FRAME et activer la force du cœur, nous effectuerions ainsi des ajustements énergétiques qui réduiraient les effets de la surcharge.

Devenons notre propre comptable

Comme nous l'avons vu, certaines de nos pensées et réactions émotionnelles sont des actifs qui apportent de l'énergie à notre organisme, tandis que d'autres sont des déficits qui nous épuisent et nous vident. Certains de ces actifs et déficits sont subtils et d'autres sont évidents. Certains sont relativement neutres et d'autres sont extrêmes. Mais *tous* nos dialogues intérieurs, processus de pensée et sentiments entrent généralement dans l'une ou l'autre de ces deux catégories : actif ou déficit.

Il est clair que si nous accumulons plus d'actifs que de déficits, la valeur de notre compte énergétique s'accroît. Une saine réserve d'actifs entraîne la vitalité, l'adaptabilité, la résistance, la créativité et une amélioration continue d'une saine qualité de vie, et ce, psychologiquement et physiquement.

Si, d'autre part, nos déficits s'accroissent plus rapidement que nos actifs, notre compte énergétique diminue de valeur. Nous devenons émotionnellement épuisés et nous nous fatiguons plus rapidement. Notre créativité, notre productivité et l'intelligence qui nous est disponible s'amoindrissent, tout comme notre capacité d'encaisser les coups tout en gardant une perspective optimiste et positive. Si nous accumulons plus de déficits que d'actifs, notre qualité de vie décroît d'une façon importante.

Considérons le déficit énergétique typique. Lorsque nous nous querellons avec un bon ami, l'expérience nous secoue. Lorsque les paroles dures sont terminées et que la poussière est retombée, nous nous sentons surtout fatigués. Notre énergie s'est remarquablement épuisée. Nous pouvons mettre des jours à récupérer d'une telle querelle, surtout si nous continuons de ressasser sans cesse l'incident. Et si nous faisons de ce genre d'analyse une pratique régulière, notre santé en souffrira à long terme.

Bien que nous remarquions que nous nous sentons particulièrement fatigués après une altercation, nous nous arrêtons rarement pour réfléchir à ce qui s'est passé dans notre corps pendant ce temps. La recherche récente nous donne un aperçu de ce que font nos systèmes intérieurs pendant que nous sommes occupés à critiquer, à nous plaindre ou à blâmer.

La psychologue Janice Kiecolt-Glaser et l'immunologue Ronald Glaser, de l'Ohio State University, ont examiné les effets des interactions conjugales caustiques sur le rythme cardiaque, la pression artérielle, le système hormonal et le système immunitaire. Lorsque, en laboratoire, des couples mariés discutaient de questions délicates, ceux qui étaient les plus hostiles dans leurs échanges subissaient non seulement une augmentation importante de leur rythme cardiaque et de leur pression artérielle, mais aussi un accroissement marqué des hormones du stress et une baisse de l'immunité qui était encore évidente lorsque le couple quittait le centre de recherche le lendemain. Les interactions caractérisées par l'hostilité, la critique, le sarcasme et le blâme — indiquant un refus de porter la responsabilité et l'humiliation de l'autre partenaire — se sont avérées les plus nocives.

Ces effets se sont produits même quand les sujets se disaient hautement satisfaits de leur mariage, menaient un style de vie sain et étaient en parfaite santé physique. De plus, que les couples fussent mariés depuis peu de temps ou plus de quarante ans n'avait aucune incidence; on observait des réactions physiologiques semblables [10 à 12].

Il n'est pas difficile de lier ces résultats à ceux d'études à long terme démontrant que le taux de maladie cardiaque et de mort prématurée est plus élevé chez les gens généralement coléreux, hostiles et agressifs [13, 14].

Si nous nous arrêtions pour considérer l'arsenal de réactions physiologiques nocives auquel nous nous exposons chaque fois que nous nous querellons, nous pourrions nous demander à nouveau si cela en vaut la peine.

Par contre, lorsque nous avons avec quelqu'un une conversation profonde où nous éprouvons un véritable sentiment d'accord, sentant un lien solide de cœur à cœur, nous sommes revigorés. Le temps semble suspendu; à trois heures du matin, nous nous sentons pleins d'énergie! Et cette énergie perdure longtemps après qu'on s'est dit au revoir. Chaque fois que nous repensons à cette conversation dans les jours suivants, nous nous sentons régénérés. Durant des interactions positives comme celle-là, nous éprouvons plusieurs émotions positives qui incitent notre système immunitaire à écarter plus facilement les envahisseurs [15] et permettent à nos divers systèmes corporels de communiquer plus aisément [4]. Il est clair que des conversations qui nous énergisent constituent un actif.

Pendant les quelques prochains jours, observez vos communications avec les autres, afin de voir à quel moment elles vous donnent de l'énergie ou vous épuisent. Appréciez celles qui vous rechargent, au moment où elles se produisent; cette réaction positive additionnelle ajoute davantage d'énergie à votre compte. Lors de communications difficiles et épuisantes, entrez en douce dans le cœur et trouvez quelque chose à apprécier chez votre interlocuteur, ou efforcez-vous de ressentir de la compassion ou de la gentillesse. Chercher ainsi le bien ne vous rendra pas muet. Au contraire, cela dégagera votre esprit et vous procurera la cohérence dont vous avez besoin pour savoir quoi dire ensuite. C'est l'efficacité énergétique à l'œuvre.

Les outils et techniques de la solution HeartMath — le FREEZE-FRAME et d'autres que nous vous présenterons tout au long de ce livre — sont conçus pour nous permettre d'atteindre la cohérence émotionnelle et mentale à volonté, afin de pouvoir passer plus de temps à ce niveau optimal et régénérateur d'efficacité énergétique.

Maintenir un régime suffisamment riche en pensées et en sentiments de qualité contribue de façon importante à notre énergie et à l'élimination du stress. Chaque fois qu'une activité mentale négative, de quelque ordre qu'elle soit, est interrompue et que l'intelligence du cœur est activée, de l'énergie s'accumule. Avec le temps, la répétition de ce processus nous rajeunit mentalement, émotionnellement et physiquement.

Nous demandons aux enfants de «dire non» aux inconnus, aux drogues, à certains aliments et à d'autres menaces à leur santé ou à leur sécurité. Toutefois, en tant qu'adultes, nous avons souvent beaucoup de difficulté à dire non à certaines des influences les plus nocives auxquelles nous sommes confrontés : nos pensées, attitudes et émotions négatives. Nous ressentons un trouble intérieur ou nous déchargeons nos sentiments sur les autres pour ne pas les réprimer.

La recherche a cependant démontré que les états mentaux et émotionnels négatifs épuisent notre énergie de toute façon, que nous les déchargions sur les autres ou les réprimions; nous sommes donc perdants du simple fait de les *avoir*. Alors, nous devons faire un pas de plus : si nous ne *déclenchons* pas la frustration, la colère, le jugement ou le blâme, nous n'aurons rien à décharger ni à réprimer. Mais, pour apprendre à ne pas déclencher ces émotions négatives, il faut une intelligence, une maturité et une force nouvelles.

Plus haut dans ce chapitre, nous avons mentionné le bilan des actifs et des déficits énergétiques. Il s'agit là d'une excellente stratégie de gestion de soi pour observer combien d'énergie vitale on dépense et on épargne. Conserver une trace écrite de vos actifs et déficits énergétiques vous sera extrêmement utile. Garder un inventaire même pour quelques jours vous donnera une image extrêmement claire des situations où vous déposez de l'énergie dans votre compte (ou en retirez) et de la façon dont vous le faites. Vous pourrez voir quels schémas mentaux émotionnels vous sont bénéfiques et lesquels ne le sont pas.

Bilan d'actifs et de déficits/passifs

Consignez tous vos dépôts et retraits d'énergie effectués en vingt-quatre heures — aujourd'hui ou hier, pourvu que ce soit frais dans votre mémoire — sur la feuille de bilan (actifs-déficits) qui se trouve en page 145. Commencez par penser aussi objectivement que possible au déroulement de cette journée, en tentant de ne pas trop vous identifier à ce qui a été bon ou mauvais. Puis suivez ces directives :

1. Sous la rubrique «Actifs», énumérez les événements qui vous ont procuré de l'énergie et de l'harmonie, qui ont fait du bien à votre organisme. Il peut s'agir d'interactions agréables avec d'autres, de gestes de gentillesse, de situations où vous auriez pu vous fâcher mais ne l'avez pas fait, ou d'une activité créative à laquelle vous avez consacré du temps.
2. Sous «Déficits», énumérez les événements qui paraissaient incohérents, dissonants ou épuisants. Il peut s'agir de malentendus, de réactions excessives, de frustrations, d'inquiétudes, de pression causée par des délais à respecter, ou d'usages inefficaces de votre énergie — bref, tout ce qui ne vous faisait pas du bien.
3. Lorsque vous aurez fini d'énumérer ces événements, écrivez +1 à côté de chaque actif et –1 à côté de chaque déficit. Puis additionnez vos actifs, additionnez vos déficits et soustrayez les déficits des actifs afin de déterminer votre pointage général. Si vous êtes en déficit, il est temps de passer à l'action.

Qu'avez-vous appris au cours de cet exercice? Avez-vous vu plus clairement comment vos attitudes et perspectives contribuaient à l'état dans lequel vous vous sentiez le jour sur lequel portait la vérification? Avez-vous constaté des schémas répétitifs,

Bilan Actifs-Déficits

*Sous la rubrique «**Actifs**»,* énumérez les événements, conversations et interactions positifs d'une période précise. Inscrivez le plus d'actifs possible, en ressentant de la reconnaissance pour chacun. Inscrivez aussi les actifs qui sont *continus* dans votre vie : la qualité générale de vos amis, de votre famille, de votre cadre de vie et de travail, etc. (Remarquez à quel point vous étiez conscients de ces actifs durant cette période.)

*Sous la rubrique «**Déficits**»,* énumérez les questions, conflits et événements qui étaient négatifs ou épuisants durant cette même période.

Points	Actifs		Déficits	Points
______	______	**Questions à considérer**	______	______
______	______	L'alignement sur les valeurs essentielles	______	______
______	______	Les effets sur la famille et le travail	______	______
______	______	Stressant ou non	______	______
______	______	Les gens concernés	______	______
______	______	Les sentiments	______	______

___ **Total des actifs** ___ **Pointage total** **Total des déficits** ___

Après avoir énuméré les actifs et les déficits, prenez du recul et, à partir du cœur, comparez les listes. Évaluez les déficits qui pourraient encore être transformés en actifs. Remarquez lesquels auraient pu être neutralisés ou changés en actifs *à l'époque* si vous vous étiez arrêté suffisamment longtemps pour acquérir une nouvelle perspective.

Conclusions : ______________________________

des choses que vous faites régulièrement et qui ajoutaient ou enlevaient des points? Y a-t-il des déficits auxquels vous auriez voulu assigner un pointage plus bas — moins 5 ou moins 50, au lieu de seulement moins 1 —, parce qu'ils vous ont dérangé ou épuisé davantage? Y a-t-il des actifs auxquels vous auriez voulu assigner un pointage plus élevé à cause du supplément d'énergie et de plaisir qu'ils vous ont procuré? Votre bilan comporte peut-être des événements qui étaient *à la fois* des actifs et des déficits. Ce n'est pas exceptionnel. Certains événements combinent des sentiments positifs et négatifs; par exemple, une sortie au centre commercial qui avait commencé d'une façon merveilleuse, mais s'est terminée par une altercation.

Avez-vous vu, dans votre colonne des déficits, des événements qui auraient pu devenir des actifs avec juste un peu plus d'efforts du cœur pour gérer votre réaction? Avez-vous vu des déficits qui auraient pu facilement être éliminés ou même transformés en actifs, au moyen du FREEZE-FRAME?

En vous rappelant votre journée, avez-vous accordé une plus grande importance aux événements déficitaires qu'aux actifs, considérant votre journée comme pire qu'elle ne l'avait été en réalité? Ne vous en faites pas. La plupart des gens ont ce réflexe. Ignorer les actifs pour s'attarder aux déficits est l'un des stratagèmes préférés de la tête.

Y a-t-il des actifs que vous auriez pu apprécier davantage à ce moment-là (ou que vous appréciez davantage en général)? Nous considérons souvent nos actifs comme allant de soi. Comme nous l'avons déjà fait remarquer, le simple fait d'apprécier un actif ajoute encore plus d'énergie, nous procurant une zone tampon qui nous permet d'encaisser plus facilement les facteurs de stress quotidiens.

Quel que soit le pointage total que vous vous êtes donné, le simple fait de vous soucier de votre développement personnel au point de faire un inventaire de vos dépenses d'énergie constitue un actif important. La plupart des gens ne prennent pas suffisamment conscience de leur façon de dépenser leur énergie. Vous l'avez fait, et, selon nous, cela en soi vaut au moins cinq points d'actifs!

Cette feuille de bilan actifs-déficits est une première étape vers la liberté. Le fait de consigner vos actifs et déficits et d'accorder un pointage numérique à votre gestion de l'énergie va raffiner votre conscience et vous aider à devenir plus efficace. À mesure que vous deviendrez plus sensible à vos pensées et sentiments, vous commencerez naturellement à utiliser votre cœur pour superviser votre consommation d'énergie et accumuler votre force.

Aviver votre vie

En définitive, lorsque vos accumulateurs d'énergie restent chargés, vous avez plus d'énergie pour accomplir vos objectifs personnels, détourner le stress, éliminer des comportements qui vont à l'encontre du but recherché, et augmenter votre conscience. Lorsque vos accumulateurs sont vidés, la vie est plus difficile, la conscience est engourdie, le changement est difficile et vous ne vous sentez pas satisfait (et encore moins heureux et comblé). De quelle façon préférez-*vous* vivre?

La solution HeartMath propose une formule simple permettant d'accumuler la force dont vous avez besoin pour effectuer les changements que vous désirez : *colmatez les fuites d'énergie et infusez à mesure de l'énergie gratuite à votre organisme.* En termes familiers, on dirait : remplissez votre seau, mais bouchez d'abord les trous. Lorsque vos accumulateurs d'énergie sont remplis, les événements et les situations qui auparavant vous auraient dérangé ou stressé sont plus facilement considérés comme des ouvertures. Si vous appliquez le cœur d'abord, votre tête peut s'harmoniser avec l'intelligence de celui-ci.

En utilisant votre cœur comme une boussole, vous voyez plus clairement la direction à prendre pour enrayer des comportements qui vont à l'encontre du but recherché. Même si vous n'appliquez l'intelligence du cœur qu'à une seule habitude mentale ou émotionnelle qui vous dérange ou vous épuise vraiment, vous constaterez une différence remarquable dans votre vie.

En revoyant votre bilan actifs-déficits, étudiez les actifs que vous aimeriez améliorer et les déficits que vous aimeriez éliminer. Ajoutez à votre bilan d'autres actifs et déficits qui sont courants, mais qui ne se sont pas produits le jour concerné. Par exemple, vous pourriez ajouter à votre liste d'actifs un ami cher que vous appréciez profondément et auquel vous écrivez souvent, un passe-temps agréable qui vous apporte la paix, ou encore des moments particuliers passés en compagnie de votre ami et qui vous procurent de la joie. Dans votre liste de déficits, ajoutez tout ce qui vide votre compte régulièrement — peut-être une obsession, une réaction répétitive envers quelqu'un, une tendance à l'inquiétude, ou quelque chose que vous faites sans penser aux conséquences (comme de vous mettre en colère au volant). Choisissez un déficit qui vous permettra à la fois d'appliquer le pouvoir du cœur, de pratiquer la technique du FREEZE-FRAME et d'obtenir une perspective intuitive. Puis suivez les directives de votre cœur. Voyez combien d'entre elles vous pouvez accomplir. Vous pourriez être étonné.

Il y a un avantage supplémentaire à s'occuper des questions essentielles qui causent des déficits énergétiques évidents. Ce sont souvent des points nodaux qui sont liés à d'autres problèmes. Beaucoup de schémas comportementaux se rejoignent en un même point, selon un schéma sous-jacent de base. En changer un ouvre donc souvent la porte à une libération d'énergie qui procure la force de changer plus facilement certains autres comportements et attitudes.

Il faut de l'énergie pour produire tout changement intérieur ou extérieur. Essayer d'avoir une vision claire uniquement avec la tête entraîne une grande tension mentale incohérente — une dépense d'énergie qui n'est tout simplement pas nécessaire lorsqu'on est centré sur le cœur. Parce que la tête fonctionne linéairement, les étapes qu'elle suit pour régler les choses sont nécessairement graduelles. Si vous manquez d'énergie en cours de route, vous pourriez abandonner la quête avant d'atteindre le but.

Créer un partenariat entre votre tête et votre cœur procure à vos buts une réserve d'énergie. Harmoniser votre tête avec votre cœur de manière à tirer parti de la force de la cohérence vous donne l'efficacité énergétique dont vous avez besoin pour effectuer des changements qui n'ont pas été possibles auparavant. La tête peut remarquer ce qui a besoin de changer, mais le cœur fournit la force et la direction nécessaires pour vraiment réaliser ces changements.

Reconnaître vos actifs et déficits énergétiques, accorder une attention particulière à votre dialogue intérieur, et utiliser les conseils de votre cœur pour augmenter votre ratio actifs-déficits, c'est, à notre connaissance, l'une des façons les plus rapides qui puisse vous permettre d'accumuler l'énergie nécessaire pour effectuer des sauts quantiques en vue de devenir la personne que vous désirez être.

POINTS CLÉS À RETENIR

- Notre régime mental et émotionnel détermine notre niveau d'énergie général, notre santé et notre bien-être, beaucoup plus que la plupart des gens ne s'en rendent compte. Chaque pensée et chaque sentiment, grand ou petit, a un effet sur nos réserves intérieures d'énergie.

- Voyez la vie comme un processus d'économie d'énergie. Chaque jour, demandez-vous : «Mes dépenses d'énergie (actions, réactions, pensées et sentiments) sont-ils productifs ou improductifs? Au cours de ma journée, ai-je accumulé plus de stress ou plus de paix?»

- Le fait de garder un bilan actifs-déficits, ne serait-ce que pendant quelques jours, vous donnera une image extrêmement claire de vos dépôts à votre compte énergétique, de vos retraits sans provision, et de la façon dont vous accomplissez les deux.

- Lorsque nous évoquons consciemment des sentiments fondamentaux du cœur, nous nourrissons notre corps sur tous les plans. Comme des nutriments quantiques, ces sentiments permettent à nos cellules de se régénérer continuellement.

- Le fait d'apprendre à «dire non» à des réactions émotionnelles n'est pas de la répression. Dire non, cela veut dire ne pas *déclencher* la frustration, la colère, le jugement ou le blâme. Sans ce déclenchement, vous n'aurez rien à réprimer.

- HeartMath a pour but de vous permettre d'apprendre à générer de la cohérence émotionnelle et mentale d'une façon délibérée — sur demande — afin qu'en définitive vous passiez une plus grande partie de votre journée à ce niveau optimal et régénérateur d'efficacité énergétique.

- Au cours de communications difficiles ou épuisantes, entrez en douce dans le cœur et trouvez quelque chose à apprécier chez votre interlocuteur, ou efforcez-vous de ressentir de la compassion ou de la gentillesse. Cela dégagera votre esprit et vous procurera la cohérence dont vous avez besoin pour savoir quoi dire ensuite. Voilà l'efficacité énergétique à l'œuvre.

- En utilisant votre cœur comme une boussole, vous voyez plus clairement la direction à prendre pour enrayer des comportements qui vont à l'encontre du but recherché. Même si vous n'appliquez l'intelligence du cœur qu'à une seule habitude mentale ou émotionnelle qui vous dérange ou vous épuise vraiment, vous constaterez une différence remarquable dans votre vie.

CHAPITRE 6

Au centre du cœur : des outils performants

Le père John habitait aux abords de la ville, entre les champs de maïs et de tabac, dans une petite maison de briques rouges. Au volant du vieux camion déglingué qu'il utilisait pour gagner sa vie, il se présentait aux résidences et aux commerces de notre petite ville, une ou deux fois par semaine, pour cueillir les ordures et les transporter jusqu'au dépotoir. Nous aimions toujours le voir arriver, arborant un large sourire et les yeux brillants de gentillesse. Chaque contact avec lui, même le plus bref, nous laissait l'impression d'avoir été touchés par la bonté et l'honneur.

Le père John était bien connu dans notre petite ville de 600 habitants de la Caroline du Nord. Riches ou pauvres, jeunes ou vieux, Noirs ou Blancs, les gens l'aimaient et le respectaient. Qu'y avait-il chez cet adorable Noir qui lui donnait une personnalité si chaleureuse et si généreuse? Qu'est-ce donc qui transcendait le statut social et la race pour doucement s'emparer de nos cœurs?

Le secret du père John, c'était la reconnaissance. On savait, en le regardant, en observant ses relations avec les gens et les choses, qu'il parcourait la vie en état de profonde et sincère reconnaissance. Il appréciait chaque petite chose de l'existence — l'éclat du soleil et le chant des oiseaux, le lunch que lui préparait sa femme, la façon dont ses clients l'accueillaient par son nom. Même les jours où son corps de 75 ans ne voulait pas répondre à l'appel de son esprit jeune, il ne se laissait jamais abattre. Beau temps, mauvais temps, qu'il fît chaud ou froid, et quelle que fût l'heure de la journée, il était toujours souriant, désireux de vous tendre la main et heureux de vous demander comment vous alliez ce jour-là.

Lorsque nous lui avons dit que nous déménagions en Californie, il fut évident que ses paroles de gentillesse, pendant toutes ces années, avaient été sincères. Malgré sa tristesse, il nous déclara que, même s'il n'avait plus à l'avenir le bonheur de nous voir chaque semaine, il serait toujours reconnaissant de nous avoir connus. Il avait rempli son cœur de reconnaissance pendant si longtemps qu'il pouvait sortir de la tristesse avec une grâce et une facilité incroyables pour reconnecter à cette émotion.

Sa présence était si attachante que, après nous être installés en Californie, nous lui avons offert un billet d'avion pour qu'il vienne nous rendre visite. Nous avions beaucoup pensé à lui — il nous manquait — et nous voulions que nos collègues de l'institut le rencontrent.

Parmi notre personnel de professionnels des affaires et de scientifiques, le père John exerça la même magie qu'en Caroline du Nord. Au bout d'une journée, tout le monde voulait se trouver avec lui.

En montant dans la voiture qui allait l'emmener à l'aéroport, entouré de notre groupe, il sourit à chacun, de ce sourire qui faisait rayonner tout son visage. « Il y a pas mal de problèmes dans le monde, dit-il, mais maintenant, quand quelqu'un me posera la question, je pourrai dire que je sais qu'il y a quelque part un coin de paradis. Il est ici même, avec vous tous. »

À certains points de vue, le père John avait eu une vie plus difficile que la plupart des gens. La maison dans laquelle il habitait ne payait pas de mine, il n'avait jamais plus d'argent qu'il ne lui en fallait. Mais toute la reconnaissance qu'il répandait autour de lui était de loin plus valable que le succès ou la richesse. Il avait cultivé l'une des plus précieuses qualités du cœur : partout où il allait, il se reliait fortement au monde avec amour. Et les gens réagissaient.

Les sentiments fondamentaux du cœur — la reconnaissance, la sollicitude, la compassion, le non-jugement et le pardon — sont très puissants. Ce sont tous des aspects de l'amour. Dans ce chapitre, nous discuterons de trois de ces qualités, que nous appellerons «les outils performants du cœur» : la reconnaissance, le non-jugement et le pardon. Dans un chapitre ultérieur, nous présenterons un quatrième outil performant du cœur : la sollicitude. Ces qualités viennent du fond de notre être, du centre du cœur. L'activation des sentiments fondamentaux du cœur augmente les actifs énergétiques et réduit ou élimine les déficits. Dirigés convenablement, ces sentiments peuvent changer notre vie… et peut-être le monde.

Mais nous n'avons pas de temps à perdre avec de telles balivernes, n'est-ce pas? «Ces idées sont charmantes, pourrait-on dire, mais la vie est trop difficile pour les accommoder. Les bonnes âmes nous enseignent à aimer notre prochain et à pardonner, mais chacun sait que la vie ne fonctionne pas vraiment ainsi.» Il est vrai que les qualités fondées sur le cœur semblent attrayantes, mais elles ne semblent pas suffisamment *réelles* pour être utiles lorsque nous sommes aux prises avec de sérieux ennuis sur le plan de la sécurité d'emploi, des relations interpersonnelles, des finances ou de la santé.

Pourtant, si nous réagissons ainsi aux qualités fondées sur le cœur, ce n'est pas parce qu'elles ne s'appliquent pas aux vrais problèmes de notre vie, mais parce que nous n'avons pas de façon pratique de les appliquer. Maintenant que même la science nous a montré à quel point ces sentiments fondamentaux du cœur sont bons pour notre corps et notre esprit — comme nous l'avons vu dans les chapitres précédents —, il est temps de les faire passer du rêve à la réalité.

Comme je (Doc) l'ai souvent dit, nous travaillons sur le plan du cœur. Dès que nous avons commencé à examiner la force de celui-ci, nous nous sommes intéressés non pas aux sentiments, mais à ce qui *fonctionne*.

« C'est pourquoi je n'hésite pas à appeler "outils performants" des sentiments aussi tendres que la sollicitude et la reconnaissance. Certains pourront trouver cela inapproprié, mais je veux insister sur un point : il ne s'agit pas là uniquement de beaux sentiments destinés à nous remonter le moral. Ils ont du *muscle*. Lorsque vous verrez les résultats, vous comprendrez pourquoi nous les appelons des "outils performants". »

La sincérité

Un simple sentiment de reconnaissance ou de sollicitude ne signifie pas grand-chose en soi. Bien sûr, il fait du bien. Il est agréable à éprouver et vaut mieux, à cet instant, que du stress. Mais est-il « puissant » ? Non.

Rappelez-vous que la principale différence entre la lumière d'un rayon laser et celle d'une ampoule de 60 watts est la cohérence. Pour changer en outils performants des sentiments que nous remarquons à peine, nous devons apprendre à les vivre avec une intention *focalisée* et de la cohérence. C'est alors seulement que nous verrons leur efficacité énergétique et leurs résultats tangibles.

Un scientifique qui active un rayon laser en laboratoire peut approcher son travail avec n'importe quelle attitude. Qu'il l'accomplisse avec enthousiasme, avec tiédeur ou avec un mépris total, le rayon laser s'allume lorsqu'il ouvre le commutateur.

Pour une raison quelconque, la nature n'a pas conçu les sentiments fondamentaux du cœur de cette façon. La sincérité est essentielle à leur activation. La sincérité motive notre cœur et aligne nos intentions véritables. Elle est le générateur qui donne de la cohérence et de la force aux sentiments fondamentaux du cœur.

Pour tirer de la cohérence de ces outils performants, nous devons être motivés par un désir sincère. Notre cœur sait la différence. Nous avons tous connu des moments, enfants, où nous étions obligés, à contre-cœur, de nous excuser devant quelqu'un pour un de nos gestes. Sous le regard sinistre de nos parents, nous prononcions les paroles voulues, mais nous ne les sentions pas. Peut-être nos parents étaient-ils dupes et peut-être le destinataire des excuses l'était-il aussi, mais il n'y avait pas une seule cellule de notre propre corps qui le croyait. Nous *savions* que nous n'étions pas sincère. Et maintenant, alors que nous est fournie l'occasion de développer les outils performants du cœur, personne ne nous observe, sinon notre cœur, et, une fois encore, il saura.

Une première étape pratique, si vous avez des doutes sur le potentiel de ces outils performants, consiste à demander à votre cœur si l'amour, la reconnaissance et le pardon pourraient faire quoi que ce soit pour vous. Si vous avez le sentiment que oui, il vous sera plus facile d'essayer ces outils avec sincérité.

Plus vous appliquerez avec sincérité les outils performants du cœur, plus ils seront puissants. Vous découvrirez bientôt que ces sentiments familiers reprennent vie en vous. Les bénéfices que vous en retirerez seront directement proportionnels à la sincérité que vous y aurez appliquée.

Les outils performants du cœur

Outil performant numéro 1 : la reconnaissance

Les gens comme le père John, qui sont d'un naturel reconnaissant, rayonnent. Ce n'est pas que leur vie présente moins de défis, mais rien ne semble les abattre, et ils ont une plus grande capacité d'affronter les difficultés. C'est que la reconnaissance est hautement magnétique et fortifiante.

Comme vous le savez depuis le chapitre 2, les participants à une étude de recherche ont créé un état d'entraînement efficace et sain — illustré dans les rythmes cardiaques cohérents de la figure 2.5 — en générant délibérément un sentiment de reconnaissance. Dans cet état d'entraînement, les deux branches principales du système nerveux autonome sont synchronisées, et reçoivent juste assez de stimulation et de relaxation. La reconnaissance est une grande force. Elle dévore la réaction de stress au petit déjeuner.

Soyez certain que, lorsque vous vous focaliserez sur une reconnaissance sincère, votre système nerveux s'équilibrera naturellement. Du point de vue biologique, tous les systèmes de votre corps, y compris votre cerveau, fonctionneront plus harmonieusement. Le champ électromagnétique irradiant de votre corps sera en résonance avec les schémas cohérents et ordonnés émis par votre cœur. Et chaque cellule de votre organisme en bénéficiera.

Comme votre corps sera dans un meilleur équilibre, vous commencerez à mieux vous sentir du point de vue émotionnel, ce qui n'est pas étonnant. Tout comme la reconnaissance incite les rythmes cardiaques en dents de scie du graphique à se détendre en un flux continu, vos pensées et sentiments commenceront à interagir avec plus de douceur.

La reconnaissance amortit les soubresauts de la vie. Elle met les choses en perspective, réduisant la lourdeur et la densité des pensées et des sentiments stressants. En un moment de reconnaissance sincère, votre journée ne paraît plus être le fardeau qu'elle était. Pour une fois, vous êtes libre de voir et de reconnaître les bonnes choses de la vie.

Ouvrir votre cœur, c'est comme de fixer un objectif grand angulaire à la caméra de votre perception. Soudainement, une plus grande partie du monde entre dans le cadre. Vous avez plus d'espace dans l'image pour de nouvelles possibilités.

Et gardez à l'esprit que les semblables s'attirent. Un champ électromagnétique est justement… magnétique. La résonance émotionnelle que vous émettez par votre rythme cardiaque cohérent est comme un aimant, attirant les gens, les situations et les occasions. Lorsque vous êtes en état de reconnaissance, votre énergie est plus vive. Vous vous sentez mieux, autant mentalement qu'émotionnellement et physiquement.

Et si je ne le sens pas?

Ce qu'il y a de merveilleux dans la reconnaissance, c'est qu'il s'agit d'un sentiment beaucoup plus facile à générer que l'amour ou la sollicitude. Supposons que vous ayez une journée d'enfer. Absolument tout ce dont vous vous êtes occupé jusqu'ici a mal tourné. Vous avez reçu des appels auxquels vous ne vous attendiez pas de la part de gens qui voulaient vous dire des choses que vous ne vouliez pas savoir. Chaque appareil dont vous vous êtes approché, y compris le minable téléphone, est tombé en panne. Vous êtes sur le point de vous arracher les cheveux lorsque soudain vous vous rappelez l'usage de l'outil performant de la reconnaissance.

Lorsque vous êtes aux prises avec ce genre de frustration, l'amour paraît hors de question. Même la sollicitude demande un gros effort. Mais la reconnaissance est chose facile, même si elle commence par un soupçon de sarcasme : « Je suis reconnaissant de ne pas avoir trébuché et m'être étendu de tout mon long, pas encore, du moins. » Après quelques tentatives, vous tomberez sur quelque chose qui vous touchera sincèrement. Ce sera peut-être vos amis, votre partenaire, vos proches. Et tout ce qu'il vous faut, c'est une forte dose de reconnaissance afin de changer du tout au tout votre perception de la situation.

L'an dernier, l'un de nos amis, Brent, a vécu un terrible divorce. Les disputes ont fait rage durant des mois. Lorsque nous sommes passés le voir, un jour, il venait de raccrocher après un appel téléphonique explosif et agressif de son ex-femme, et il était dans les affres du désespoir. Nous avons essayé de lui parler, mais rien de ce que nous disions n'avait d'effet.

Pendant que nous parlions à Brent, son fils de cinq ans est arrivé et s'est appuyé contre lui. Il a regardé son père tendrement et a dit : «Papa, je t'aime vraiment.» Puis il est sorti de la pièce. Le sourire de Brent était inestimable. Lorsque son fils lui eut rappelé combien d'amour et de reconnaissance ils ressentaient l'un pour l'autre, il s'aperçut que rien d'autre n'avait vraiment d'importance. La tension et le stress qu'il ressentait depuis cet appel téléphonique se sont évaporés sous nos yeux.

Perdre de la force par l'adaptation

Si seulement nous pouvions nous fier à la vie pour nous procurer ces merveilleux éclairs de reconnaissance, nous n'aurions pas à développer la capacité de les trouver nous-mêmes. Nous pourrions tout simplement attendre qu'ils se produisent. Quel que soit le degré de notre malheur, nous pourrions nous dire : «À tout moment, à présent, la vie va me surprendre avec quelque chose de si doux que je ne pourrai m'empêcher d'en éprouver de la reconnaissance!» Enfin, peut-être.

Il y a cependant de fortes chances que vous deviez faire l'effort de remarquer vous-même quelque chose de bon. Ensuite, vous devrez résister à la tentation de vous attacher au malheur. *Ensuite*, lorsque vous ressentirez de la reconnaissance, vous devrez apprendre à vous y accrocher, car la chose la plus facile du monde est de nous adapter à nos façons habituelles de penser et de sentir.

Supposons que vous achetiez l'une des voitures les plus performantes sur le marché, par exemple une BMW noire, aux lignes pures, équipée de tant de merveilles technologiques que non seulement elle fournit une carte interactive de votre position actuelle, mais elle choisit presque votre destination. Cette voiture est extra. Tout le monde la désire, et vous avez le bonheur d'en posséder une.

Pendant un mois environ, vous êtes emballé chaque fois que vous la voyez dans votre entrée de garage. Sans même vous poser la question, vous la lavez deux fois par semaine. Mais, après quelques mois, avant même que l'odeur de nouvelle voiture se soit dissipée, vous ne la trouvez plus aussi excitante. Elle vous est devenue *familière*. Vous l'aimez encore, mais l'emballement a disparu. L'adaptation s'installe.

Avons-nous même besoin de mentionner ici les relations humaines? Rappelez-vous ces premiers jours d'une relation extraordinaire où l'autre personne répondait à tous vos besoins. Rien n'était comparable, même de loin, au fait d'être avec votre ami (ou amie) de cœur. Dès que vous vous sépariez, vous aviez envie de le ou la revoir. L'engagement était total. Mais il a ensuite faibli. La passion n'a pas duré, même si l'amour, l'affection et la satisfaction demeurent encore peut-être, après des décennies.

Dans le cas des relations, l'adaptation qui nous fait dépasser ces premiers stades vertigineux de la passion peut ouvrir la porte à un lien plus profond. Même si nous reconnaissons, à ces premiers stades, que tout ce qui brille n'est pas de l'or, nous sommes si attachés à l'éclat qu'il est difficile de distinguer la substance. Aussi agréables que soient les nouvelles relations, nous ne pouvons aimer l'autre personne pour ce qu'elle est vraiment, tant que nous sommes aveuglés par la passion. Mais lorsque nous passons à un stade plus profond, plus mûr de notre relation, nous pouvons commencer à apprécier cette personne d'une nouvelle façon, plus enrichissante. C'est un processus qui est en changement continuel.

L'adaptation n'est pas mauvaise en soi, mais si elle nous fait dériver au lieu de rester focalisé sur notre développement, ou nous assoupir au lieu de demeurer éveillé, elle diminue notre force de croissance.

Supposons que vous ayez une excellente idée pour opérer un changement majeur dans votre vie. Vous êtes extrêmement enthousiaste à propos de ce projet. Vous êtes heureux de chaque pas que vous faites dans la direction choisie. «Je suis content d'avoir décidé de le faire», vous dites-vous à vous-même.

Après un moment, toutefois, vous commencez à vous adapter, et, ce faisant, vous commencez à perdre votre enthousiasme. Vous considérez comme allant de soi ce que vous avez accompli jusque-là et vous avez tendance à être un peu moins constant dans vos efforts. Votre désir de maintenir et de compléter le changement que vous avez entrepris diminue graduellement. Qu'est-il arrivé? Vous laissez l'adaptation ronger votre reconnaissance, en vous séparant de la force du cœur nécessaire pour compléter vos efforts.

Plus souvent qu'autrement, les gens qui entreprennent des changements de cette nature ne les mènent pas à bonne fin. C'est particulièrement vrai quand ce qu'ils essaient de changer implique des attitudes, des façons de penser et un comportement émotionnel. Nous avons probablement tous déjà senti diminuer notre passion initiale pour un changement que nous avions décidé de faire, puis perdu tout à fait l'impulsion de ce changement. La directive initiale du cœur qui nous avait inspirés s'est perdue dans l'activité quotidienne du mental. Parfois, nous devons revenir en arrière et réactiver notre engagement jusqu'à ce que nous ayons renouvelé l'élan initial, et ensuite nous pouvons être reconnaissants du progrès accompli!

La reconnaissance est une flamme qui résiste à l'eau; elle lutte contre l'adaptation jusqu'à ce que nous ayons complété ce que nous avions entrepris de faire. Certaines choses exigent qu'on relève ses manches et qu'on se remette au travail, car elles en valent largement la peine.

Maintenir la reconnaissance exige un contact conscient et constant avec la force de notre cœur, ce qui nous ramène à la reconnaissance pour tout ce que nous avons déjà, surtout les petites choses.

Approfondir la reconnaissance

Nous avons tous déjà fait l'expérience d'événements que nous avons trouvés désagréables sur le coup, mais pour lesquels nous avons été reconnaissants plus tard. Par exemple, la corvée de la pratique d'un instrument de musique. Les enfants, notamment, se plaignent de faire leurs gammes lorsqu'ils prennent des leçons de musique. Ils ne veulent pas *s'exercer*; ils veulent tout simplement *jouer*. Rien n'est plus ennuyeux que les gammes, mais le travail que nous y consacrons finit par s'avérer rentable. Le soir d'une performance, un musicien accompli est heureux d'avoir consacré tant d'heures ennuyeuses à répéter. L'un des signes de la maturité est notre capacité, en tant qu'adultes, de retarder la gratification; de faire quelque chose que nous ne voulons pas, maintenant, afin d'obtenir, plus tard, quelque chose que nous voulons *vraiment*. En prenant de la maturité, nous développons une capacité accrue de supporter patiemment des désagréments temporaires afin d'atteindre les buts que nous recherchons. Nous en venons également à réaliser que tout ne peut être jugé sur les apparences.

Tandis que nous retardons parfois *délibérément* la gratification, à d'autres moments, celle-ci arrive sans s'être annoncée, ce qui constitue une surprise agréable. Beaucoup d'événements qui nous causent de la peine et de la douleur, par exemple, finissent par nous apporter des récompenses inattendues. La perte de quelque chose ou de quelqu'un peut ouvrir la porte à des horizons complètement nouveaux. La déception peut éclairer la route du succès. Avec le recul, nous en venons souvent à être reconnaissants pour ce que nous avions d'abord cru être un désastre.

Bien que nous ayons tous déjà vécu une situation où nous avons compris la justesse de l'adage qui dit «À quelque chose malheur est bon», il est difficile, sur le coup, d'être reconnaissant d'un événement pénible. Si votre entreprise doit fermer ou que quelqu'un que vous aimez vous rejette, la reconnaissance n'est pas le premier sentiment que vous éprouvez. Dans ce cas, il semble tout naturel de se vautrer dans la peine ou la douleur.

Il est naturel, pour un petit enfant, de pleurer et de trépigner. Mais nous finissons par dépasser ce stade. Il est naturel, à 14 ans, de croire que la vie est absurde si on n'est pas populaire à l'école. Mais nous finissons par dépasser ce stade. Il est naturel, pour un adulte, de déprimer lorsque sa vie prend un tournant inattendu. Mais nous pouvons dépasser ce stade aussi. La maturation est également un processus naturel, et elle est meilleure, de toute façon, que l'autre solution.

Le véritable défi, lorsqu'on utilise la reconnaissance en tant qu'outil performant, c'est de l'approfondir. Cela veut dire de ressentir de la reconnaissance le plus tôt possible après avoir appris qu'un désastre apparent est survenu. Certains d'entre vous diront peut-être : «Eh bien, si je peux faire ça, je ne suis pas loin de marcher sur les eaux!» Mais ce n'est pas aussi difficile qu'il y paraît.

Rappelez-vous que la reconnaissance est l'un des sentiments les plus faciles à ressentir. Vous n'avez qu'à y accéder, même si les choses semblent sinistres au départ. Votre cœur fera le reste. Si, dans un moment critique, vous pouvez injecter un éclair de reconnaissance dans votre organisme, vous aurez fait votre part. Contentez-vous de vous sentir reconnaissant pour quelque chose, *n'importe quoi*, à cet instant. L'intelligence de votre cœur réagira en conséquence. Puis observez et apprenez.

Pour moi (Doc), l'épreuve du feu est survenue il y a plusieurs années, quand je suis entré dans la Garde nationale. Dès mon arrivée au camp d'entraînement de Monterey, en Californie, j'ai détesté ça. Appel à 5 h du matin, mauvaise nourriture, et des marches de quinze kilomètres sous un soleil brûlant, chargés comme des mulets. Toute la journée, les sergents instructeurs nous traitaient comme des chiures. Je n'aurais jamais cru que je me retrouverais à récurer un plancher de latrines pendant des heures avec la seule brosse à dents que j'avais! Malgré tous mes efforts, je ne pouvais trouver aucun objet de reconnaissance en ces premiers jours de camp d'entraînement.

Mais, graduellement, j'ai commencé à remarquer des petites choses que je pouvais apprécier, et, lorsque j'ai ressenti un peu de reconnaissance, il était plus facile pour moi d'être content d'autre chose. Un jour, par exemple, alors que nous étions en train de faire des manœuvres par une chaleur affligeante, le sergent nous a octroyé une pause de quelques minutes pour nous reposer. En nage, je me suis étiré sur le sol pour soulager mes muscles endoloris, et ma tête a atterri sur un petit carré de ficoïde glaciale, une plante que je n'avais pas encore remarquée. Dans les circonstances, on aurait dit un doux oreiller, et j'en fus reconnaissant. Ce sentiment a adouci mon cœur. Au lieu de me focaliser sur mes propres petites douleurs, souffrances et inconforts, j'ai commencé à voir le monde par la lorgnette de la reconnaissance. En regardant les autres soldats qui m'entouraient, j'ai réalisé combien de nouveaux amis j'étais en train de me faire alors que nous traversions ensemble cette épreuve de virilité.

J'en suis même venu à ressentir une certaine reconnaissance envers ces sergents durs à cuire qui nous enseignaient les aptitudes dont nous avions besoin pour survivre. Un incident en particulier me revient à l'esprit. Dans le cadre d'un cours, quelqu'un expliquait comment utiliser une boussole pour s'orienter dans les bois. Nous étions quelques-uns, au fond de la salle, à nous amuser, sans être attentifs à la leçon (comme d'habitude). Le sergent instructeur s'en est aperçu et nous a obligés à faire des pompes jusqu'à ce que nous soyons épuisés. Alors que nous nous exécutions en grognant, il hurlait dans notre direction en nous traitant de tous les noms possibles. «Quel crétin!» nous disions-nous.

Quelques jours plus tard, en effectuant des manoeuvres, notre petit groupe s'est égaré, au point qu'il a fallu des heures supplémentaires de marche sur des kilomètres, à travers d'épaisses broussailles épineuses, pour revenir au camp, fatigués, affamés et en sang. Par la suite, j'ai apprécié tout autrement ces sergents qui nous poussaient à nos limites.

J'en suis venu à apprécier de plus en plus le camp d'entraînement et, à la fin, je ne voulais plus partir. Je m'étais réconcilié avec cette situation au point de trouver amusants même ses aspects les plus astreignants. Avec le recul, je peux dire honnêtement que ce fut l'une des expériences les plus importantes de ma vie. Je ne suis pas parvenu à cette attitude en réprimant mes véritables sentiments, ni même en minimisant le mauvais et en me focalisant sur le bon, mais plutôt en commençant par ressentir de la reconnaissance pour les quelques petites choses que je pouvais sincèrement apprécier; c'est à partir de là que ma capacité d'accueillir positivement des choses que je détestais a grandi.

Vous pouvez faire cette même expérience en toute circonstance difficile. Vous constaterez que la reconnaissance possède une force incroyable.

La reconnaissance à l'œuvre

Commençons par l'exercice de la page 167. Pensez à une situation de votre vie actuelle qui représente un défi. Calmez autant que possible votre esprit en vous concentrant sur la région du cœur. Faites un FREEZE-FRAME si vous voulez. Demandez à votre cœur de vous indiquer trois choses dont vous devriez être reconnaissant dans cette situation. Énumérez-les.

Même si vous ne trouvez pas grand-chose qui puisse susciter la reconnaissance, vous avez mis en marche un processus qui vous épargnera du temps et de l'énergie. En faisant cet exercice, vous avez en quelque sorte effectué un glissement temporel, en vous efforçant de susciter naturellement, dans l'instant, la reconnaissance que vous pourriez ressentir plus tard. Ce mouvement de reconnaissance, même à un moment où la reconnaissance n'est pas donnée, vous aidera à résoudre beaucoup plus rapidement votre situation difficile et augmentera vos actifs énergétiques.

Exercice de reconnaissance

Situation difficile

Trois choses dignes de reconnaissance dans cette situation:

1

2

3

Utilisez la reconnaissance non seulement lorsque c'est commode, mais comme un outil pour vous aider à sortir d'une situation indésirable.

Vous ne parviendrez jamais à la paix et à la sécurité intérieures sans d'abord avoir reconnu toutes les bonnes choses présentes dans votre vie. Si vous désirez sans cesse en avoir plus, sans d'abord apprécier ce que vous possédez déjà, vous resterez dans la disharmonie.

Lorsque votre mental est incontrôlé, il a tendance à se focaliser sur ce qui ne va pas bien. Et lorsque vous êtes ainsi concentré sur vos problèmes, vous avez tendance à perdre de vue les aspects de votre vie où tout va bien. Par conséquent, vous finissez par vous sentir malheureux. Cette attitude de victime bloque l'intelligence du cœur et crée des perceptions étroites et confuses. Pour en sortir, il faut voir l'ensemble de la situation et activer la reconnaissance. En considérant votre vie du point de vue du cœur, vous trouverez bien des choses qui méritent votre reconnaissance. Vous aurez donc de votre situation une vision plus équilibrée. Autrement dit, un problème perd de son importance lorsqu'il est mis en perspective avec tout le reste (et regardé avec les yeux du cœur).

Remplissons maintenant la liste de reconnaissance de la page 169. Faites un bref FREEZE-FRAME, puis énumérez le plus grand nombre possible de choses dont la présence dans votre vie suscite la reconnaissance. Lorsque vous aurez fini, parcourez votre liste et prenez conscience du sentiment que vous procure ce simple exercice.

Le seul fait d'établir cette liste vous procure un nouveau point de référence pour la reconnaissance. Nous nous donnons rarement la peine d'inventorier nos bienfaits, mais c'est une excellente pratique. Le souvenir de votre liste de reconnaissance finira par rester présent tout au long de votre journée. Lorsque de nouveaux défis surviendront, vous serez plus ouvert à l'idée qu'ils pourraient

Liste de reconnaissance

Énumérez toutes les choses de votre vie
qui sont dignes de reconnaissance

bientôt aboutir dans votre liste de reconnaissance. Et cette perspective vous permettra de maintenir plus facilement un état de reconnaissance, malgré les complexités de la vie quotidienne.

Comme les autres outils et techniques de la solution HeartMath, il peut produire un changement de perspective si vous l'utilisez sincèrement. Vous remarquerez bientôt que vous considérez le monde avec reconnaissance beaucoup plus souvent qu'auparavant.

Essayez de garder votre conscience de la reconnaissance aussi vivante que possible. Voici quelques points à garder à l'esprit :

1. La reconnaissance n'est pas seulement un concept « mental ». Elle a un effet hautement bénéfique sur votre corps.
2. Comme elle est souvent plus facile à activer que d'autres sentiments fondamentaux du cœur, elle peut faire changer rapidement vos attitudes et perceptions.
3. La reconnaissance vous attire d'autres situations épanouissantes. Ce que vous envoyez revient vraiment.
4. Trouvez un objet de reconnaissance lorsque les choses ne vont pas comme vous le voulez, et non seulement lorsque c'est commode.
5. Faites un effort conscient pour chercher ce qui, dans votre vie, est digne de reconnaissance, et essayez de vous en souvenir. Dresser à l'occasion une liste de reconnaissance vous aidera.
6. Essayez de renouveler votre reconnaissance pour les bienfaits de votre vie que vous considérez comme allant de soi.

Le père John, dont il fut question plus haut, a probablement été doté dès le départ d'une grande capacité de reconnaissance. Ce sentiment semblait lui venir facilement, mais il a sans doute dû s'y exercer aussi de temps en temps. Ce sont les difficultés de la vie qui nous amènent à prendre de la maturité et à atteindre notre plein potentiel. Soyez-en reconnaissant!

Outil performant numéro 2 : le non-jugement

Les gens semblent toujours en train de juger. Le mental aime séparer, catégoriser et cataloguer l'information. Afin d'arriver à comprendre, il jauge tout et chacun. Malheureusement, comme nous l'avons déjà dit, connaître n'est pas comprendre.

Un mental actif et non dirigé par le cœur a tendance à adopter des opinions bien arrêtées sur une grande partie de ce qu'il absorbe. Ces idées souvent rigides servent de base pour décider ce que nous aimons ou non, qui a raison ou non, ce qui est bon et ce qui est mauvais.

Au cours de ce processus, nous devenons très habiles à porter des jugements. Dans bien des cas, cette capacité est inappréciable, car les jugements nous permettent de faire des choix personnels. Sans jugements, nous ne serions jamais capables de décider quelle voiture ou quels aliments acheter. À mesure que nous grandissons et que nous passons à l'âge adulte, un grand nombre de nos jugements se raffinent. Par exemple, nous en venons à voir la différence entre quelqu'un qui nous dit la vérité sur son produit et quelqu'un qui essaie tout simplement de nous vendre quelque chose. Lorsque le jugement nous aide à faire de bons choix personnels ou à prendre de bonnes décisions commerciales, il constitue un atout. Cependant, le jugement peut être mal utilisé. Nous parlons ici des opinions rigides et négatives qui nous séparent des autres, qui nous permettent de les montrer du doigt et de nous trouver supérieurs à eux. On peut porter des jugements sur presque tout : des problèmes, des lieux, des choses et (surtout) des gens. Le plus souvent, ces jugements sont fondés sur de l'information incomplète, souvent préjudiciable.

Y a-t-il quelqu'un qui vous est proche et que vous n'avez pas aimé la première fois que vous l'avez rencontré? Quelqu'un sur qui vous avez porté un jugement rapide, en trouvant que cette personne n'était pas du tout du genre à vous plaire? Il y a des gens qui se retrouvent dans un mariage heureux avec une personne qu'ils ont ainsi jugée. Leur première opinion leur paraît alors bien comique en regard du sentiment qu'ils ont ensuite développé.

Puisque nous jugeons si facilement les êtres et les choses, nous devrions nous demander à combien de compréhension ces jugements nous empêchent d'accéder.

Développer la discrimination fondée sur le cœur

La véritable discrimination fondée sur le cœur est très différente du jugement fondé sur la tête. Ce dernier, de loin le plus courant, est souvent érigé en vertu par voie de rationalisation : «Je ne *jugeais* pas vraiment mon patron; je ne faisais que *l'évaluer.*» Mais combien de fois est-ce vrai? Tandis que l'évaluation véritable est bénéfique et empreinte d'efficacité énergétique, ce qu'on appelle «évaluation» n'est souvent qu'un prétexte au jugement. Si le cœur ne participe pas suffisamment à votre discrimination, vos évaluations sont sujettes à une large gamme de suppositions menant à des pensées, à des sentiments et à des perspectives teintés de jugement.

Une bonne façon de savoir si votre évaluation vient du cœur ou de la tête est de voir si vous êtes neutre à propos de vos opinions. Tandis que la tête tient bon, le cœur offre une compréhension nouvelle. Il ne ferme pas la porte à l'information ou à l'intuition; en fait, il vous donne la conscience requise pour devenir plus neutre et laisser les choses se dérouler.

Le non-jugement est généreux et permissif. Les perceptions non jugeantes ne sont pas trop attachées ni identifiées à ce qui va mal. Ainsi, passer au neutre est la première étape vers le non-jugement. Un jour ou l'autre, progressivement, vous commencez à voir les aspects profonds de la vie et des gens, des aspects si merveilleux que certains pourraient les qualifier de divins. Au lieu de vous empresser de voir les défauts des gens et de les dénigrer, vous commencez à les considérer avec amour. Non seulement votre entourage vous apparaîtra-t-il sous un jour plus favorable, mais tout votre esprit sera rehaussé par cette qualité généreuse et vivifiante.

Lorsque votre cœur est de la partie, vous avez moins tendance à vous focaliser sur les aspects négatifs de la vie. Cela ne veut évidemment pas dire que vous aimez ou acceptez tout ce que vous voyez, mais vos propres opinions calculatrices et limitatives perdent leur emprise sur vous. Lorsque vous évaluez avec le cœur, cela ne vous empêche pas d'avoir des opinions, mais vous avez également d'autres options : des sentiments de compassion et de reconnaissance qui n'y étaient peut-être pas avant. Avec le temps, la douceur de ces sentiments finira par vous plaire tellement plus que vos jugements et opinions que vous aurez envie de laisser de côté ces constructions mentales.

Lorsque vous êtes dirigé par la tête, vos évaluations et vos jugements semblent être ce qui importe le plus. Vous fondez toutes vos valeurs et décisions sur ces conclusions. Nous ne disons pas qu'il est mauvais d'évaluer rationnellement des problèmes ou des gens, mais les évaluations auxquelles le cœur ne participe pas ne peuvent aucunement vous montrer l'ensemble de la situation.

La discrimination fondée sur le cœur considère l'ensemble. Il en résulte naturellement que vous investissez moins d'énergie dans les jugements et opinions que vous avez formés. Lorsque vous aurez appris à voir tout avec le cœur, vous aurez toujours conscience de ces opinions, bien sûr, mais vous serez également ouvert à de nouvelles options; votre cœur et votre esprit ne seront ni fermés ni crispés.

Les jugements négatifs ne sont tout simplement pas sains. Comme d'autres déficits, ils créent du stress et de l'incohérence dans vos systèmes biologiques. Toutes ces attitudes et tous ces sentiments négatifs qui circulent dans votre corps sont nocifs, et ils vous séparent des richesses du cœur. En outre, le jugement comporte un inconvénient supplémentaire : parce qu'il exerce un effet négatif sur le corps, c'est la personne qui juge qui en souffre le plus. On pourrait presque dire que notre organisme est conçu pour égaliser le pointage.

Supposons qu'un automobiliste fasse une mauvaise manœuvre devant vous, bloquant l'intersection et vous faisant manquer le feu vert. Cela vous rend furieux, car vous étiez déjà en retard. Vous commencez alors à écrire mentalement un livre dénonciateur sur les automobilistes grossiers. Lui, il continue sa route, heureux, et il ne saura jamais ce que vous pensez de lui; par contre, vous voilà sous l'emprise de l'énergie destructrice du jugement, qui épuise et déséquilibre votre système en circulant dans vos veines.

Il faut beaucoup d'énergie pour adopter et maintenir des jugements; pour scanner son entourage, trouver des défauts, évaluer leur signification et s'accrocher à des opinions. Ajoutez l'énergie émotionnelle utilisée pour alimenter les jugements, et l'investissement inefficace augmente radicalement.

S'il est impossible de connaître tous les aspects de la plupart des questions — ou du caractère ou de la motivation d'une personne —, pourquoi alors dépenser tant d'énergie à juger? N'avons-nous pas mieux à faire? Oui, bien sûr, mais le jugement paraît satisfaisant parce que c'est une façon de défendre sa propre position.

Dans une installation militaire du Texas, il y a quelques années, je (Howard) dirigeais un programme à l'intention d'environ 75 conseillers en toxicomanie et alcoolisme. Ce groupe était composé de personnel en uniforme, de même que d'employés civils.

Le programme se déroulait bien, mais j'ai remarqué qu'un homme assis à l'arrière, un civil, ne participait pas. Comme il me fixait intensément, il m'écoutait manifestement, mais il n'ouvrait pas son manuel et ne faisait aucun des exercices écrits auxquels se livrait le groupe.

Au début, je me suis dit qu'il n'était probablement qu'un dur; peut-être un ancien militaire, un sergent d'entraînement. J'imaginais qu'il avait été obligé par son superviseur d'assister à ce programme et que, n'aimant pas tous ces «trucs de cœur», il faisait la gueule.

Dès la pause, mes jugements m'avaient convaincu que c'était encore pire que ça. Ce gars-là avait probablement toujours un problème de discipline qui causait à ses superviseurs des ennuis sans fin.

À la pause, le major en charge de la division me demanda comment ça allait. «Très bien, lui dis-je, mais il y a ce gars-là qui ne participe pas. Il se contente de me regarder sans bouger et il n'a même pas ouvert son manuel.»

«De qui parlez-vous?» me demanda l'officier.

Quand je l'eus désigné, le major me murmura : «C'est Robert, l'un de nos meilleurs conseillers. Ça ne paraît pas, mais il est presque aveugle. S'il n'ouvre pas le manuel, c'est parce qu'il ne peut pas lire.»

Honteux de mes propres jugements et de l'égarement qu'ils avaient provoqué en moi, j'ai pris la peine d'aller parler à Robert. Au lieu de me faire la gueule comme cela m'avait semblé évident, il m'a dit que c'était l'un des séminaires les plus intéressants auxquels il ait jamais assisté et il a souhaité que tout le personnel de la base militaire puisse le suivre.

Rappelez-vous que le mental aime croire qu'il «sait ce qu'il sait», mais souvent ses perceptions ne sont tout simplement pas justes. Cependant, nous portons continuellement des jugements fondés sur de l'information limitée. Pensez aux conclusions que nous tirons uniquement à partir de ce que quelqu'un d'autre a dit ou de quelque chose que nous avons lu ou entendu à la télévision. Lorsque nous jugeons quelqu'un, puis que nous adoptons une attitude envers cette personne, nous nous fermons à d'autres possibilités et nous nous privons de l'intuition de notre cœur.

À un certain stade de notre évolution, peut-être ne pouvions-nous pas faire mieux. Il est concevable que l'homme primitif, complètement dépourvu de contrôle sur ses émotions et sans grand développement cognitif, ait porté des jugements qui lui ont sauvé la vie. C'était à un prix énorme, mais si cela lui évitait de se faire dévorer par un tigre ou de se brûler la main, tant mieux.

En lisant ces lignes, certains d'entre vous se diront peut-être : «J'ai besoin de mes jugements pour survivre, pour savoir quoi éviter ou choisir dans le monde.» Nous vous comprenons, mais ce que nous disons, c'est que les jugements mentaux constituent une approche coûteuse, primitive même. Nous nous trouvons devant de nouvelles possibilités d'évolution. La discrimination fondée sur le cœur constitue une meilleure option, plus efficace. Vous êtes capable de l'exercer. Pourquoi ne pas essayer?

Éviter l'autojugement

Les jugements que nous portons sur nous-mêmes sont encore plus nocifs. Lorsque nous ne répondons pas à nos propres normes, nous sommes souvent plus durs envers nous-mêmes que nous ne le serions envers les autres. Tout comme j'ai formé des préjugés sur Robert, nous pouvons aisément nous créer des opinions erronées sur nous-mêmes, et même sur nos propres motivations.

Très peu nombreux sont ceux qui ont grandi dans un foyer leur fournissant un encouragement maximal. Les opinions qu'avaient les autres sur nous durant ces années de croissance résonnent parfois dans notre tête pendant des décennies. Si ceux qui se sont occupés de nous nous ont jugés d'une façon dure et injuste, nous continuerons peut-être à prendre au sérieux ces jugements sur nous-mêmes au lieu d'entretenir à notre propre égard une attitude affectueuse et ouverte.

Nous juger durement lorsque nous commettons une erreur, c'est comme de payer de l'intérêt composé sur un mauvais investissement. Nous n'agissons pas toujours comme nous devrions, mais rien ne sert de nous culpabiliser pour nos erreurs.

En développant une nouvelle intelligence du cœur, on peut regarder objectivement ses erreurs et en tirer des leçons sans recourir au jugement ni à la récrimination. On peut s'accorder le soutien et l'encouragement que l'on accorderait automatiquement à quelqu'un qu'on aime. Ce n'est pas toujours facile, mais cela en vaut la peine.

Parce que l'on juge les autres et soi-même si machinalement, on peut aisément adopter des perceptions et des attitudes fondées sur le jugement sans même s'en apercevoir. Après tout, tous ceux qui nous entourent, au bureau ou dans la famille, portent également des jugements. Nous sommes socialement conditionnés à juger à l'infini.

L'un des exemples classiques d'une attitude basée sur le jugement est si contradictoire qu'il en est presque drôle. Souvent, après un séminaire de développement personnel qui nous apporte des découvertes et de nouveaux aperçus, on retourne chez soi avec un sentiment de supériorité. Cela s'appelle le jeu du «je suis plus développé que toi». Au lieu d'apprécier sa propre croissance, on commence à montrer du doigt tous ceux qui ne savent pas ce qu'on sait. Nous sommes tous passés par là.

Voici donc un indice permettant de prendre conscience de cette tendance, qui peut se manifester même en lisant ce livre. Nous avons attiré votre attention sur certaines fuites d'énergie. Lorsque vous en prenez conscience en vous-même, il est naturel que vous en preniez également conscience dans le monde qui vous entoure. Si vous ne faites pas attention, vous vous retrouverez à penser, au sujet de quelqu'un : «Comme elle a peu de reconnaissance!», ou «J'étais comme ça, mais maintenant j'ai plus de maturité émotionnelle.» Avant même de vous en rendre compte, vous porterez des jugements sur les jugements des autres! «Regarde comme il se fait une idée rapidement, comme il s'érige facilement en juge.»

Voici un sain avertissement : si nous nous plaisons à porter ce genre de jugement vertueux, nous saperons les gains que nous faisons sur d'autres plans du développement du cœur. Ne cédez pas à la tentation. Pourquoi vous court-circuiter? Tournez vers vous-même votre nouvelle conscience des fuites d'énergie et de la puissance du cœur. Focalisez-vous avec amour sur votre propre croissance. Devenant plus aimant envers vous-même, vous deviendrez également plus généreux envers les autres.

Bien sûr, votre tête va continuer à évaluer et à former des opinions. Comme nous l'avons dit, c'est nécessaire à la prise de décision. Cependant, il est possible de créer cet ultime partenariat entre le cœur et la tête afin de guider vos décisions vers le bien commun. Mais vous ne pourrez faire l'expérience des aspects les plus raffinés du discernement du cœur sans réduire l'interférence produite par le jugement.

Nous n'éliminerons pas du jour au lendemain toute tendance à porter des jugements. Cela se fait étape par étape, en augmentant la proportion des fois où nous nous ressaisissons. La première étape de ce processus consiste à prendre conscience de vos tendances à porter des jugements sur les autres et sur vous-même. Voyez si ces tendances s'appliquent à vous :

Tendances au jugement

1. Je suis prompt à critiquer.
2. J'ai tendance à remarquer beaucoup de choses qui me dérangent.
3. J'ai de nombreuses opinions bien arrêtées, surtout sur ce qui va mal dans le monde.
4. J'ai l'impression que j'ai presque toujours raison et que les autres ont presque toujours tort.
5. J'ai régulièrement des pensées et des sentiments de nature antagoniste.

Tendances à l'autojugement

1. Je suis toujours en train de me critiquer.
2. Je ne fais jamais rien comme il faut.
3. J'ai l'impression que tout le monde fait mieux que moi.

Si vous avez l'impression de trop vous juger, ne vous en faites pas. Vous êtes loin d'être le seul. Rappelez-vous que nous vivons dans un monde qui encourage ce genre de comportement. Parce que nous sommes devenus socialement entraînés à porter des jugements, il faut faire des efforts pour les dépasser.

Vous devez éliminer le jugement graduellement, en réduisant peu à peu la quantité d'énergie que vous dépensez à juger. Bien sûr, il y aura toujours des choses avec lesquelles vous ne serez pas d'accord et vous formerez des opinions d'après vos perceptions. Vous ne pouvez contourner cela. Cependant, à mesure que vous pratiquerez le non-jugement, vous réduirez l'impact de vos jugements et leurs effets nocifs.

Pratiquer le non-jugement

Il est facile de porter un ou deux jugements défavorables sur quelqu'un, mais, en général, nous ne nous arrêtons pas là. Nous passons généralement à un nombre de plus en plus grand de jugements, puis nous y réagissons émotionnellement, renforçant cette habitude épuisante et la fixant dans notre circuit mental et émotionnel.

Voici un exercice qui vous aidera à changer cette habitude. Lorsque vous vous rendrez compte que vous êtes en train de porter un jugement, ressaisissez-vous. Observez votre pensée suivante, puis la suivante, et arrêtez le jugement avant qu'il aille plus loin. Parfois, il faut atteindre un état profondément neutre pour freiner l'élan. Faites un FREEZE-FRAME, restez au neutre et voyez ce qui se produit.

Par exemple, supposons que vous marchiez seul dans une rue déserte, le soir, et que vous aperceviez quatre types aux allures de durs postés à l'intersection, en train de boire. Vous vous direz peut-être : «Ces gars-là ne m'inspirent guère confiance. Je vais marcher jusqu'à la rue suivante, qui est mieux éclairée.» Le fait de changer de rue est sûrement une bonne idée, qui peut-être même vous sauvera la vie, mais si vous ajoutez de l'énergie émotionnelle à votre perception de ces types, celle-ci devient un jugement.

Vous devez avouer que vous ne savez pas vraiment qui sont ces gens ni ce qu'ils fabriquent. Vous pourriez tout aussi bien dire : «Ce sont des voyous, des êtres humains sans aucune valeur.» Et, tant qu'à instiller les toxines du jugement dans votre organisme, il vous semble très naturel de passer au blâme : «Où sont les flics quand on en a besoin? Qu'est devenue notre société, pour permettre à des voyous pareils de circuler en toute liberté dans la rue?» Si votre peur s'y met aussi, ce n'est que la cerise sur le gâteau.

Le fait d'apercevoir ces types à l'intersection vous a vraiment fait du mal, et ce mal ne venait pas d'eux, mais de vous-même. Vous n'étiez pas obligé de penser ce que vous avez pensé ni de ressentir ce que vous avez ressenti. Vous auriez pu vous éviter ce poison si seulement vous étiez entré dans votre cœur, afin de garder une attitude calme et équilibrée, même en choisissant de changer de trajet.

La discrimination du cœur vous aurait au moins mis au neutre : «Je ne sais pas qui sont ces gars, mais je crois que je vais changer de rue, juste au cas. Pourquoi aller au-devant d'une situation potentiellement dangereuse?»

Pour éliminer le jugement, il faut faire un effort plus conscient afin de céder le mental au cœur et d'atteindre un solide état neutre. Il ne s'agit pas de voir les choses sous un jour idéaliste. Mais, d'un point de vue neutre, vous pouvez au moins dire : «Et si...?» Et si la situation n'était pas telle que vous le croyez, ou bien : et si elle l'était vraiment? En ne formant pas d'opinion et en ne faisant pas de suppositions hâtives, vous restez ouvert à la vérité. À partir de cet état neutre de non-jugement, votre cœur peut jouer pleinement son rôle et votre perception se modifier.

Une fois que vous êtes au neutre et que votre cœur est impliqué, activez votre reconnaissance envers la vie et générez consciemment de la compassion et de la sollicitude alors que vous décidez de l'étape suivante. Cette pratique suffira à éliminer une grande partie de vos jugements.

C'est le mental qui, lorsqu'il n'est pas relié au cœur, sent le besoin de tout cataloguer et de rabaisser les gens, les lieux et les problèmes. Lorsqu'on les perçoit avec le cœur, on ne trouve pas tant de choses à détester et l'on ne se sent pas bien de porter autant de jugements. L'intelligence du cœur change les circuits des habitudes machinales, fondées sur les jugements.

Lorsque vous vous retrouvez en train de porter un jugement, utilisez la technique du FREEZE-FRAME pour vous mettre au neutre et obtenir une perspective plus équilibrée et plus intuitive. Demandez à votre cœur de vous aider à sortir du jugement, puis activez l'outil performant de la reconnaissance. Essayez de trouver un élément qui suscite la reconnaissance dans la personne, l'endroit ou la question que vous êtes en train de juger.

Utiliser ces outils pour cesser de dépenser autant d'énergie en jugements est un acte de sollicitude envers soi-même. Les religions préconisent le non-jugement, mais seuls les saints semblent savoir comment y arriver. Le non-jugement, sentiment fondamental du cœur, est un état neutre équilibré, auquel, avec l'appui de la science et de la cybernétique, tout le monde peut accéder. Le non-jugement est vraiment la prochaine étape de la survie et de l'évolution humaines. Utilisez l'intelligence de votre cœur pour l'actualiser et libérez-vous.

Outil performant numéro 3 : pardon

Lorsque vous commencez à utiliser les outils performants du cœur, il se produit un phénomène intéressant. Tout peut se mettre à aller bien sur plusieurs plans quand vous avez découvert les avantages d'une vie dirigée par le cœur, appris le pouvoir de l'amour, et que vous appréciez sincèrement une plus grande partie du monde qui vous entoure. Parce que vous ajoutez de l'amour à votre vie, les expériences paraissent plus riches, plus engageantes. Vous êtes de plus en plus susceptible de reconnaître la tension lorsque vous la ressentez. Vous développez une meilleure capacité de stopper le stress au passage. Si vous vous sentez fier de ces améliorations, vous avez raison. À eux seuls, ces changements augmenteront radicalement la qualité de votre vie. En outre, ils continueront à s'approfondir. Vous êtes nettement sur la bonne voie.

Toutefois, l'expérience nous a montré que, lorsque les gens s'efforcent sincèrement de se débarrasser des habitudes mentales et émotionnelles qui créent de l'incohérence, ils finissent par devoir faire face à certains de leurs problèmes les plus difficiles.

Pouvoir vous mettre au neutre rapidement lorsque quelqu'un vous coupe la route en pleine circulation, c'est magnifique. Gérer votre angoisse d'un affrontement au bureau en ressentant une reconnaissance sincère pour quelque chose, c'est inappréciable. Mais que dire de ces vieux problèmes qui moisissent dans votre pile de déficits depuis des années et qui minent encore votre qualité de vie? Les situations où l'on vous a maltraité. Celles où l'autre personne savait — ou aurait dû savoir — que ce qu'elle ferait vous blesserait, et où elle l'a fait quand même. Les moments où votre amour ou votre confiance ont été trahis. Ceux où quelqu'un d'autre a fait du tort à votre bien-aimé.

Le pardon est l'un des plus délicats des outils performants du cœur. On dit souvent que l'on a pardonné à quelqu'un, puis on continue de souffrir de l'incohérence pendant des semaines, des mois et même parfois des années. La trahison, l'injustice, les insultes et les offenses non seulement nous font souffrir, mais elles nous blessent dans notre fierté. Elles nous paraissent extrêmement personnelles, et il est difficile de les oublier. Il faut donc un acte de pardon plus fort pour effacer ces vieilles blessures qui subsistent encore.

Aussi difficile que cela puisse paraître, soyez assuré d'une chose : au centre du cœur, vous possédez le pouvoir de dépasser les vieux problèmes qui entravent encore votre liberté. Les choses les plus difficiles — celles qui vous poussent à vos limites — sont celles-là mêmes que vous avez besoin d'aborder pour faire un saut quantique dans une nouvelle vie intérieure et extérieure.

Avancer en s'aimant soi-même

Il faut du temps pour pardonner les offenses graves. À cette fin, il vaut mieux commencer par accumuler un peu de force du cœur. Utilisez les outils et techniques de la solution HeartMath pour éliminer le plus possible d'autres déficits et fuites d'énergie, puis employez l'intelligence de votre cœur pour penser, sentir et agir de manière à accumuler des actifs en ajoutant à votre réserve d'expériences des sentiments fondamentaux du cœur.

En éliminant des déficits tout en gagnant des actifs, vous augmenterez vos réserves d'énergie intérieure et disposerez ainsi d'un supplément substantiel d'amour et de pardon. Soyez patient envers vous-même, et persévérez. Si vous faites des efforts constants, dirigés par le cœur, pour abandonner le passé, vous finirez par réussir à dissoudre de vieux sentiments irrésolus et atteindre un état de pardon plus complet.

Alors même que vous *essayerez* de pardonner, vous en tirerez une nouvelle compréhension. Par la discrimination du cœur, vous vous apercevrez peut-être que les gens envers lesquels vous avez du ressentiment ont fait de leur mieux à l'époque où ils vous ont blessé. Pour une raison ou pour une autre, ils n'ont peut-être pas pu s'en empêcher. Cette possibilité est digne de considération.

Regardez les choses ainsi. Il vous est probablement déjà arrivé de faire à quelqu'un quelque chose que cette personne a eu de la difficulté à vous pardonner. D'ailleurs, celle-ci est peut-être en train de lire ce même livre (ou un autre ouvrage sur le pardon), et de revoir son passé pour voir à qui elle a besoin de pardonner, et quoi. Il se peut que vous lui veniez à l'esprit, et même en tête de liste.

Si vous saviez que cette personne entretenait de la rancune à votre endroit, vous espéreriez fort probablement qu'elle vous comprenne et vous pardonne. Vous n'êtes peut-être pas fier de votre comportement non plus, mais, à l'époque, certains facteurs indéniables vous ont influencé. Vous avez peut-être agi au meilleur de votre connaissance dans les circonstances, même si cela n'*excuse* aucunement votre comportement. Voyez si vous pouvez offrir cette même latitude aux gens à qui vous avez besoin de pardonner. Essayez de voir les choses d'une façon plus neutre, c'est-à-dire sans préjugé émotionnel, pour atteindre une compréhension plus profonde.

Au moment même où vous lisez ces lignes, toutefois, ne vous vient-il pas à l'esprit une certaine personne qui ne *mérite* pas qu'on lui pardonne, qui devrait faire exception à votre offre de latitude? Nous avons tous connu des gens qui ont agi d'une manière consciemment malicieuse, ou qui ont été systématiquement abusifs ou irresponsables, et qui, ce faisant, nous ont blessés. Nous ne proposons aucunement que vous les fréquentiez encore pour recevoir d'autres coups. Si vous ne pouvez faire confiance à une certaine personne, sachez-le, puis mettez-vous hors d'atteinte.

À long terme, cependant, il ne s'agit pas de savoir si quelqu'un *mérite* qu'on lui pardonne. Vous ne pardonnez pas à votre agresseur pour lui ou pour elle; vous le faites pour vous-même. Le pardon est tout simplement votre option la plus économe sur le plan énergétique et la seule qui engendrera la santé et le bien-être. Pardonner vous libérera de l'épuisement toxique et débilitant de la rancune. Ne laissez pas des vauriens squatter votre tête. S'ils vous ont blessé dans le passé, pourquoi leur permettre de continuer à le faire pendant des années dans votre esprit? Cela n'en vaut pas la peine, mais il faut un effort du cœur pour y mettre fin. Vous pouvez utiliser la force de ce dernier pour pardonner à ceux qui vous ont fait du mal, et cela, dans le seul but de prendre soin de vous. C'est l'une des choses que vous pouvez accomplir tout à fait égoïstement.

Allez-y lentement. Les ressentiments les plus profonds sont enveloppés de beaucoup de souffrance et de douleur. Nous croyons nous protéger en ne pardonnant pas. Reconnaissez-le et soyez indulgent envers vous-même. Pardonner, c'est choisir de ne pas laisser la douleur couver en soi, ne serait-ce que de temps à autre. Le pardon est un outil exigeant, mais puissant, qui vous soutiendra et vous fera honneur, même dans les pires circonstances.

Utiliser la vraie force : celle du cœur

David McArthur, l'un de nos collègues chez HeartMath, était procureur général adjoint du Nouveau-Mexique. Il y a plusieurs années, lui et sa femme ont accepté de recevoir bénévolement un cousin éloigné qui éprouvait de sérieux troubles mentaux et émotionnels. Après avoir vécu avec eux pendant plusieurs mois, le cousin a pris une arme et tué la femme de David, sans raison apparente.

Malgré son chagrin et sa douleur — et celui de sa fille d'un an —, David a réussi progressivement à comprendre qu'on ne pouvait tenir ce jeune homme responsable de ses gestes et il lui a pardonné.

Le crime était si horrible que les habitants de sa ville du Nouveau-Mexique étaient atterrés. Par compassion pour ce jeune homme perturbé, David a trouvé un avocat qui voulait bien accepter son dossier et il s'est battu pour faire interner le cousin dans une institution psychiatrique au lieu de le faire comparaître devant un tribunal pour meurtre au premier degré.

Ce pardon de David fut un acte extraordinaire. Il aurait été parfaitement compréhensible qu'il ait tenu rageusement rancune toute sa vie au meurtrier de sa femme. Il aurait pu aisément s'en vouloir d'avoir accepté d'héberger le cousin, ou en vouloir à Dieu et à l'univers d'avoir trahi sa bonté. Il a plutôt trouvé suffisamment de force dans son cœur pour pardonner à ce jeune homme et poursuivre sa vie. Il lui a même rendu visite en prison et lui a dit, avec une sincérité totale, qu'il lui pardonnait. Il a fait preuve d'une force et d'une maturité de cœur remarquables.

David dit ceci : «Pour pardonner, il faut d'abord vous donner à vous-même de l'amour afin de guérir votre blessure et la douleur que vous ressentez. La transformation de cette douleur vous donne la force et la capacité d'aimer et de pardonner aux autres.»

À l'époque, David ne disposait pas des outils et techniques de la solution HeartMath, mais, heureusement, il avait un grand cœur. Il faudrait à la plupart des gens beaucoup de travail pour surmonter les pensées et sentiments négatifs associés, à juste titre, à une épreuve aussi horrible. C'est là qu'intervient le FREEZE-FRAME, qui permet de voir les choses plus clairement. Activer le plus possible la reconnaissance et le non-jugement facilite également beaucoup le pardon. Alors que vous cherchez à éliminer le résidu émotionnel associé à une crise majeure, la pratique régulière du CUT-THRU et du HEART LOCK-IN (deux techniques qui vous seront expliquées plus loin) est d'une grande valeur. Grâce à l'usage de tous ces outils et techniques, vous entrerez en contact plus profondément avec l'intelligence de votre cœur et en tirerez plus d'amour. Nous avons presque tous besoin de ces techniques pour trouver la force du pardon lorsque, comme David, nous affrontons une situation extrêmement difficile.

Pardonner à un tel point exige beaucoup de force du cœur. Le meilleur moyen de la générer est l'amour. En définitive, seul l'amour, le plus grand de tous les outils performants du cœur, peut dissoudre les vieux ressentiments et les vieilles blessures. Abordez le pardon en augmentant l'amour que vous avez pour vous-même, puis appliquez-le au pardon. Les récompenses d'un travail aussi profond dépassent certainement la détresse de continuer à vivre avec les blessures et la douleur.

En faisant cet effort, vous découvrirez que le pardon implique souvent plusieurs conditions émotionnelles négatives : un mélange de justification, de blâme, de souffrance, de sentiment d'injustice, d'inquiétude et de jugement. Tous ces sentiments peuvent s'agglutiner sur ce mal que l'on vous a fait (ou non) et rendre le problème quasi impénétrable.

Vous accrocher à des ressentiments et à des attitudes impardonnables crée en vous une incohérence qui vous empêche de vous aligner sur votre soi véritable et d'améliorer votre qualité de vie. Métaphoriquement, cette incohérence est le rideau suspendu entre la pièce que vous habitez maintenant et une nouvelle, beaucoup plus grande et remplie d'objets magnifiques. L'acte du pardon retire le rideau. En fait, régler vos vieux comptes libère tellement d'énergie que vous passez soudainement dans une toute nouvelle maison. Le pardon vous libère d'une prison que vous vous êtes construite et où vous êtes à la fois le détenu et le geôlier.

Se pardonner à soi-même

Surtout, n'hésitez pas, au besoin, à tourner la force de l'amour vers l'intérieur. Aussi difficile que ce soit de pardonner à quelqu'un d'autre, il est parfois beaucoup plus difficile de se pardonner à soi-même. Lorsqu'un proche meurt, nous pensons :

«Si seulement j'étais revenu à la maison plus tôt, ou si j'avais agi autrement, ou si je lui avais dit une chose de plus.» C'est comme si nous étions, en quelque sorte, coupables de sa mort. Lorsque nous perdons un emploi ou une relation, nous pouvons commencer par blâmer les autres, mais nous finissons généralement par nous montrer du doigt : «J'aurais dû agir différemment.» Chez certaines personnes, cette tendance est si forte qu'un monologue autoculpabilisant se récite sans arrêt dans leur tête. Elles sont dotées d'un critique intérieur qui donne toujours de mauvais points à leurs décisions et à leurs gestes.

Dans le film bien connu *Good Will Hunting*, le personnage principal, Will, un jeune génie, éprouve une foule de problèmes émotionnels et se prépare une vie de crime et de détention. Parce qu'il ne peut dépasser ses problèmes, il gaspille son génie.

Un mentor sympathique qui se préoccupe de lui l'amène à plusieurs psychiatres afin de l'aider, mais ils ne peuvent rien faire pour lui. Il est trop brillant pour eux. Finalement, après beaucoup de travail, un psychologue au grand cœur réussit à obtenir des résultats.

Parce que Will a subi de mauvais traitements durant son enfance, il porte un immense fardeau de douleur et de colère. Un enfant qui cherche l'amour et ne rencontre que l'agression et l'hostilité se sent détestable et se blâme lui-même, malgré son innocence évidente.

Lorsque le psychologue de Will l'aide à atteindre le stade du pardon de soi — lorsque le jeune homme réalise sur le plan du *senti*, et non du *concept*, que le passé n'était pas sa faute —, il connaît un progrès spectaculaire. Toutes les pièces du puzzle de sa vie trouvent leur place, et son génie commence à se manifester d'une façon utile et équilibrée. Dans la dernière scène, il file sur l'autoroute dégagée, libéré du passé, vers une nouvelle vie et un nouvel amour. C'est lorsqu'il a enfin pris contact avec le fond de son cœur que tout a basculé. Le pardon véritable peut changer votre vie, mais vous devez d'abord, comme Will, l'appliquer à vous-même. Autrement, votre culpabilité entravera la libre circulation de l'énergie.

Demandez-vous maintenant si vous entretenez des rancunes envers vous-même. Quelles qu'en soient les raisons, trouvez une façon de vous pardonner. Pardonner à un autre, ce n'est que la moitié du chemin, si vous gardez une partie du blâme pour vous-même.

Attention au pardon partiel

Le secret de la maîtrise du pardon, c'est d'apprendre à l'accorder *sans compromis*. Il est facile de pardonner à moitié. Même si vous êtes conscient d'avoir fait un bel effort, ce pardon partiel ne suffira pas vraiment.

Supposons que vous soyez le chef de bureau d'une société commerciale, que vous aimiez votre travail de supervision du personnel de soutien, et que vous vous efforciez toujours d'être juste envers tous. Un jour, pendant la pause-café, vous entendez une secrétaire bavarder à votre sujet. Elle raconte des choses vraiment insultantes. Vous l'affrontez immédiatement, mais vous êtes encore furieux.

Il vous faut un certain effort pour trouver dans votre cœur une place pour le pardon. Après y avoir travaillé tranquillement pendant quelques jours, vous y arrivez finalement. Cela en valait la peine, car le nuage qui vous menaçait, étouffant votre énergie, semble se dégager. Vous vous sentez à nouveau vous-même.

Puis vient le temps de recommander des secrétaires pour les augmentations de salaire et vous l'écartez, non pas à cause de son travail, mais à cause de ce qu'elle a dit à votre sujet. Votre pardon n'était pas complet, puisque vous attendiez l'occasion de la punir. Mais si vous saisissez cette occasion, vous le paierez à même vos propres réserves d'énergie.

Prenez garde au pardon incomplet. Vous le remarquerez chaque fois que vous ferez une affirmation soulignant le degré de votre pardon : «Je lui ai pardonné, mais...» Les mots varient, mais le thème est le même : «Je lui ai pardonné de m'avoir trompé, mais pas de m'avoir trompé avec ma meilleure amie.» Ou : «Je lui ai pardonné, mais je ne veux plus jamais lui reparler ni la revoir.» Le pardon partiel vous laisse *croire* que vous avez pardonné à une personne, puis vous découvrez, des années plus tard, que la simple mention de son nom vous indispose encore.

Votre effort initial était valable, mais pas suffisant pour vous libérer sur le plan cellulaire. Peut-être avez-vous *vraiment* pardonné à cette personne tout ce que vous pouviez lui pardonner à cette époque, mais, au cours des années, d'autres aspects ont fait surface. Déraciner le ressentiment, cela ressemble beaucoup à retirer une écharde. Même si vous en expulsez la plus grande partie, il peut en rester une parcelle, qui devra sortir plus tard. Et, lorsqu'elle le fera, vous découvrirez qu'il reste des choses à pardonner.

Si le pardon n'a été que partiel, c'est que, quelque part, l'effort a été incomplet. Au lieu de progresser vers une expérience de vie complètement nouvelle et différente, on aboutit alors à la répétition des mêmes vieux schémas. Sans pardon complet, pas de bienfaits véritables.

Émousser le fil du rasoir

Lorsque vous dépassez toutes les justifications et effectuez un vrai contact avec le cœur, le pardon devient plus facile et la libération survient rapidement.

Jeune homme frais émoulu de l'école, je (Howard) travaillais dans un magasin de détail d'un centre commercial. Un jour, une riche Japonaise, cliente régulière, est entrée et m'a offert un autre emploi. Elle s'apprêtait à ouvrir un boutique de fine porcelaine japonaise et d'objets d'art importés, et elle voulait que je la gère pour elle. Comme elle m'offrait une somme substantiellement plus importante que celle que je gagnais dans ce magasin, j'ai décidé de tenter ma chance. J'ai quitté mon emploi et commencé à l'aider à monter cette nouvelle entreprise.

La première semaine, elle m'a demandé de la cueillir chez elle et de la conduire pendant qu'elle choisissait des étalages, des moquettes, etc. Au début de la deuxième semaine, je suis arrivé chez elle avec dix minutes de retard. Elle m'a fermement réprimandé pour mon manque de ponctualité.

Comme j'étais un peu fougueux (ou, pour parler plus honnêtement, un peu soupe au lait), je lui ai donné, avec une certaine émotion, plusieurs excuses valables pour mon retard ainsi que des raisons pour lesquelles elle ne devait pas me parler sur ce ton.

Le reste de la journée, je l'ai servie poliment et efficacement. Elle semblait satisfaite. Quand je suis rentré chez moi, ce soir-là, j'ai pris mes messages téléphoniques et j'en ai trouvé un d'elle me disant qu'elle me congédiait pour irrespect. Je suis resté sous le choc et plein de rage toute la soirée. Le lendemain matin, j'ai appelé mon ancien patron et lui ai demandé de me redonner mon emploi, mais il m'avait déjà remplacé. J'étais maintenant au chômage.

Ce soir-là, j'ai rassemblé quelques-uns de mes amis, y compris Doc, et je leur ai raconté ce qui était arrivé. Ils étaient d'accord sur le fait que c'était un peu injuste : cette femme avait appuyé un peu trop vite sur la gâchette, et, oui, j'étais en difficulté. Alors que je continuais de me plaindre de la situation, certains de ces bons amis m'offrirent une vision de la situation qui m'a fait davantage réfléchir.

« Tu sais, Razor, tu as une lame bien affilée, toi aussi », m'ont-ils rappelé. Après tout, c'était la raison pour laquelle j'avais reçu ce surnom au départ : un mélange d'acuité mentale et d'impulsivité émotive.

Je (Doc) me rappelle très bien cet incident. Je voyais qu'Howard avait de la difficulté à gérer la situation. Je savais que, lorsque le ressentiment et l'apitoiement sur soi entrent en jeu, il est difficile de s'en débarrasser; et je savais aussi qu'Howard avait été blessé dans son orgueil. Alors, je lui ai fait quelques suggestions. «Ne réagis pas de la façon la plus évidente. Fais ce que la plupart des gens ne feraient pas. Nettoie les dégâts que tu as laissés derrière toi. Que tu en aies envie ou non, pardonne à cette femme. Ça va enterrer cet incident et t'épargner des semaines ou des mois de ressentiment.» C'était beaucoup demander à un jeune homme qui se sentait insulté, mais je connaissais la profondeur de la sincérité d'Howard. S'il luttait contre lui-même et entrait en contact avec son cœur, je savais qu'il pourrait y arriver.

Dès que j'ai (Howard) entendu les conseils de Doc, j'ai senti qu'il avait raison. Après y avoir songé dans mon cœur pendant un certain temps, j'ai réalisé que le pardon était la meilleure solution. Le lendemain matin, j'ai décidé d'aller chez cette femme et de lui manifester mon pardon.

En cours de route, cependant, j'ai eu soudain l'impression que ma démarche était stupide. Je n'avais pas besoin de vivre ça. Encore une fois, et avec une douleur encore fraîche, je considérais qu'elle m'avait réprimandé trop rapidement pour mon retard et qu'elle m'avait injustement congédié. Elle avait tout gâché! Plus j'y pensais, moins je voulais lui pardonner, encore moins m'excuser en personne. La tête compromettait les véritables intentions de mon cœur.

J'ai fini par arrêter la voiture dans une zone boisée et j'ai demandé des directives à mon cœur. Je suis resté assis là pendant quelques minutes, cherchant à mieux comprendre cette femme et les raisons qu'elle avait pu avoir de me congédier. Me mettant alors à sa place, j'ai réalisé qu'elle aussi se trouvait dans une mauvaise situation, puisqu'elle n'avait aucun gérant pour son nouveau magasin. J'avais peut-être *vraiment* besoin de lui pardonner, qu'elle ait eu raison ou non d'agir comme elle l'avait fait. Je savais que j'étais aussi responsable qu'elle de la situation. Le périple continuait.

En arrivant à sa rue, j'ai senti mon esprit et mes émotions me tenailler à nouveau. Des pensées se sont insinuées, du genre : «Si je m'y prends bien, peut-être qu'elle aura au moins pitié de moi et me donnera une paie de compensation.» Ensuite, me sont venues des pensées comme celle-ci : «Je vais le faire uniquement pour prouver que je le peux, mais, encore une fois, ce n'est pas vraiment juste.» Mon esprit s'était fait encore plus rusé dans sa dernière tentative. «Le pardon avec un programme caché pour obtenir quelque chose au lieu de donner, quelle idée!»

Une fois de plus, j'ai arrêté la voiture, réalisant que mon pardon devait être sincère, sans aucun programme caché, sinon rien ne serait accompli. S'il n'était pas authentique et ne venait pas du cœur, je n'y récolterais qu'une bonne histoire à raconter à mes amis. Aucune libération véritable n'aurait lieu pour moi ni pour elle. Comprenant cela, je suis entré plus profondément en moi-même pour trouver la plus grande sincérité possible.

J'étais fatigué de ce jeu. Je savais que j'avais seulement besoin de grandir et de pardonner, en m'excusant du mieux que je pouvais. J'ai sonné chez elle et je me suis concentré sur mon cœur en attendant qu'elle vienne répondre. Paraissant un peu surprise et même offensée que j'ose me présenter à son domicile, elle entrouvrit juste un peu la porte. Je me serais cru sur le seuil d'un entrepôt frigorifique.

Du plus profond de mon cœur, et enfin déterminé, je lui ai dit que j'étais désolé et que je comprenais à quel point il était difficile pour les gens de composer avec ma forte réactivité. Je lui ai dit sincèrement que je ne lui gardais aucune rancune et que j'espérais ne pas l'avoir blessée, et je lui ai souhaité bonne chance avec sa nouvelle boutique. Elle m'a remercié d'un ton monotone et a refermé la porte.

En revenant à la maison, je me sentais beaucoup plus calme qu'en allant chez elle. Même si elle ne m'avait pas fourni de libération évidente, je n'en avais pas besoin, car j'avais réglé mes comptes avec elle à partir du cœur. Je n'avais fait aucun compromis.

Si vous attendez l'heureux dénouement, le voici : j'ai libéré mon énergie et appris une leçon inappréciable. Je savais qu'il me serait désormais beaucoup plus facile de pardonner. Et je ressentais une nouvelle reconnaissance envers mes amis, pour leurs conseils honnêtes qui m'avaient permis de retirer autant de l'expérience. Le fait d'aller au fond du cœur pour trouver le pardon m'avait ouvert de nouvelles portes.

Amplifier la force de votre cœur

Nous n'avons présenté dans ce chapitre que trois outils performants du cœur : la reconnaissance, le non-jugement et le pardon. Il y en a bien d'autres. Chaque sentiment fondamental du cœur est un outil performant potentiel : la compassion, la patience, le courage, etc. Il fait partie de votre développement de trouver ceux que vous avez besoin de cultiver en vous-même. Soutenus par la sincérité et la cohérence, ces outils vous aideront à accumuler la force de transformation qui dort en vous.

Dans son livre *The Acorn Principle*, notre ami Jim Cathcart explique comment on peut atteindre son plein potentiel. Jim croit que l'accomplissement de soi est fondé sur deux éléments : la conscience et la performance. Il dit ceci : «Le développement de soi vient de la conscience accrue de l'espace où vous vous trouvez dans le moment présent et de l'apprentissage de ce qui est nécessaire à votre croissance intérieure. Et l'expression de soi est votre performance, ce que vous en faites [1].»

Il vous faudra peut-être du temps pour développer votre potentiel fondamental, mais, à mesure que vous vous découvrirez un lien plus profond avec la force du cœur, vous trouverez, en son centre, plus d'appréciation, d'amour et de pardon. Vous posséderez une nouvelle liberté lorsque vous aurez éliminé les vieux concepts et les vieilles blessures, douleurs et résistances.

Les outils performants de la solution HeartMath vous offrent donc des moyens d'accéder à la force de votre cœur. Cette force élimine l'incohérence. Avec moins de disharmonie dans votre organisme, vous fournissez à votre intelligence supérieure, qui est votre esprit véritable, la chance de pénétrer dans votre vie quotidienne et vous en serez récompensé par un plus grand épanouissement.

POINTS CLÉS À RETENIR

- La sincérité est le générateur qui donne de la cohérence et de la force aux sentiments fondamentaux du cœur, tels que la reconnaissance et le pardon.
- Ouvrir votre cœur, c'est comme de fixer un objectif grand angulaire à la caméra de votre perception. Soudainement, une plus grande partie du monde entre dans votre champ de vision.
- Lorsque vous avez une forte intuition à propos d'un changement que vous désirez effectuer, vous courez le risque de perdre votre enthousiasme initial (et ainsi votre élan vers le changement). En ravivant la reconnaissance, vous pouvez restaurer cet enthousiasme.
- Les jugements engendrent le stress et l'incohérence, qui limitent la gamme de notre intelligence. Cependant, nous sommes socialement conditionnés à juger.
- L'un des plus importants inconvénients du jugement, c'est que la personne qui juge est celle qui subit le plus grand dommage.
- Commettre une erreur et ensuite vous juger durement, c'est comme de verser un intérêt composé sur un mauvais investissement.
- Le cœur peut vous procurer la conscience nécessaire pour devenir plus neutre et laisser les choses se dérouler. C'est cela, le non-jugement.

- Lorsque vous vous retrouvez en train de porter un jugement, utilisez la technique du FREEZE-FRAME pour vous mettre au neutre et trouver une perspective plus équilibrée et plus intuitive.

- Avec la science et la cybernétique soutenant le non-jugement, n'importe qui peut y accéder. Le non-jugement est la prochaine étape importante de la survie et de l'évolution humaines.

- Déraciner le ressentiment, c'est comme de retirer une écharde. Même si on en expulse la plus grande partie, une parcelle peut rester à l'intérieur et causer de l'inflammation.

- Si le pardon n'a été que partiel, c'est que, quelque part, l'effort a été incomplet. Au lieu de progresser vers une expérience de vie complètement nouvelle et différente, on aboutit alors à la répétition des mêmes vieux schémas.

PARTIE 3

L'intelligence du cœur avancée

Les deux premières parties de *La solution HeartMath* exposaient en détail l'intelligence du cœur et les outils nécessaires pour y accéder. La technique du FREEZE-FRAME, le bilan actifs-déficits et les outils performants du cœur, qui étaient présentés dans ces deux parties, vous fournissent des moyens pratiques de déployer l'intelligence de votre cœur et de l'utiliser dans la vie quotidienne. Le cœur recèle toutefois davantage.

Cette troisième partie porte sur le prochain niveau, plus raffiné, de ce système : la gestion des émotions et l'amélioration de votre lien avec l'intelligence du cœur.

Les émotions étant très complexes, elles sont parfois difficiles à gérer. Il est toutefois essentiel de canaliser leur force pour augmenter et maintenir la cohérence interne. Nous présenterons une vision en profondeur des émotions, en expliquant comment leur gestion est à la fois négligée et compromise.

La troisième partie comprend également un chapitre sur un quatrième outil performant du cœur, la sollicitude, et sa contrepartie, la sur-protection ou le souci. Ce dernier est souvent au centre de problèmes émotionnels. Une fois identifié, il peut être éliminé; cette étape permet d'accéder à un nouveau plan de la gestion émotionnelle.

Deux techniques avancées sont présentées dans cette section, le CUT-THRU et le HEART LOCK-IN. Le CUT-THRU est une technique qui utilise la force du cœur pour équilibrer les émotions et effacer les blocages émotionnels du passé.

Le HEART LOCK-IN fournit une expérience de contact soutenu avec l'intelligence de votre cœur. À mesure que vous vous familiariserez avec la richesse de ce lien, vous recevrez de nouvelles idées intuitives et créatrices. Le HEART LOCK-IN s'utilise également pour fournir de la cohérence au corps et le revitaliser.

Dans la troisième partie, vous

- ➢ comprendrez les émotions et la gestion émotionnelle
- ➢ apprendrez à distinguer la sollicitude et le souci
- ➢ apprendrez et appliquerez la technique du CUT-THRU, pour une plus grande gestion émotionnelle
- ➢ apprendrez et appliquerez la technique du HEART LOCK-IN, pour élargir et raffiner votre accès à l'intelligence du cœur

CHAPITRE 7

Comprendre le mystère des émotions

Toni Roberts a commencé à éprouver des sentiments de dépression alors qu'elle était jeune fille. Elle se sentait toujours triste et voulait rester dans sa chambre plutôt que d'aller jouer avec les autres enfants. À l'adolescence, cela empira. Les crises de larmes quotidiennes étaient normales pour elle. Aux yeux de son entourage, cependant, tout semblait lui réussir. Elle était une bonne étudiante et une meneuse appréciée. Mais, en fait, si Toni participait à des activités scolaires et assumait un rôle de leadership, c'était pour faire diversion, tenter de combler la douleur et le vide qu'elle ressentait.

Sa dépression se poursuivit jusqu'à la trentaine, alors qu'elle dut se débattre pour élever sa famille et gérer sa carrière de collectrice de fonds.

Toni savait qu'elle avait un grave problème et désirait désespérément obtenir de l'aide. Elle essaya tout : la religion et la prière, la méditation, la thérapie et les antidépresseurs; elle ne trouva toutefois qu'un soulagement aléatoire et temporaire. Après avoir passé des décennies à tenter de se débarrasser de cette maladie émotionnelle, elle arriva à la triste conclusion qu'elle ne se sentirait *jamais* mieux; qu'elle était condamnée au désespoir.

Un jour, un ami lui parla de HeartMath. Elle était lasse de chercher des remèdes à son problème, mais elle décida tout de même de participer à un programme de formation à l'Institut HeartMath. Au cours de ce week-end, elle fit un effort sincère afin de prendre contact avec son cœur, et, au cours de l'un des nombreux exercices, il se produisit quelque chose de remarquable. Elle eut une profonde expérience d'espoir et de libération. Pendant les jours suivants, elle se sentait mieux. Comment était-ce possible?

Toni avait déjà connu des rémissions temporaires, mais elles n'avaient jamais duré très longtemps. À présent, elle craignait de retomber dans les affres de la dépression chronique. Après tant d'années, il lui était difficile de croire qu'il lui suffirait d'entrer dans son cœur pour s'en libérer. Elle continua toutefois de pratiquer ce qu'elle avait appris, utilisant le FREEZE-FRAME lorsqu'elle en sentait le besoin, activant consciemment les sentiments fondamentaux du cœur, et faisant des HEART LOCK-IN. En un mois, sa peur d'un retour de la dépression avait disparu. Elle savait que ses problèmes émotionnels faisaient désormais partie du passé. Son cauchemar était terminé. Avec l'amélioration spectaculaire de sa santé, la joie, la légèreté et le goût de vivre remplacèrent la dépression. C'était il y a six ans. Toni, qui travaille à présent chez HeartMath, dit qu'elle continue à s'épanouir quotidiennement.

L'expérience plutôt extrême de Toni est un merveilleux exemple de ce qui peut se produire lorsque notre cœur prend vie. Les problèmes émotionnels sont parmi les plus difficiles à affronter, surtout s'ils durent depuis longtemps, comme c'était le cas pour Toni. Peut-être même avait-elle déjà demandé l'aide de son cœur, mais, parce qu'elle ne savait pas comment en activer avec constance l'intelligence, elle avait continué de souffrir pendant des années. Lorsqu'elle avait fini par établir ce lien plus profond avec le cœur, toutefois, ses émotions avaient réagi en conséquence et sa vie avait prit un tournant majeur.

Les émotions

Pourrait-on atteindre le sommet du mont Everest sans ressentir de l'euphorie? Pourriez-vous passer du temps avec votre famille ou vos amis proches sans sentir l'amour qui vous unit? Les émotions font tellement partie de notre existence que nous les considérons comme allant de soi. Elles constituent la richesse des expériences et texturent la vie. Sans elles, nous pourrions tout de même escalader l'Everest ou passer du temps avec nos parents et amis, mais pourquoi le ferions-nous? Les émotions donnent un sens à notre vie.

La capacité de rire ou de pleurer, d'être tour à tour mélancolique et joyeux, donne de la beauté et de la valeur à notre existence. Nous avons besoin de sentir, parce l'émotion procure un sens à la vie. D'un fait objectif et conceptuel, notre monde s'en trouve transformé en une expérience vivante.

Les faits aussi sont essentiels, évidemment, mais si la situation devient critique, le pouvoir impérieux des émotions l'emporte presque toujours. Comme le disait l'écrivain anglais Thomas Browne en 1690 : «Les hommes vivent par intervalles de raison sous le règne souverain de l'humeur et de la passion.» Avec une force qui leur est propre et qui doit être honorée et appréciée, les émotions transcendent constamment la raison dans notre vie. Et pourtant elles conservent un grand mystère.

Tandis que la force étrange des émotions peut enrichir notre vie infiniment, elle peut tout aussi aisément nous détruire. C'est l'émotion, et non la raison, qui a alimenté la plupart des guerres et des conflits que le monde a connus. L'intelligence nécessaire pour gérer cette intense force intérieure, en l'utilisant dans notre intérêt, échappe à l'humanité depuis des siècles.

L'émotion devra indéniablement constituer la prochaine conquête de la compréhension humaine. Et, avant même que cette conquête soit réalisée, il nous faut développer notre potentiel émotionnel et accélérer considérablement notre poursuite d'un nouvel état d'être.

Le mot «émotion» veut dire, littéralement, «énergie en mouvement». Il vient du verbe latin qui veut dire «se mouvoir». Tandis qu'un sentiment — un concept étroitement associé — est une expérience de sensation consciente, une émotion est un sentiment *fort*, un sentiment comme l'amour, la joie, la peine ou la colère, qui nous *fait bouger*. Une émotion engendre diverses réactions complexes, des changements à la fois mentaux et physiologiques, accompagnés de manifestations du système nerveux autonome [1]. Ce que nous appelons une émotion est l'expérience d'une énergie circulant dans notre corps. En soi, l'énergie émotionnelle est neutre. Ce sont la sensation et la réaction physiologique qui rendent telle émotion positive ou négative, et ce sont les pensées qu'elles suscitent qui lui donnent un sens.

Les émotions servent d'ondes porteuses à tout le spectre des sentiments. Lorsque notre cœur est en état de cohérence, nous ressentons plus aisément des sentiments comme l'amour, la sollicitude, la reconnaissance et la gentillesse. Par ailleurs, des sentiments comme l'irritation, la colère, la souffrance et l'envie sont plus susceptibles de se produire lorsque la tête et le cœur sont désalignés. Nos expériences émotionnelles s'impriment dans nos neurones et notre mémoire, où elles forment des schémas qui influencent notre comportement [2].

Le sentiment est plus rapide que la pensée

L'énergie émotionnelle est d'une vitesse supérieure à celle de la pensée. C'est que le monde du sentiment fonctionne à une vitesse supérieure à celle du mental. Les scientifiques ont confirmé à maintes reprises que nos réactions émotionnelles se présentent dans l'activité cérébrale avant même que nous ayons eu le temps de penser. Nous évaluons tout d'une façon émotionnelle *à mesure que nous le percevons*. Nous y pensons *par la suite* [3].

Si l'énergie émotionnelle est plus rapide que l'énergie mentale, comment pouvons-nous espérer gérer nos émotions avec nos pensées? La question est pertinente. En fait, il faut *plus* que le mental pour gérer les émotions. La force cohérente du cœur est également requise. La cohérence du cœur aide à équilibrer notre état émotionnel. Elle aligne la tête sur le cœur, afin de faciliter la fonction cérébrale supérieure, qui semble créer un lien direct avec l'intuition ou l'intelligence super-rapide. L'intuition double l'analyse mentale et nous fournit une perception directe, indépendante de tout processus de raisonnement [4]. Elle nous éclaire sur la façon de diriger et de gérer nos sentiments avant d'y investir de l'énergie émotionnelle.

Les émotions en soi ne sont pas vraiment intelligentes, mais tout ce qui possède un flux, comme l'émotion et la pensée, est généralement organisé par une intelligence. C'est notre façon d'organiser nos pensées et nos émotions, et ce que nous en faisons, qui reflète notre intelligence.

L'un des buts principaux de l'émotion dans l'organisme humain est de fournir un mode d'expression aux sentiments fondamentaux du cœur. Mais puisque, chez la plupart des gens, l'intelligence du cœur n'est pas développée, le mental détourne le plus souvent notre énergie émotionnelle et l'utilise pour exprimer ses perceptions et réactions.

Lorsque nous laissons nos pensées non gérées dicter nos réactions émotionnelles, nous courons au-devant des problèmes. De plus, nos réactions et souvenirs émotionnels peuvent agir sur le plan subconscient et influencer nos processus de pensée. Notre système émotionnel subconscient peut déclencher un sentiment plus rapidement que l'esprit ne peut l'intercepter [5]. C'est pourquoi nous ressentons souvent des sentiments sans savoir pourquoi. Et même lorsque nous savons pourquoi et que nous essayons de générer notre réaction émotionnelle, nous ne pouvons pas le faire; les émotions sont tout simplement trop rapides. L'esprit rationnel en soi n'a pas la capacité d'intervenir de manière à produire des résultats appréciables. Le désordre d'un mental non géré, combiné avec la puissance d'une émotion non gérée, produit souvent une lutte intérieure. Nous nous laissons alors happer par une épuisante querelle interne qui peut durer des heures.

Exemple 1. Jeff se trouve dans un restaurant lorsqu'un homme âgé renverse son café en passant, éclaboussant de liquide chaud tout son costume-cravate. Comme, rationnellement, il sait que l'homme ne l'a pas fait exprès, Jeff dit : « Ça va, ne vous en faites pas. » Mais, plongé dans ses émotions, il pique une crise. Dans sa tête, il hurle : « Regardez mon complet! Qu'est-ce que je vais faire? Est-ce que je peux retourner au bureau avec des taches de café partout sur mes vêtements? » Jeff réagit à deux niveaux différents : la raison et l'émotion. Chaque niveau a sa propre perspective, et si Jeff les laisse faire, ils se querelleront tout l'après-midi.

Dans ce cas, il serait efficace énergétiquement, pour Jeff, de cesser de faire semblant que tout va bien et de reconnaître que ses émotions ne sont pas équilibrées. Il pourrait alors faire un rapide FREEZE-FRAME pour rééquilibrer son système nerveux et son rythme cardiaque, activant un sentiment fondamental du cœur, comme la reconnaissance ou la compassion, afin de stopper immédiatement la fuite d'énergie. À partir de la cohérence du cœur, il pourrait ensuite évacuer de la situation une partie de l'énergie émotionnelle, en se disant que des choses pareilles arrivent à tout le monde, à un moment ou à un autre. Lorsqu'il se demanderait : « Quelle serait la réaction la plus efficace à la situation, pour minimiser le stress, à l'avenir? », son intuition, son jugement et sa sincérité lui répondraient que ses collègues de bureau ne vont pas le juger pour des taches de café sur ses vêtements, et qu'il pourra facilement faire nettoyer son costume le lendemain. En alignant ainsi sa tête sur son cœur, il peut complètement lâcher prise.

Exemple 2. Il se produit un incident au bureau entre Barbara et Dan, tous deux stressés par une date de tombée à respecter. Ils se disputent et tout le monde le remarque. Plus tard, ils échangent des excuses, mais, intérieurement, il faudra peut-être attendre toute la journée avant que la poussière retombe. Sur le plan de leur esprit rationnel, tout va bien, mais sur celui de leurs sentiments, non. C'est le mouvement continuel d'énergie qui se produit sur ce dernier plan, ainsi que la vitesse et l'élan de cette énergie, qui cause une fuite continuelle.

Si l'esprit rationnel continue à dire que tout va bien quand ce n'est pas le cas, la fuite émotionnelle se poursuit, diminuant notre qualité de vie et nuisant lentement à notre santé. Après un moment, il persiste un vague malaise, mais il ne s'accompagne d'aucune pensée qui pourrait en expliquer la raison.

Si Barbara et Dan se donnaient la peine de se relier à l'intelligence de leur cœur, ils retrouveraient plus rapidement leur équilibre émotionnel. Bien sûr, ils finiront par oublier l'incident de toute façon, mais ils perdront beaucoup d'énergie en cours de route, s'ils ignorent sur le moment le besoin de se réaligner. En faisant l'effort de se focaliser sur le cœur et même en essayant d'activer un sentiment fondamental, comme le non-jugement ou le pardon, ils pourraient accéder à la force et à la conscience de soi nécessaires pour libérer les émotions irrésolues entourant leurs échanges tendus et colmater la fuite d'énergie. Il faut un effort pour passer au cœur et trouver la cohérence nécessaire pour abandonner des pensées et des émotions inefficaces, mais ce processus devient plus facile à mesure que l'intelligence du cœur se développe.

L'effet de cascade

Toute l'histoire émotionnelle de chaque personne est enregistrée dans ses circuits neuronaux et gravée dans sa mémoire. Ainsi, une réaction émotionnelle dans le présent peut déclencher une cascade de souvenirs émotionnels associés, jetant de l'huile sur le feu. Si, dans le passé, nous avons été blessés par un être aimé, nous pouvons devenir paranoïaques quand quelqu'un nous manifeste de l'amour. Parfois, même la moindre réaction peut provoquer une décharge d'émotions associées à des incidents antérieurs. De vieilles rancunes, des résidus de non-pardon, des associations désagréables et des peurs irrésolues peuvent être amplifiées par les questions les plus simples.

À cause de cet effet de cascade, nous avons affaire non seulement aux émotions du moment, mais aussi à l'accumulation d'expériences émotionnelles emmagasinées dans notre mémoire émotionnelle. Et il y a des raisons physiologiques à cela.

Au plus profond du cerveau se trouve un centre de traitement appelé l'amygdale, dont le rôle est d'assigner une signification émotionnelle à tout ce que nous entendons, sentons, touchons et voyons [6]. L'amygdale peut influencer et être influencée par de l'information provenant de notre cortex cérébral, et elle est également influencée par un apport du cœur [7].

Le neuroscientifique Karl Pribram explique, dans son livre *Brain and Perception*, que l'amygdale compare ce qui est *familier* dans la mémoire à de nouvelles informations entrant dans le cerveau [8]. Si une vieille émotion est devenue familière, nous réagissons souvent à de nouvelles situations similaires par la même émotion, que cela ait un sens ou non. Étrangement, la familiarité nous fait nous sentir en sécurité.

Par exemple, un garçon qui habite dans une maison où les cris et la violence sont fréquents développe un sentiment d'insécurité et de peur. Si, à l'école, un confrère de classe élève la voix ou même le regarde d'un air interrogateur, cela peut déclencher en lui une peur familière. Percevant la situation du point de vue de sa peur familière, il peut réagir avec une grande agressivité, peut-être même frapper le confrère de classe. Émotionnellement, sa réaction pourrait ressembler à de l'autodéfense; il fait ce qui lui semble approprié pour se sentir en sécurité. De même, lorsqu'il grandira, il aura peut-être recours à la violence contre des membres de sa propre famille.

L'amygdale cérébelleuse surveille l'information qui parvient au cerveau, à la recherche de tout ce qui a une importance émotionnelle. Nous avons tous déjà vécu l'expérience : de rencontrer quelqu'un et de le trouver immédiatement antipathique, sans cause apparente. Peut-être cette personne évoque-t-elle le souvenir inconscient d'un enseignant qui s'en prenait toujours à nous en classe, même si nous ne nous rappelons même pas son nom. L'amygdale cérébelleuse assigne une signification aux perceptions très rapidement, mais pas toujours d'une manière précise.

Pendant des décennies, on a cru que toute l'information provenant des sens allait d'abord au cortex cérébral, où elle était mentalement analysée, puis à l'amygdale cérébelleuse pour une évaluation émotionnelle. Ce n'est que récemment que les neuroscientifiques ont découvert un circuit cérébral qui permet à nos perceptions d'aller directement à l'amygdale cérébelleuse *sans* passer par la zone de prise de décision rationnelle du cortex [5]. Voilà pourquoi le garçon vivant dans un foyer abusif a des palpitations et une montée d'adrénaline chaque fois que quelqu'un élève la voix, bien qu'il ne réalise peut-être même pas que cette voix menacante lui rappelle son père.

D'où viennent les émotions?

Lorsque, chez des enfants âgés et des adultes, des parties du cerveau subissent une lésion ou une ablation chirurgicale, ces gens ne peuvent plus ressentir certaines émotions. Pour cette raison, plusieurs scientifiques ont conclu que les émotions ne trouvent leur origine que dans le cerveau.

Un autre groupe de scientifiques croient que les émotions ne sont que des produits de la biochimie. Cela implique cependant que nous serions complètement à la merci de notre fonctionnement biochimique, c'est-à-dire que nous n'aurions aucune liberté sur le plan émotionnel. En outre, cela n'explique pas pourquoi des changements électriques et biochimiques se produisent très souvent dans le cerveau en réaction à des émotions et à des perceptions dont nous *avons* le choix.

Les dernières preuves scientifiques démontrent que cela fonctionne des *deux* façons. Le docteur Candace Pert, auteur de *Molecule of Emotions*, conclut que notre fonctionnement biochimique affecte nos réactions émotionnelles, mais que nos émotions affectent à leur tour le fonctionnement biochimique. Le docteur Pert révèle que les éléments biochimiques sont en réalité les corrélats physiologiques des émotions. Les molécules d'émotion parcourent chaque système de notre corps au moyen d'un système de communication qui démontre clairement une intelligence du corps-esprit [9].

Tout au long de notre vie, notre expérience forme nos circuits cérébraux. Ainsi, il n'est jamais trop tard pour changer et se développer. Nous avons découvert que le cœur est l'agent le plus puissant de changement émotionnel dans le corps. Voici pourquoi.

L'information provenant de notre cœur se rend jusqu'à l'amygdale cérébelleuse. En fait, les cellules de celle-ci manifestent une activité électrique synchronisée avec le rythme cardiaque. Cette activité électrique change en même temps que ce dernier [10].

Cela peut expliquer pourquoi des changement positifs de sentiments et de perception se produisent lorsqu'un rythme cardiaque devient plus cohérent quand quelqu'un utilise les outils et techniques de la solution HeartMath [10 à 14].

Une étude cardiologique récente a démontré que, dans 55 % des cas, les symptômes de peur panique étaient en réalité liés à une arythmie cardiaque non diagnostiquée, qui les déclenchait. Dans la majorité de ces cas, une fois l'arythmie traitée, les symptômes de panique disparaissaient. Si leur arythmie n'avait pas été découverte, tous ces gens auraient été envoyés chez un psychiatre pour y être traités [15].

Pour dépasser l'histoire émotionnelle

Habituellement, lorsque nous entreprenons une élimination du bagage émotionnel, nous avons recours à diverses techniques de psychothérapie. Parmi les options les plus courantes, il y a la psychanalyse, la modification du comportement et la thérapie cognitive. Notre nouvelle compréhension des fonctions du cerveau et du cœur nous fournissent des indices sur le fonctionnement de ces diverses approches.

Selon Joseph LeDoux, une autorité en la matière, on croit que ces trois grandes thérapies aident le cortex à passer outre à l'amygdale cérébelleuse, mais qu'elles utilisent des voies neuronales différentes pour y arriver [5].

Les thérapies behaviorale et cognitive enseignent aux patients de nouveaux comportements, qui dépendent surtout de l'interaction entre le cortex préfrontal et l'amygdale. La psychanalyse, par ailleurs, exige des patients qu'ils deviennent conscients de leur comportement. Pour ce faire, elle fouille dans des souvenirs emmagasinés dans le lobe temporal et les zones corticales liées à la conscience.

Parce qu'elle cherche à éliminer le bagage émotionnel et d'autres troubles plus graves par la prise de conscience des souvenirs, la psychanalyse constitue intrinsèquement un processus plus long. Et elle n'est pas facile, car, comme nous l'avons souligné, les souvenirs émotionnels peuvent déformer les perceptions et empiéter sur les pensées conscientes, en partie parce que, dans la programmation du cerveau, les connexions neuronales allant du système émotionnel au système cognitif sont plus fortes et plus nombreuses que celles qui vont du système cognitif au système émotionnel [5]. À chaque étape du trajet, la pensée consciente peut donc être dominée par une émotion puissante, dirigée par l'amygdale cérébelleuse.

Parce que notre histoire émotionnelle et nos réactions peuvent être activées inconsciemment, puis dominer le processus de raisonnement du mental, il faut un pouvoir plus fort que le mental pour changer la schématisation émotionnelle. Selon notre théorie, lorsqu'il se produit une véritable prise de conscience, dans l'un ou l'autre type de processus thérapeutique, c'est parce que la force cohérente et l'intelligence du cœur se sont enclenchées.

Les thérapeutes les plus efficaces savent que c'est par un lien du cœur que les patients connaissent leurs plus profonds moments de révélation. Ce lien du cœur peut être amorcé grâce à la communication bienveillante et sensible d'un thérapeute, ou survenir lorsque le patient se relie à ses propres sentiments fondamentaux.

À partir des recherches menées à l'institut, nous croyons que l'on peut arriver plus directement à la liberté émotionnelle en aidant les patients à entrer d'abord consciemment dans le cœur. Au moyen du FREEZE-FRAME, du CUT-THRU, ou en activant un sentiment fondamental du cœur, les sujets connaissent souvent des changements de perception intuitive qui les aident à se libérer. Ils n'ont pas nécessairement à évoquer ou à revivre de vieux souvenirs émotionnels. Le plus souvent, ressasser des souvenirs émotionnels *renforce* ceux-ci dans les cellules du cerveau. Ainsi, ce processus, au lieu de nous apporter la prise de conscience dont nous avons besoin pour libérer notre organisme des vieux souvenirs, ravive souvent la justification et la souffrance du mental, et augmente l'incohérence. Lorsque nous tentons de travailler sur un vieux problème impliquant une forte émotion, renforcer les souvenirs n'est pas une solution. Nous avons besoin d'accéder à l'intelligence plus profonde du cœur.

Lorsque l'intelligence du cœur sera mieux connue dans la communauté thérapeutique, médecins et patients auront avantage à apprendre à entrer dès le départ dans leur cœur, et à poursuivre la thérapie à partir de là. En activant l'intelligence du cœur, les thérapeutes sauront avec une plus grande intuition comment guider leurs patients, et ces derniers sauront également, avec une plus grande force et une plus grande intuition, comment se libérer de leur passé émotionnel et l'empêcher de conditionner leurs perceptions et leurs réactions.

Prendre conscience qu'on ne peut plus jeter sur son passé le blâme de ses actions présentes constitue une étape cruciale sur la voie de la gestion et de la responsabilité émotionnelles. Même s'il est important de reconnaître le passé émotionnel, nous ne devons pas céder à la tentation de l'utiliser pour excuser notre comportement présent. Bien qu'ils sachent qu'ils ne doivent pas le faire, beaucoup de gens engagés dans le développement personnel ne peuvent s'en empêcher. Ils vont alors à la dérive, s'apitoyant sur eux-mêmes et blâmant les autres.

Avec l'accélération du rythme du changement et l'augmentation du stress, les gens n'auront plus beaucoup le temps de dériver. Cela coûte trop cher en temps et en énergie. On entrevoit pour l'avenir la capacité de sortir rapidement des états émotionnels négatifs, passés ou présents, pour arriver à une nouvelle compréhension et à une nouvelle prise de conscience. Même si cela constitue un saut quantique plutôt qu'un travail par étapes, il n'est pas aussi éloigné dans l'avenir que nous serions enclins à le penser.

En utilisant les outils et concepts de la solution HeartMath, vous trouverez la force et l'intelligence dont vous avez besoin. Ces outils vous aideront à devenir plus conscients de vos pensées, émotions, attitudes, actions et réactions. Leur utilisation vous permettra de développer une excellente évaluation de vos actifs et déficits mentaux et émotionnels. Vous verrez dans quelles situations vous adoptez machinalement une certaine attitude ou vous vous accrochez à des concepts qui vous enferment dans la disharmonie émotionnelle. En activant la force de votre cœur à chaque étape du chemin, les outils vous permettront d'établir en vous une cohérence émotionnelle et de mieux contrôler la direction que prend votre vie.

Un nouveau stade de la maîtrise

Chez HeartMath, nous entrevoyons que la prochaine grande étape de l'évolution humaine nécessitera l'atteinte d'un degré plus élevé de gestion émotionnelle. C'est de cette application de l'intelligence du cœur que naîtra notre pouvoir de changement profond, sur le plan personnel et social.

Nous parvenons tous à gérer nos émotions à un certain degré. Cependant, nous pratiquons généralement une sorte de «gestion de beau temps». Lorsque le ciel est clair et que le soleil brille, nous pouvons sourire et nous sentir émotionnellement équilibrés. Mais, lorsqu'un orage apparaît — surtout s'il n'était pas prévu —, nos émotions se mettent à bouillonner. Nous sommes fondamentalement à la merci de notre environnement intérieur.

Lorsque la vie est conforme aux normes édictées par notre mental, nous n'avons qu'à tenir nos émotions légèrement en bride pour nous sentir tout de même assez bien. Mais s'il arrive une seule petite chose qui, selon nous, n'aurait *pas* dû se passer, c'est fini. Nous n'avons pas encore acquis les capacités nécessaires pour passer émotionnellement au niveau suivant. Nous en sommes toujours à l'adolescence sur ce plan.

Si vous donniez les clés de votre voiture à une bande d'impatients gamins de dix ans, ils seraient heureux de la conduire, mais ils ne sauraient pas comment. Ils risqueraient fort d'avoir un accident. Beaucoup d'entre nous en sont à ce stade quant à la gestion des émotions. Comme nous ne savons pas comment procéder, nous en subissons sans cesse les conséquences, des années durant.

La plupart font de leur mieux, mais la gestion émotionnelle doit être soigneusement cultivée et il n'existe malheureusement pas beaucoup de manuels d'instructions. Alors, on apprend à tâtons, à l'école des coups durs. La plupart des gens maîtrisent suffisamment leurs émotions pour survivre et se conformer aux normes sociales, mais ils ne peuvent consciemment les orchestrer au point de «conduire» efficacement.

Examinons un exemple simple de situation où des émotions non gérées peuvent nous envoyer au fossé. Un samedi matin, en vous éveillant, vous décidez de faire une douce balade en auto dans la campagne. C'est une décision impulsive et, puisque vous avez l'habitude de planifier les choses avec soin, vous êtes joyeux, si joyeux que vous oubliez de faire le plein. Au bout d'une dizaine de kilomètres, sur une route de montagne absolument magnifique, vous manquez d'essence.

«Comment cela peut-il vous *arriver*? grognez-vous. Les choses allaient si bien!»

Vous cherchez quelqu'un à blâmer et vous êtes le seul en vue. «Je ne peux pas croire que j'ai été aussi bête!» Alors que vous parcourez à pied les dix kilomètres qui vous séparent de la civilisation, le blâme fait place à l'apitoiement sur soi : «Chaque fois que j'essaie de faire quelque chose d'agréable et de spontané, il y a un problème!» Puis la peur et l'anxiété prennent la relève : «Je me rappelle avoir dépassé des édifices, à dix kilomètres d'ici, mais est-ce qu'il y avait une station d'essence?» Finalement, la panique et le désespoir s'installent : «Et si c'était une marche de *vingt* kilomètres? Et si quelqu'un vandalisait ma voiture en mon absence?»

Voici une meilleure supposition : et si, à n'importe quel moment le long du chemin, vous aviez été capable d'activer l'intelligence de votre cœur, ce qui vous aurait permis de mieux contrôler vos émotions et de réagir à la situation d'une manière plus équilibrée, plutôt que de basculer dans le blâme, l'apitoiement, la peur et la panique? Et si vous vous étiez rappelé de faire le FREEZE-FRAME dès que vous avec senti les émotions bouillonner en vous? Non seulement cela vous aurait épargné beaucoup d'énergie, mais vous auriez développé des capacités de gestion émotionnelle qui auraient pu vous servir cent fois par jour.

Au lieu d'être livré à la déception, à l'autocritique et à l'anxiété, vous auriez pu, avec un FREEZE-FRAME d'une minute, passer d'une réaction de stress à un état neutre; peut-être votre épreuve vous serait-elle apparue alors comme un incident agréable, relaxant et régénérateur. La marche en montagne jusqu'à la station-service par une si belle journée aurait pu être assez plaisante, dans d'autres circonstances. Sans le stress émotionnel qui imprégnait la perception de l'événement, vous auriez pu voir aisément le cadeau qui s'offrait à vous. Rappelez-vous que le stress est une question de *perception*.

La vie est remplie d'erreurs, d'accidents, de gens qui ne font pas ce que nous voulons et de choses que nous ne pouvons contrôler. Mais nous *pouvons* contrôler nos émotions. Si nous maîtrisons nos émotions d'une façon positive et saine, cela peut faire toute la différence.

L'intelligence émotionnelle implique la capacité de réguler nos humeurs, de contrôler nos impulsions, de retarder la gratification, de persister en dépit de la frustration, et de s'automotiver. Cela comprend l'empathie pour les autres et l'enthousiasme de l'espoir [16]. Lorsque nous sommes munis de ces forces, les détours de la vie ne nous abattent pas. Nous les suivons tranquillement.

Nous avons tendance à croire qu'un plus grand développement de notre rationalité nous aidera à mieux gérer nos émotions, mais c'est précisément la raison qui vous a plongé dans le désespoir émotionnel sur ce trajet de dix kilomètres à la recherche d'une station d'essence. La tête doit être dirigée par le cœur pour produire un raisonnement infailliblement sensé.

L'intelligence du cœur nous fait comprendre que nous n'avons pas à nous blâmer, ni à blâmer le temps ni quoi que ce soit d'autre, pour nos expériences émotionnelles; nous pouvons les ajuster et les régler nous-mêmes. La force cohérente du cœur nous fait voir quoi faire et nous procure calme et équilibre. Rappelez-vous que l'intelligence du cœur n'a rien de sentimental. Elle est d'une qualité parfaite; elle est équilibrée, efficace, et elle prend toutes les possibilités en considération. Avec une intelligence du cœur bien développée, on voit facilement que s'abstenir d'exprimer de la colère envers quelqu'un ne veut pas dire que nous acceptons ou approuvons son comportement; et que s'abstenir de nous juger — de nous sentir coupable ou de nous vautrer dans l'apitoiement sur soi — ne veut pas dire que nous ne voulons pas tirer parti de nos erreurs. Si nous écoutons le cœur et suivons ses directives, nous pouvons choisir de gérer nos émotions au début du processus réactionnel, au lieu de nous laisser aspirer dans une spirale descendante.

La pensée positive par opposition au *sentiment* positif

Jeune homme, j'aimais (Doc) lire les ouvrages de Norman Vincent Peale sur la puissance de la pensée positive. Même si je prenais plaisir à pratiquer les affirmations de Peale, je déprimais et mes émotions refusaient de suivre mes pensées positives. Je pouvais changer mes pensées, mais pas mon humeur.

En commençant ma recherche sur le cœur humain, j'ai réalisé que les gens sont davantage un produit de leurs sentiments que de leurs pensées. J'en ai conclu que l'adage biblique selon lequel «l'homme est ce qu'il pense dans son cœur» aurait un sens très différent s'il disait plutôt que : «l'homme est ce qu'il pense dans sa *tête*».

Imaginez un groupe de pratiquants de la pensée positive qui se rendent en voiture à la campagne pour y faire un pique-nique. Ils apprécient leur compagnie mutuelle et font une balade agréable, mais ils ne peuvent s'empêcher de remarquer les nuages qui se forment au-dessus d'eux.

Au moment où ils arrivent à l'emplacement choisi pour leur pique-nique, il se met à pleuvoir. «Alors, se disent-ils, voici une occasion de pratiquer notre pensée positive. Restons sereins. Nous ferons un pique-nique une autre fois.» C'est une belle pensée positive. Toutefois, leurs sentiments sont d'une tout autre couleur. Ces gens viennent de faire inutilement un long trajet sous la pluie et ils sont extrêmement déçus. Ces sentiments ne sont ni mauvais ni erronés. Ils reflètent simplement la nature humaine. Cependant, ils ne sont pas obligatoires. Il existe une autre possibilité.

En se donnant la peine d'entrer dans leur cœur et en utilisant un outil de HeartMath pour en activer les sentiments fondamentaux, ils pourraient changer leur état émotionnel et puiser dans la sagesse de leur cœur. L'activation des sentiments fondamentaux du cœur déclencherait une expérience émotionnelle beaucoup plus profonde : peut-être de la gratitude réciproque, le plaisir d'être ensemble, et la joie de moments inattendus. Lorsque l'on est entouré de semblables émotions, il est plus facile de voir que la déception et le regret ne valent pas la dépense d'énergie qu'ils causent. Au lieu d'essayer de se persuader à contrecœur de ne pas avoir telle ou telle pensée ou émotion, ils pourraient, en acquérant une perception plus globale de la situation, se libérer assez naturellement de la déception et du regret.

La force de changer ou de dominer nos sentiments vient de l'intérieur, de notre propre cœur, qui transmet son intelligence à nos émotions. Il ne s'agit pas de tenter d'atteindre l'intelligence émotionnelle par l'affirmation ou le raisonnement. Sans alignement du cœur, nous ne l'atteindrons jamais. L'intuition ou l'intelligence du cœur apporte la liberté et le pouvoir d'accomplir ce que le mental. même avec toutes les disciplines et les affirmations du monde, ne peut faire s'il n'est pas synchronisé avec le cœur.

Les schémas préréglés

Lorsque quelque chose nous désarçonne, nous pouvons *réagir* à partir de la tête ou *agir* à partir du cœur. Il n'est pas toujours facile d'arrêter la tête, mais l'activation du cœur nous permet de retarder la réaction et de passer plus facilement au neutre, sans nous laisser ronger par des émotions subtiles.

La vie est remplie d'occasions qui ne nous encouragent pas à être plus équilibrés émotionnellement. La société dans son ensemble est entraînée à mal gérer les émotions. Dans ce contexte, il peut être particulièrement difficile de manifester une originalité, d'agir d'une manière efficace plutôt que prévisible.

Nous appelons les schémas de réaction, individuels ou sociaux, des «préréglages». Si quelqu'un nous fait du tort, nous tombons évidemment dans les schémas habituels intégrés à notre psyché émotionnelle et renforcés par la programmation sociale. Si quelqu'un touche en nous un nerf sensible, tous ces circuits neuronaux bien rodés entrent en jeu, déclenchant aussitôt une réaction préréglée. C'est là que presque tout le monde reste coincé.

Les préréglages sont des réactions bien établies, telle que «Mon père me met *toujours* en colère quand il dit ça!» ou «Je n'oublierai *jamais* ce qu'a fait mon ex-femme!». Après des mois ou des années de pratique, ces schémas ont tellement de force et de stabilité qu'il nous faut autant d'énergie pour les vaincre que nous en avons investi au départ pour les établir — sinon plus. C'est pourquoi nous avons besoin d'accumuler la force du cœur pour les changer.

Les principaux préréglages épuisants

Deux grands préréglages peuvent rapidement compromettre nos efforts de gestion émotionnelle : la justification et le principe.

Ces deux schémas mentaux paraissent tellement bien. Nous nous sentons bien lorsque nous sommes « à juste titre » en colère, blessés, hostiles, déçus ou intolérants. Puis, après avoir été épuisés par ces émotions, nous blâmons la personne ou la situation qui nous a « à juste titre » fâchés parce qu'elle nous a mis mal à l'aise. Mais nous avons déjà vu, au chapitre 3, que notre corps ne fait pas de distinction entre les situations où nous avons raison et celles où nous avons tort. Même si nous pouvions prouver au monde entier que nous avons raison, notre corps ne ferait toujours pas la différence. Notre rythme cardiaque et nos systèmes nerveux, hormonal et immunitaire réagiraient de la même façon que si nous savions que nous avons tort. Justifiées ou non, les émotions qui provoquent le stress — celles qui sont parfois qualifiées de « négatives » — ne sont tout simplement pas saines. Elles épuisent notre compte émotionnel, nous donnent de la difficulté à retrouver notre équilibre émotif et inhibent nos capacités de raisonnement.

Parce que l'effet de cascade des émotions dans tout le corps ne dépend pas du fait que les émotions soient justifiées ou non, nous préférons appeler « émotions d'actif » les émotions qui ajoutent de la cohérence et de l'énergie à notre organisme, et « émotions de déficit » celles qui causent une incohérence et épuisent l'énergie — au lieu de les étiqueter comme « positives » ou « négatives », des termes qui impliquent le tort ou la raison, le bien ou le mal. La réalité biologique est plus neutre que cela. Du point de vue du corps, les émotions ne sont ni bonnes ni mauvaises, mais nous pouvons dire qu'elles sont soit efficaces, soit inefficaces pour notre santé et notre qualité de vie.

Le piège de la justification

Se complaire dans la justification est une erreur évidente et naturelle. En fait, la justification est la raison numéro un pour laquelle les gens ne réussissent pas à gérer leurs émotions.

La justification implique que nous n'avons besoin de gérer nos émotions que dans certaines circonstances, et non, par exemple, lorsqu'il est «compréhensible» que nous soyons devenus furieux ou frustrés. Si nous avons une bonne raison de nous sentir blessés, nous n'avons pas à gérer nos larmes de déception ou de blâme, et nous n'avons pas non plus à tenter de régler la question avec l'autre personne. Compréhensible ou non, la justification nous coûte tout simplement trop cher.

Lorsque nous suspendons notre gestion émotionnelle parce que nous avons des raisons qui «excusent» nos petits plaisirs, les répercussions ressemblent à de la pollution ou à de la fumée secondaire dans notre organisme. Elles créent des contre-courants dans nos sentiments, et nous devons ensuite consacrer du temps et une énergie précieuse à les éliminer.

Lorsque nous voyons en nous-même avec plus de perspicacité, nous décelons la progression : une réaction justifiée, une fuite émotionnelle, un contrecoup de pensées et d'émotions encore plus épuisantes, une surcharge, une autre fuite, puis le blâme.

Pour certaines personnes, cette progression émotionnelle commence avant même leur sortie de la douche, le matin. Une réaction justifiée à de simples *pensées* survenues sous la douche — quant à la somme de travail qu'il nous reste à faire, au déroulement de la journée et à ce que quelqu'un a fait hier et qui nous a indisposés —, et le contrecoup émotionnel commence. Puis nous passons les quelques heures suivantes à essayer de récupérer notre énergie perdue et de nous sentir mieux, en nous demandant quelle mouche nous a piqués.

Il est facile de se laisser prendre au piège de ce processus si nous ne comprenons pas comment fonctionnent les émotions de déficit. Lorsque nous le comprenons, toutefois, nous pouvons remarquer qu'une ou deux de ces progressions chaque jour nous laisse beaucoup moins d'énergie pour apprécier et profiter de ce qui nous tient à cœur dans la vie.

Pour le principe

Examinons maintenant le deuxième préréglage majeur qui compromet la gestion émotionnelle. Très souvent, nos réactions justifiées sont fondées sur l'adhésion de notre mental à des principes. Nous justifions notre réponse brutale à quelqu'un en affirmant que cette personne « n'aurait pas dû » nous parler ainsi. Nous justifions les détritus qui jonchent le plancher de la cuisine en nous disant, à nous ou à quiconque nous écoute : « Ce n'est pas que je ne peux pas sortir les ordures. C'est qu'*elle* devrait les sortir de temps à autre. C'est une simple question de principe. »

L'adhésion à des principes peut nous mener dans un bourbier d'émotions de déficit. Si nous nous enveloppons d'un manteau de vertu, nous nous séparons de notre cœur et nous nous privons d'un lien potentiel avec d'autres.

Il n'y a rien de mal à avoir des normes élevées. Les principes forment le caractère et l'intégrité, et fournissent une base utile pour guider nos décisions et notre comportement. Mais si notre sens du principe sert à sanctionner nos jugements, notre ressentiment ou notre indignation lorsque quelque chose n'est ni bien ni juste à nos yeux, alors le « principe » ne fonctionne pas en notre faveur, car il va nous épuiser rapidement.

Nous considérons parfois comme bonne ce que nous appelons une « colère juste » — celle que nous exprimons pour la défense d'un principe —, mais elle crée autant d'incohérence que toute autre forme de colère. À moins d'être rapprochée du cœur et transformée en cohérence, elle bloque les solutions efficaces.

Nous croyons parfois ne pas pouvoir agir, que ce soit dans un affrontement ou pour faire exécuter une tâche importante, sans être propulsé par la colère. Tandis que la colère peut nous procurer une brève poussée d'énergie, nous ne pouvons voir la meilleure façon d'agir tant que nous ne gérons pas cette colère. L'information n'est tout simplement pas à notre disposition. Les émotions ont court-circuité la voie du cerveau qui nous aide à discerner l'action la plus appropriée.

Nous connaissons tous des gens qui disent : «C'est pour le principe», pour justifier les émotions toxiques qu'ils entretiennent depuis des années. S'accrochant à leur colère ou à leur blessure, ils laissent fuir leurs réserves d'énergie, et finissent souvent amers et déprimés.

Nous connaissions un homme de 80 ans, l'aîné de onze frères et sœurs, qui est mort seul et amer parce qu'il refusait de s'excuser auprès de son seul frère encore vivant. Quarante ans plus tôt, il avait cessé de parler à ce frère parce que celui-ci ne lui avait pas demandé de prendre part à un investissement commercial qui incluait un autre frère. Le vieillard n'avait jamais rencontré les petits-enfants de ce frère qui l'avait offensé, et il avait évité les fêtes et les rassemblements familiaux où il était présent. C'était pour le *principe*. Combien de querelles de familles et d'années de malheur ont eu leur origine dans le principe?

Aux prises avec les préréglages épuisants

Toute rationalisation des émotions de déficit — qu'elles soient fondées sur la justification ou sur le principe — enferme notre énergie émotionnelle dans la souffrance, le blâme, la peur, la déception, la trahison, le regret, le remords ou la culpabilité. Ces attitudes ont tendance à durer longtemps, parce que nous recommençons sans cesse à les justifier. Ainsi, leur nocivité est cumulative.

Ce que nous n'anticipons peut-être pas, c'est que, comme elles épuisent lentement nos réserves d'énergie, elles nous laissent plus vulnérables à de *nouvelles* fuites d'énergie. Cependant, la rationalisation de nos émotions par la justification ou le principe commence par quelques simples pensées apparemment innocentes par lesquelles nous nous laissons énerver. Par exemple, nous nous surprenons très souvent à penser ou à affirmer des choses comme celles-ci :

«Je ne suis pas en colère; je suis seulement blessé.»

«Je ne suis pas fâché; je suis seulement déçu.»

«Ce n'est tout simplement pas juste.»

«Vous ne m'avez pas compris.»

«C'est pour le principe.»

«J'ai le droit d'être blessé [ou en colère, ou de me sentir trahi].»

«Si seulement j'avais...»

Bien que ce genre de dialogue intérieur semble normal, il peut mener à de graves conséquences si l'on n'y prend pas garde. En fait, une grande partie du stress émotionnel, chez tout le monde, est provoquée par ce type de dialogue intérieur.

Lorsque les gens et les situations ne satisfont pas nos attentes mentales, il est facile de rationaliser notre comportement émotionnel. Et l'affirmation «Je ne suis pas fâché; je suis seulement déçu» implique un certain degré de gestion émotionnelle. Mais même la déception signifie la résignation à la fuite émotionnelle. On a tout simplement échangé une émotion plus forte — être fâché — contre une moindre. Comme il vous coûte plus d'énergie d'être fâché que d'être déçu, vous prenez un peu d'avance à court terme, mais pas beaucoup à long terme.

C'est délicat, car le mental peut justifier plus longtemps la déception que la colère. Les émotions de déficit les plus fortes déséquilibrent nos systèmes mental, nerveux, hormonal et immunitaire, au point qu'il devient évident que nous devons faire quelque chose. Lorsqu'il est stressé par de fortes émotions de déficit, le corps compense, se débattant pour retrouver son état normal. La colère brûle beaucoup d'énergie physique, mentale et surtout émotionnelle. Finalement, nous nous retrouvons tout simplement sans l'énergie émotionnelle nécessaire pour la maintenir.

La déception, par contre, est moins intense. Bien qu'elle nous épuise physiologiquement, elle est plus subtile et son maintien exige moins d'énergie. Alors, nous la laissons durer, souvent jusqu'à ce que, épuisée, elle se change en tristesse. Puis la tristesse finit aussi par s'épuiser et se changer en dépression ou en désespoir. Parce que le sentiment initial est justifié, vous ne remarquez peut-être pas que la déception vous amène à ressentir plus de déceptions et d'émotions épuisantes.

La souffrance morale suit le même processus. L'expression même de « blessure morale » implique une fuite intérieure d'énergie émotionnelle. Comme la déception, la blessure morale peut également durer et progresser jusqu'à devenir blâme, colère, peine, culpabilité et d'autres attitudes épuisantes. Il est temps de colmater la fuite, de comprendre le processus des émotions et de réaliser que nous pouvons choisir comment y réagir.

Que ferons-nous donc? Des personnes innocentes se font blesser. Des gens se méprennent à notre sujet et nous déçoivent. Se libérer d'un sentiment de trahison justifié exige un acte courageux de sollicitude envers soi-même. Il faut une nouvelle conscience et la force du cœur pour se libérer, abandonner et passer à autre chose. Une compréhension du processus des pensées et des émotions, voilà ce qui nous procure la nouvelle intelligence et la motivation dont nous avons besoin.

Avant tout, si vous vous reconnaissez dans les affirmations de dialogue intérieur présentées plus haut, n'en soyez pas trop alarmé. Nous faisons tous parfois ces affirmations. Prenez seulement conscience du fait qu'elles représentent des attitudes courantes, productrices de stress, qui se cachent sous un voile de justification. Une fois le voile retiré, vous pouvez commencer à identifier des schémas qui déclenchent votre stress émotionnel et vous pouvez ensuite utiliser l'intelligence de votre cœur pour les changer.

Une histoire de laverie automatique

Il y a des années, j'étais assis (Doc) dans une laverie automatique, en Caroline du Nord, attendant que mes vêtements finissent de sécher. Je vis alors deux femmes que je connaissais, Maude et Cassie, debout plus loin près des sécheuses, en train de s'éventer et de bavarder.

J'entendis Maude expliquer à son amie qu'elle avait prêté à Billy et à Margo, un couple qu'elle avait connu à l'église, 3000$ pour les aider à payer des frais médicaux imprévus.

«Ils ont dit qu'ils me rembourseraient en trois mois, a dit Maude en soupirant. Mais ça fait déjà cinq mois maintenant, Cassie, et ils ne m'ont rien donné. On dirait qu'ils m'évitent.»

Cassie parut mal à l'aise un moment, essayant de se faire une idée, puis elle dit : «Maude, j'ai entendu dire qu'ils avaient versé de l'argent à l'hôpital, mais j'ai aussi entendu dire qu'ils avaient utilisé le reste pour construire un nouveau patio derrière leur maison. Billy n'a pas beaucoup travaillé dernièrement. Ils n'ont tout simplement pas assez d'argent pour te rembourser maintenant.»

J'observais Maude, qui essayait de son mieux de gérer ses émotions. Elle s'efforça de ne pas réagir.

«Eh bien, je ne vais tout simplement pas m'énerver à cause de ça», dit-elle d'un ton ferme, se parlant surtout à elle-même. «Ils sauront où me trouver quand ils reviendront sur terre. Mieux vaut laisser faire et espérer pour le mieux.»

«C'est bon, lui dit Cassie. Tu n'y peux rien maintenant, de toute façon.»

Elles restèrent sans parler pendant quelques minutes, puis Maude laissa soudain échapper : «Je ne suis pas *furieuse* contre eux. Mais je ne comprends pas comment ils ont pu construire un nouveau patio avec cet argent-là. Ça me blesse. Dire que je leur faisais confiance. C'est… décevant.»

Maude savait qu'elle ne voulait pas se fâcher à cause de cette situation, mais son effort pour bloquer ses émotions ne semblait pas réussir. Elles débordaient de toute façon. Sa première réaction avait été la colère. Lorsque cela l'avait rendue mal à l'aise, elle avait essayé de l'écarter en disant qu'elle n'était pas en colère.

J'ai observé Cassie pour voir ce qu'elle allait dire ensuite, quel conseil elle pourrait donner, mais elle a gardé les yeux baissés et s'est mise à plier ses vêtements. Le bruit des laveuses et des sécheuses couvrait leur silence inconfortable.

Encore aux prises avec ses émotions, Maude tenta de se rendre responsable de la situation. «J'imagine que j'aurais dû le prévoir. Comment ai-je pu être aussi bête? Je n'ai personne d'autre à blâmer que moi.»

Essayant de gérer le fait qu'on ait profité d'elle, elle s'en est vivement prise à son amie : «Cassie, si tu étais au courant, pourquoi est-ce que tu ne m'en as pas parlé plus tôt? Pourquoi est-ce que tu ne m'as pas empêchée de leur donner de l'argent si tu savais qu'ils étaient comme ça?»

Cassie marmonna quelque chose d'inaudible alors qu'elles empilaient leurs vêtements et sortaient de la laverie automatique. La dernière chose que j'ai entendue, c'était Maude qui disait d'un ton sévère : «Eh bien, je ne vais pas tolérer ça. Ce n'est tout simplement pas juste, et j'ai toutes les raisons du monde d'être absolument furieuse.»

Regarder cette femme souffrir alors qu'elle se débattait pour maîtriser ses émotions m'a inspiré une profonde compassion. Elle était passée par une progression émotionnelle que j'avais si souvent observée : d'abord la blessure, puis la colère, puis la déception, puis la culpabilité ou le ressentiment, puis la trahison, et finalement la furie justifiée. Même si la colère lui était restée sur le cœur, on lui avait probablement enseigné dès l'enfance qu'il était mal de se fâcher. Et puis elle avait un tempérament doux — il était évident qu'elle n'aimait pas être en colère — et elle voyait probablement à quel point cela rendait son amie mal à l'aise. Alors, elle était acculée par des impératifs personnels et sociaux à réagir autrement. Elle fit donc un vaillant effort pour détourner la colère avant d'y succomber.

Si elle avait eu les outils nécessaires pour activer l'intelligence de son cœur, elle aurait pu s'éviter toute cette lutte intérieure. Il est tout à fait normal de s'alarmer quand nous apprenons que notre confiance a été trahie. La colère est une réaction naturelle à une telle nouvelle. Mais quand on sait que la colère nous empêche de penser clairement, intuitivement et objectivement, et que l'on connaît ses effets destructeurs sur le corps, nous n'avons pas à y céder ni à la réprimer. Nous pouvons agir différemment.

En prenant du recul par rapport à la nouvelle que lui avait annoncée Cassie et en utilisant l'intelligence de son cœur, Maude aurait pu réaliser tout d'abord que Cassie n'avait peut-être pas vérifié ses dires, et ensuite que même si elle rapportait fidèlement les faits, la trahison n'était probablement pas une insulte personnelle. Billy et Margo faisaient probablement preuve à nouveau d'irresponsabilité. Ils en profitaient sans doute, mais ils avaient encore l'intention de la rembourser. Si Maude avait demandé conseil à son cœur sur la façon de traiter cette trahison, elle aurait pu trouver quelques directives très fermes à présenter à Billy et à Margo.

Tout au moins, l'intelligence du cœur nous donne la force de retarder la réaction émotionnelle jusqu'à ce que nous connaissions tous les faits. La gestion des émotions ne veut pas dire que nous acceptons tout ce qui nous arrive. Au contraire, nous devons souvent nous défendre et passer aux actes. Mais l'intelligence du cœur nous aide à voir quoi faire d'une façon propre et claire, avec moins de souffrance.

Nous pouvons progresser dans notre libération émotionnelle si nous identifions chaque situation et reprenons l'énergie que nous y avons investie. Notre cœur peut nous indiquer une réaction plus saine à toutes ces émotions non gérées. Il est doté naturellement de la capacité de nous fournir la conscience nécessaire pour faire de nouveaux choix et passer à autre chose. L'intelligence intuitive et hyper-rapide du cœur peut nous aider à voir dans quelles situations nous compromettons notre intégrité émotionnelle et nous donner la force de faire quelque chose pour y remédier.

Évacuer la gravité de la situation

Si vous demandiez à cent adultes de passer une journée avec des enfants de quatre et cinq ans dans une garderie, ils commenceraient bientôt à utiliser l'intelligence du cœur sans même y penser.

Dans un grand groupe d'enfants de cet âge, il y en a toujours un qui se met à pleurer à un moment donné, soit parce que son jouet s'est brisé, soit parce que les autres l'ont laissé seul. Dans un cas comme dans l'autre, l'enfant est au désespoir. La plupart des adultes tenteraient de le calmer en l'aidant à relativiser la situation. Le jouet peut se réparer, diraient-ils, ou les autres enfants seront bientôt de retour. Les adultes ont ce réflexe d'aider les enfants à évacuer la gravité des problèmes.

Il en est de même avec les adolescents. Supposons que vous rendiez visite à une famille dont les deux adolescents sont fâchés parce que leurs parents ne veulent pas les laisser aller à un concert. L'un est en colère et il le montre, tandis que l'autre pleure.

Espérant que vous pourrez persuader leurs parents de les laisser aller au concert, ils se tournent vers vous pour avoir votre appui. Vous essayez d'abord, pour les calmer, de les aider à évacuer la gravité de la situation. Vous leur suggérez différentes façons de voir celle-ci ainsi que diverses approches à adopter avec leurs parents. En revenant chez vous, vous vous direz peut-être que quelqu'un doit apprendre à ces enfants à gérer leurs émotions. Votre bon sens vous dit que, lorsqu'on accorde trop de gravité à n'importe quelle situation, il se produit un énorme gaspillage émotionnel.

Évacuer la gravité des questions et des événements est une seconde nature pour des adultes qui ont affaire à des enfants. Cependant, nous ne sommes pas portés à nous offrir cette aide à nous-mêmes. Nous faisons plutôt comme la plupart des enfants : nous discutons, blâmons et faisons la moue. Mais s'il est possible pour des enfants d'évacuer la gravité d'une situation, ce l'est également pour nous. Lorsque nous utilisons cet outil sur nous-mêmes, les résultats sont remarquables.

Les émotions doivent être maîtrisées sur-le-champ, sinon c'est l'escalade. C'est la gravité *supplémentaire* et l'investissement émotionnel *continu* que nous mettons dans une situation qui nous donnent l'impression que nous allons éclater. Nos réactions ne diffèrent pas d'une crise enfantine. Parfois, nous savons intuitivement que nous devons lâcher une émotion de déficit, mais nous ne pouvons le faire, à cause de ce que l'on pourrait appeler une «moue mentale». En jugeant l'autre, c'est à nous-même que nous faisons du tort; nous savons que nous épuisons notre organisme, mais nous ne voulons tout simplement pas évacuer la gravité. Nous développons un attachement à l'émotion et nous cédons à une moue mentale.

Le problème, c'est que, lorsque nous ignorons une émotion de déficit et refusons d'évacuer la gravité du problème même après en avoir pris conscience, l'épuisement émotionnel s'accumule, sapant notre progrès dans d'autres domaines. Et bientôt nous avons un sentiment de culpabilité et d'échec. *Rien* ne fonctionne. Il nous semble difficile d'effectuer tout progrès; nous avons l'impression de reculer d'un pas chaque fois que nous en faisons deux. Bientôt, nous nous apitoyons sur notre sort.

En réalité, c'est seulement cette petite difficulté initiale qui a mal tourné et a déclenché la fuite, mais maintenant on dirait que *tout* va mal. Si nous revenons en arrière pour isoler l'élément qui a précipité les choses et en évacuer la gravité, nous refaisons le plein d'énergie et nous nous libérons suffisamment pour remarquer et apprécier les autres aspects sous lesquels nous avons progressé.

Bien des gens cèdent aux fuites émotionnelles en offrant l'excuse qu'«ils n'y peuvent tout simplement rien». Il est temps maintenant de se rendre compte que nous *y pouvons quelque chose* et de savoir quoi. La gestion émotionnelle implique de savoir quand mettre fin à la perte émotionnelle et entreprendre l'action nécessaire pour réparer notre organisme en activant l'intelligence de notre cœur afin qu'elle nous amène à agir différemment. Pour évacuer la gravité, nous devons faire appel à notre propre soi supérieur : la sagesse qui vient du cœur.

Approcher avec le cœur

Les outils de la solution HeartMath vous aideront à rediriger vos sentiments au moyen du cœur afin que cessent les fuites d'énergie qui épuisent votre organisme. Chaque fois que vous utilisez un outil, vous augmentez la capacité de votre cœur de retrouver un flux intuitif. Les émotions liquéfiées deviennent flux, et le mental aligné sur le cœur devient intuition.

À mesure que vous développerez le lien avec votre cœur, cet organe d'intelligence vous assurera qu'un comportement émotionnel raffiné est à votre portée. Vous apprendrez à soulager des émotions inconfortables au moyen du cœur et à augmenter la cohérence de façon à ce que l'intuition de celui-ci devienne plus forte et plus claire. Bientôt, vous identifierez et reconnaîtrez les émotions, et évacuerez naturellement la gravité des problèmes.

La gestion et l'équilibration des émotions doit se faire par étapes. Si vous avez tendance à vous mettre en colère, reconnaissez cette colère, puis équilibrez-la en retournant en douce vers le cœur et en utilisant le FREEZE-FRAME. Cela crée une ouverture permettant à l'intuition de surgir du cœur et de faire tout ce que le mental ne peut pas, que ce soit à cause de la discipline ou de la répression. L'intuition est libératrice car elle vous présente une perception différente et de nouvelles réactions à la colère.

Il est compréhensible que vous ressentiez un peu d'appréhension à certains moments. Nous hésitons tous à jeter un regard spontané sur nos propres émotions, craignant d'apercevoir quelque chose de difficile à accepter ou à contrôler. Nos émotions sont dans une boîte de Pandore dont nous tenons à garder le couvercle fermé.

En des moments pareils, il faut du courage pour affronter nos émotions, mais l'effort en vaut la peine. Heureusement, le courage est associé au cœur. Grâce à des outils qui font appel à la force de ce dernier, nous avons la chance de bénéficier d'un courage intérieur que nous ne soupçonnions peut-être même pas.

Voici quelques suggestions qui pourront vous aider à améliorer votre gestion émotionnelle :

- Commencez à utiliser les outils HeartMath pour les petites fuites, et tournez-vous vers le cœur pour les résoudre à mesure qu'elles surviennent.
- Utilisez le FREEZE-FRAME de façon constante et demandez à votre cœur de vous aider à voir à quel moment vous tombez dans la «gestion de beau temps» ou réagissez à partir d'une justification ou d'un principe.

- Faites appel à la force de transformation du cœur pour évacuer la gravité des problèmes et des situations, de façon à ne pas laisser s'accumuler les déficits émotionnels.
- Si vous essuyez un revers, ne soyez pas dur envers vous-même. Évacuez-en la gravité, retournez tout droit au cœur et recommencez. Donnez à l'intelligence de votre cœur une chance d'offrir ses perspectives et ses solutions. C'est vous traiter avec équilibre émotionnel et maturité.
- Essayez de ne pas considérer la gestion émotionnelle comme une obligation, une chose de plus à faire. Il est stimulant de savoir que vous pouvez rapidement vous épanouir davantage en appliquant l'intelligence du cœur à vos émotions.

Lorsque les émotions sont gérées par le cœur, elles accroissent votre conscience du monde qui vous entoure et ajoutent de l'éclat à votre vie. Il en résulte une nouvelle intelligence et une nouvelle vision de l'existence. Soyez sincère dans vos efforts et appréciez vos progrès, sans vous attendre à être libéré d'un seul coup de toutes vos émotions désagréables. À chaque succès, vous accumulez plus de force et d'enthousiasme. Lorsque vos problèmes émotionnels de longue date auront perdu de leur intensité et de leur importance, certaines situations ne vous dérangeront plus autant.

Après seulement quelques efforts pour ouvrir l'intelligence de votre cœur, vous commencerez à ressentir une excitante et nouvelle liberté. Vos expériences émotionnelles deviendront beaucoup plus agréables. Tous les gens qui s'efforcent de suivre leur cœur le confirment. Quand ils échangent leurs impressions, ils découvrent des résultats tout aussi excitants. À mesure que vous avancerez, le progrès même deviendra une motivation puissante à continuer de découvrir les mystères de l'émotion.

POINTS CLÉS À RETENIR

- L'émotion devra indéniablement constituer la prochaine conquête de la compréhension humaine. Et, avant même que cette conquête soit réalisée, il nous faut développer notre potentiel émotionnel et accélérer considérablement notre poursuite d'un nouvel état d'être.

- L'énergie émotionnelle est d'une vitesse supérieure à celle de la pensée. C'est que le monde du sentiment fonctionne à une vitesse supérieure à celle du mental.

- Les émotions en soi ne sont pas vraiment intelligentes. Mais tout ce qui a un flux — comme l'émotion et la pensée — est généralement organisé par une intelligence.

- Les gens abordent la vie à partir de réactions émotionnelles familières, emmagasinées dans l'amygdale du cerveau, et réagissent par un comportement familier afin de se sentir en sécurité.

- Prendre conscience qu'on ne peut plus jeter sur son passé le blâme de ses actions présentes constitue une étape cruciale sur la voie de la gestion et de la responsabilité émotionnelles.

- Deux grands préréglages mentaux qui peuvent rapidement compromettre nos efforts de gestion émotionnelle : la justification et le principe. Ces deux préréglages enferment votre énergie émotionnelle dans la blessure, le blâme, la peur, la déception, la trahison, le regret, le remords ou la culpabilité, qui créent une fuite émotionnelle et des déficits cumulatifs dans votre organisme.

- L'un des secrets de la gestion émotionnelle est d'apprendre à faire cesser rapidement une émotion épuisante, ou de déficit, et à générer un changement d'attitude à partir d'une profonde maturité du cœur.

- Pour regagner l'énergie investie dans une émotion de déficit, nous devons évacuer la gravité que nous avions assignée à la situation (ou que notre amygdale cérébelleuse lui a assignée). Pour ce faire, nous devons d'abord accomplir l'effort de prendre du recul; ensuite, le cœur peut s'ouvrir.

- Les outils de la solution HeartMath vous aideront à rediriger vos sentiments au moyen du cœur afin que cessent les fuites d'énergie qui épuisent votre organisme. Chaque fois que vous utilisez un outil, vous augmentez la capacité de votre cœur de retrouver un flux intuitif. Les émotions liquéfiées deviennent flux, et le mental aligné sur le cœur devient intuition.

- À mesure que des émotions fondées sur le cœur commenceront à remplacer les vieux schémas, vous vous sentirez beaucoup mieux. Le progrès même deviendra une motivation puissante à continuer de découvrir les mystères de l'émotion.

CHAPITRE 8

La sollicitude par comparaison au souci

Un jour, en quatrième année, je (Howard) m'amusais, à l'arrière de la salle de classe, à rouler des boulettes de papier pour en faire des projectiles. Comme bien des enfants avant moi, je m'imaginais que l'institutrice ne le remarquerait pas, mais bientôt elle en eut assez. Elle m'emmena vers le vieux mur de stuc, au fond de la classe. (Je crois que ce mur était blanc à l'origine, mais, au moment où mon groupe est arrivé, il portait trois nuances de brun.) Elle me tendit un petit seau d'eau et un torchon et m'ordonna de nettoyer le mur incrusté de saleté.

Étant un jeune garçon énergique cherchant à canaliser son énergie, je me suis attaqué au problème avec mes deux mains. Une heure plus tard, je travaillais *encore* avec diligence, concentrant toute mon attention sur l'extraction de la saleté des crevasses de ce stuc rugueux.

« Tu sais, me dit alors l'institutrice d'un ton détaché, si tu consacres autant d'efforts à chaque obstacle que tu rencontreras dans ta vie, la réussite t'appartient. »

Elle n'essayait pas de dorer la pilule ni de me remonter le moral avec un excès de louanges; elle énonçait simplement et sincèrement ce qu'elle considérait comme une vérité. C'était un acte de sollicitude authentique et je m'en suis souvenu toute ma vie.

Nous avons tous vécu de telles expériences où une remarque venue du cœur nous a marqués profondément. Parfois, ces remarques sont faites par des gens que nous respectons et aimons, mais pas toujours. Il peut arriver qu'un inconnu prévenant dise en passant une chose à laquelle nous penserons pendant des années. Ce ne sont pas les paroles ni la personne qui les prononce qui rendent de telles expériences mémorables; nous nous les rappelons à cause de la sollicitude, la bienveillance.

Nous sommes tous habitués à ressentir une sollicitude plus intense pour nos proches. C'est l'un des aspects les plus enrichissants de nos relations importantes. Mais l'idée d'éprouver envers tout le monde ce généreux sentiment est autre chose. La sollicitude généralisée, ça peut faire peur.

Dans ce monde dur et cruel, nous devons rester sur nos gardes, n'est-ce pas? Nous ne pouvons répandre notre sollicitude à tout vent. Les bulletins de nouvelles du soir à la télévision suffisent à apeurer et à rendre méfiant n'importe qui. Bientôt, la paranoïa apparaît dans des slogans comme «Soyez toujours sur vos gardes!» et «Descendez-les avant qu'ils ne vous descendent!»

Il y a des années, on disait des habitants de la ville de New York que, même si le crime le plus abominable était commis sous leurs yeux, ils n'interviendraient pas. Bien des Américains croient que les New-Yorkais, habitant dans un contexte agressif et affligé d'un taux de criminalité élevé, étaient devenus blasés et cherchaient à se protéger; ils étaient perçus comme des gens qui croyaient que la sollicitude ne leur attirerait que des ennuis et qui ne voulaient plus «s'impliquer».

Même si les statistiques ont prouvé, depuis, que les New-Yorkais ne sont pas aussi réticents à tendre la main que les médias semblaient le dire, la disparition des petites communautés amicales nous a tous changés. Souvent, nous ne nous donnons même pas la peine de faire connaissance avec nos voisins, ni même de tenter de savoir qui ils sont. Au lieu d'agir avec notre sollicitude naturelle, nous restons sur nos gardes, nous disant qu'autrement les gens vont profiter de nous. Nous nous inquiétons de «perdre» notre énergie avec quelqu'un qui ne nous prêtera aucune attention en retour. Nous croyons que nous ne pouvons pas nous *permettre* de manifester de la sollicitude. Mais, en fait, c'est le contraire qui est vrai : nous ne pouvons pas nous permettre de *ne pas* en manifester.

La sollicitude est extrêmement motivante. C'est l'un des plus importants sentiments fondamentaux du cœur. Elle nous inspire et nous rassure doucement. Nous procurant un sentiment de sécurité et de soutien, elle renforce notre lien avec les autres. Non seulement est-elle excellente pour la santé, mais elle fait du *bien*, que nous la donnions ou la recevions. La sollicitude que nous accordons à quelqu'un a sur nous un effet régénérateur. L'expérience nous va droit au cœur. De plus, nous pouvons la transmettre à quelqu'un d'autre.

Lorsque nous témoignons de la sollicitude à quelqu'un, nous exprimons souvent notre sentiment par le toucher. Nous faisons tout naturellement une accolade à nos amis ou leur donnons une petite tape dans le dos. Au cours de la conversation, nous leur toucherons peut-être le bras pour insister sur un point ou partager une blague. Lorsqu'on nous présente à un inconnu, nous lui serrons la main, créant un contact qui établit un lien.

Les chercheurs de l'institut ont découvert que le lien établi par le toucher est plus profond que nous ne le croyions. Lorsque nous touchons quelqu'un, l'énergie électrique de notre cœur se transmet au cerveau de cette personne, et vice-versa. Si nous branchions deux personnes sur des moniteurs pendant qu'ils sont en contact physique, nous pourrions voir le schéma du signal électrique cardiaque de l'une (tel que rendu graphiquement sur un ECG) apparaître dans les ondes cérébrales de l'autre (tel que rendu sur un EEG) [1, 2].

Pour voir ce que nous voulons dire, regardez la figure 8.1. Voyez-vous le signal du cœur de la Personne B clairement reflété dans les ondes cérébrales de la Personne A lorsque les deux sujets de recherche se tiennent les mains? Même lorsque deux sujets se tiennent tout simplement proche l'un de l'autre, sans vraiment se toucher, nous pouvons détecter un effet similaire [1, 2]. Ces résultats ont été confirmés par d'autres laboratoires [3].

Ces intrigants résultats démontrent que, lorsque nous touchons quelqu'un d'autre, il se produit un échange d'énergie électromagnétique, allant du cœur au cerveau. Que nous en soyons conscient ou non, notre cœur affecte donc non seulement notre propre expérience, mais aussi ceux qui nous entourent. À notre tour, nous sommes influencés par les signaux que les autres nous envoient. Nous entrons en résonance avec leur énergie, comme eux avec la nôtre. Nous n'avons pas conscience de ce processus, bien sûr, mais il est réel.

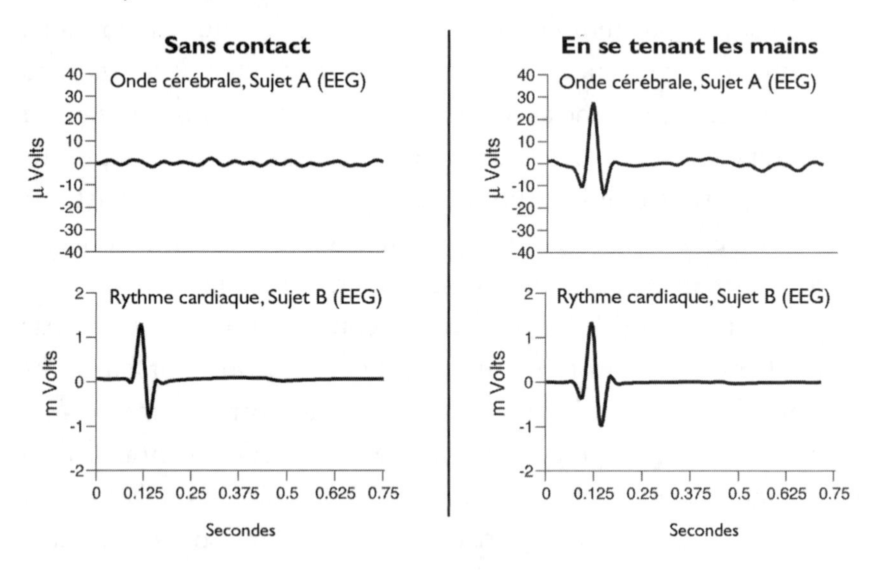

L'électricité du toucher

FIGURE 8.1. Des techniques établissant une moyenne ont été utilisées pour montrer que, lorsque deux personnes se touchent, il se produit un transfert de l'énergie électrique générée par le cœur d'une personne (tel que représenté par les tracés d'un ECG), qui peut être détecté dans les ondes cérébrales de l'autre personne (au moyen de l'EEG).

Au chapitre 3, nous avons vu que la structure de fréquence du champ électromagnétique du cœur change radicalement selon divers états émotionnels. La frustration produit un signal incohérent, tandis que la reconnaissance crée un signal harmonieux et cohérent. Les sentiments fondamentaux du cœur — la sollicitude, entre autres — génèrent la cohérence dans le champ du cœur, tandis que des sentiments stressants produisent de l'incohérence [4]. L'énergie qui en résulte est transmise à travers notre corps, et le fait qu'elle irradie également à l'extérieur du corps a d'immenses implications sociales.

Songez à ceci. Si les gens que nous touchons ou dont nous nous trouvons proches (dans un ascenseur, par exemple, un wagon de métro ou un grand magasin) reçoivent le signal électromagnétique de notre cœur dans leurs ondes cérébrales, nous nous trouvons en fait à *diffuser* continuellement nos états émotionnels (et à recevoir ceux des autres).

Bien sûr, nous communiquons aussi nos états émotionnels autrement. Nous apprenons à nous déchiffrer les uns les autres au moyen d'un ensemble complexe d'indices. Notre humeur est souvent apparente dans notre seul langage corporel. Mais, même sans langage corporel et indices additionnels, nous transmettons un signal subtil, que nous ne pouvons garder en nous. Nous exerçons tous un effet les uns sur les autres, sur le plan électromagnétique le plus fondamental.

Cela veut dire que le type qui est à côté de vous dans la file d'attente devant la caisse du supermarché est peut-être plus affecté par votre agacement au sujet de votre mère que ni vous ni lui ne pouvez le réaliser. Et pensez à tous les signaux qui circulent de part et d'autre dans les foules se bousculant lors d'un rassemblement ou d'un concert rock. Les implications sont énormes.

Nous ne faisons que commencer à comprendre les liens complexes existant entre les gens. Mais il est déjà clair que, si nous touchons quelqu'un en ressentant une émotion comme la sollicitude, nous transmettons potentiellement au corps de cette personne un signal qui favorise le bien-être et la santé [1].

Plusieurs médecins, infirmières et physiothérapeutes sont conscients du pouvoir du lien physique. Il existe des preuves scientifiques de plus en plus importantes des avantages d'un toucher bienveillant [5]. La thérapie par le toucher, ou le massage, est aussi importante pour les bébés et les enfants que de manger et de dormir, selon le docteur Tiffany Field, directrice du Touch Research Institute de l'école de médecine de l'université de Miami [6].

Des études cliniques ont démontré que le toucher déclenche des changements physiologiques. Le toucher s'est avéré efficace en aidant des enfants asthmatiques à améliorer leurs fonctions respiratoires, des enfants diabétiques à se plier au traitement, et des bébés insomniaques à s'endormir plus facilement [7]. Le toucher bienveillant est également utile au bien-être et à la santé des adultes [8, 9]. Dans certains cas, l'effet est décisif.

Dans un numéro récent de la revue scientifique *Subtle Energies*, les docteurs Judith Green et Robert Shellenberger nous parlent d'une femme âgée qui était en train de mourir d'une défaillance cardiaque. Lorsque son médecin s'est aperçu qu'il ne pouvait plus rien faire pour elle, il a appelé la famille, pour qu'on lui rende une dernière visite. Fait intéressant, dès que les membres de sa famille l'eurent touchée, son battement cardiaque a repris son rythme normal. Une demi-heure plus tard, elle était alerte et assise dans son lit [10].

Même si tout le monde ne guérit pas grâce à un toucher bienveillant, le cœur et le cerveau reçoivent tout de même le signal. Il peut y avoir d'autres explications au rétablissement de cette femme âgée, et d'autres facteurs concomitants, mais nos études sur l'électricité du toucher nous ont convaincus que la sollicitude et la bienveillance de sa famille ont *peut-être* produit un effet physiologique discernable, et assez puissant pour encourager son cœur.

Le pouvoir régénérateur de la sollicitude

Sans sollicitude, la vie perd de son éclat. Lorsque quelqu'un «s'en fiche», nous constatons un manque de vitalité sur son visage et dans sa démarche. Nous le percevons même dans sa voix. Sans l'énergie régénératrice de la sollicitude circulant dans leur organisme, leur corps n'a aucun motif pour se maintenir — littéralement, aucune raison de vivre.

Par ailleurs, la sollicitude produit des effets tout aussi visibles sur le corps : un dynamisme dans la démarche, un éclat dans l'œil et une joie inhabituelle dans les moments fugaces de la vie. La santé et la vitalité proviennent d'émotions du cœur, telles que la sollicitude. Et même si les preuves n'étaient pas si apparentes, nous pourrions mesurer en laboratoire un grand nombre des effets physiologiques de la sollicitude.

Il a été démontré que même la sollicitude envers un animal améliore le moral et la santé chez les personnes âgées ou en maison de repos. La recherche a démontré que la sollicitude envers les animaux de compagnie a de nombreux effets bénéfiques sur la santé, que ce soit en facilitant l'interaction sociale ou en améliorant les réactions cardiovasculaires [11, 12].

Des chercheurs des universités de Pennsylvanie et du Maryland ont découvert que, un an après une hospitalisation pour des problèmes cardiaques, le taux de mortalité des patients ayant des animaux de compagnie était environ le tiers de celui des patients sans animaux [13]. Grâce aux animaux de compagnie, la sollicitude devient un élément actif de la vie de millions de gens.

Les animaux permettent aussi aux jeunes d'apprendre la sollicitude. Des études démontrent que les enfants ayant des animaux de compagnie ont un degré d'empathie plus élevé [14]. Cependant, il est important de souligner que l'augmentation de l'empathie est causée non seulement par l'animal, mais par la sollicitude sincère que suscite celui-ci. Les animaux de compagnie sont également une source potentielle de souci et de stress. C'est la façon dont on réagit à un animal qui détermine s'il exerce un effet régénérateur ou non.

La sollicitude par procuration et la sollicitude autogénérée

Au cours des années 1980, David McClelland, un psychologue de Harvard, a montré à un groupe de sujets une vidéo sur Mère Teresa. Alors qu'elle circulait parmi les pauvres et les miséreux, elle était l'incarnation parfaite de la sollicitude et de la compassion.

Pour voir si cette expérience vécue par procuration aurait un impact sur ses sujets, le docteur McClelland examina leur système immunitaire. Nous avons dans notre salive et dans tout notre corps un anticorps appelé l'IgA sécrétoire. Première ligne de défense contre les pathogènes envahisseurs, c'est une mesure importante de la santé de notre système immunitaire. Après que le groupe eut regardé l'émouvante vidéo, les résultats des tests ont démontré une élévation immédiate des niveaux d'IgA sécrétoire. Autrement dit, les sentiments de sollicitude et de compassion suscités en eux avaient eu un effet mesurable sur leur système immunitaire [15].

Afin de savoir si la «sollicitude autogénérée» avait le même effet que la sollicitude par procuration, Rollin McCraty et son équipe de l'Institute of HeartMath commencèrent par reproduire l'étude McClelland. Ils obtinrent des résultats très similaires. Immédiatement après avoir regardé la vidéo, des sujets d'expérience connurent une augmentation de 17% de leur niveau d'IgA.

Rollin et son équipe élevèrent ensuite leur recherche de plusieurs crans. Ils voulaient savoir si une sollicitude sans stimulus extérieur aurait un effet plus grand ou moindre. Et les autres émotions? Quel serait, par exemple, l'effet d'une crise de colère, par comparaison avec celui d'une manifestation de sollicitude? De plus, ils étaient intéressés à découvrir les effets à long terme des augmentations autogénérées d'IgA.

On enseigna à des sujets la technique du FREEZE-FRAME, puis on leur demanda de susciter pendant cinq minutes en eux un sentiment de sollicitude ou de compassion. Plusieurs jours plus tard, on demanda à ces mêmes sujets d'éprouver pendant cinq minutes une colère autogénérée en se rappelant une situation de leur vie qui les avait mis en colère et en revivant le sentiment le mieux possible. Dans les deux cas, des échantillons d'IgA furent prélevés immédiatement après, puis une fois l'heure pendant environ six heures. La figure 8.2 illustre les résultats.

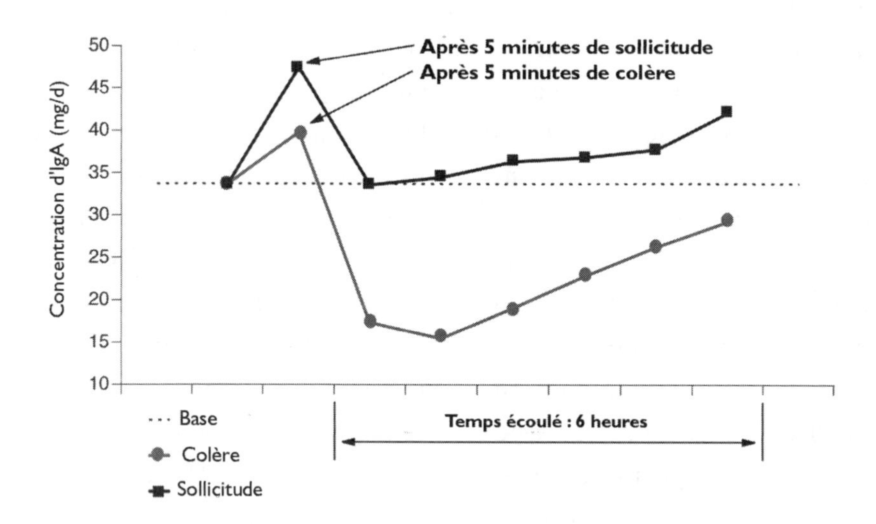

L'effet de la colère et de la sollicitude sur le système immunitaire

FIGURE 8.2. Ce graphe compare l'effet d'un rappel de colère de cinq minutes à celui d'une expérience de sollicitude de même durée sur l'anticorps immunitaire IgA sécrétoire, sur une période de six heures. Lorsque les sujets se rappelaient une colère pendant cinq minutes, une légère augmentation initiale d'IgA était suivie d'une chute spectaculaire, qui persistait au cours des six heures suivantes (tracé du bas). En cinq minutes, il se produisait une augmentation importante d'IgA, qui revenait à la base une heure plus tard, puis augmentait lentement pendant tout le reste de la journée (tracé du haut).

Après cinq minutes de sollicitude et de compassion, les sujets connurent immédiatement une augmentation moyenne de 41 % de leur niveau d'IgA. Après une heure, celui-ci revint à la normale, mais il *augmenta* ensuite lentement pendant les six heures suivantes. Rollin remarqua que la sollicitude autogénérée peut véritablement engendrer une plus grande augmentation du niveau d'IgA que la sollicitude vécue par procuration lors du visionnement de la vidéo de Mère Teresa. Chez certains individus, l'IgA augmenta de 240 % immédiatement après qu'ils eurent pratiqué la technique du FREEZE-FRAME.

Il y eut également une augmentation immédiate (de 18 %) des niveaux d'IgA lorsque les sujets éprouvaient de la colère. Toutefois, une heure plus tard, leur niveau d'IgA n'était plus que la moitié de celui d'avant la colère. Même après six heures, il n'était pas encore revenu à la normale [16].

Il suffit de se rappeler une colère durant cinq minutes pour que l'efficacité de notre système immunitaire soit affaiblie pendant plus de *six heures*. Il est clair que notre organisme met beaucoup de temps à retrouver son équilibre une fois que la colère est déclenchée. Et pourtant combien de fois par jour affrontons-nous des situations susceptibles de soulever la colère? Si le seul *souvenir* d'une colère a un impact aussi énorme sur nos mécanismes de défense, imaginez l'effet produit par une crise de colère véritable!

En prolongeant l'étude de McClelland, Rollin découvrit que, tandis que la colère affaiblit le système immunitaire, la sollicitude autogénérée le renforce d'une façon importante.

Il est bon de savoir qu'une focalisation intentionnelle sur la sollicitude a un plus grand effet que celle que nous ressentons en regardant un film fascinant. Mais si nous ne nous focalisons jamais sur la sollicitude, nous ne pouvons produire cet effet consciemment. Combien de fois, au cours d'une journée, faisons-nous un effort afin de ressentir de la sollicitude? Une fois, deux fois, peut-être trois? Et, par contraste, combien de fois sommes-nous inquiets ou anxieux? Plus d'une ou deux fois? L'inquiétude et l'anxiété sont les moutons noirs de la famille de la sollicitude. Elles sont de la sollicitude qui s'égare, ce que les chercheurs de l'institut appellent l*e souci*.

Le souci

L*e dictionnaire* donne de la sollicitude la définition suivante : «Attention soutenue, prendre soin de façon affectueuse et intéressée.» Et il définit ainsi le souci : «État de l'esprit qui est absorbé par un objet et que cette préoccupation inquiète ou trouble jusqu'à la souffrance morale.» En étudiant ces deux définitions, on voit très bien que la sollicitude et le souci sont apparentés et que la première peut facilement mener au deuxième si elle devient exagérée. Lorsque la sollicitude du cœur est soumise à des inquiétudes harassantes, à de l'anxiété, à de l'appréhension et à toutes sortes de suppositions provenant de la tête, elle peut se dégrader et, d'une expérience utile, devenir une expérience nuisible.

Le souci, qui est l'un des plus grands facteurs de déficit énergétique, se trouve à l'origine d'un grand nombre d'autres états émotionnels désagréables. Le souci prend plusieurs formes, dont certaines sont évidentes, et d'autres, plus subtiles. L'identification excessive, l'attachement, l'inquiétude et l'anxiété ne sont que quelques-unes de ces formes. Et tandis que le souci sous ses diverses formes se présente souvent dans nos relations avec notre conjoint, nos enfants et nos amis, il peut également affecter nos relations avec les objets et les concepts. Il peut, par exemple, prendre la forme d'une identification excessive ou d'un attachement aux problèmes, aux attitudes, aux endroits, aux lieux et aux idées. Il peut se porter sur l'environnement, la politique, la performance au travail, nos biens matériels, nos animaux de compagnie, notre santé, notre avenir ou notre passé.

Parce qu'il naît de la sollicitude ou la bienveillance, le souci peut être difficile à discerner. Ce qui le distingue de la sollicitude, c'est le sentiment lourd et stressant qui l'accompagne, tandis que la sollicitude véritable est accompagnée d'un sentiment régénérateur. Il est extrêmement important de manifester de la sollicitude, mais si nous franchissons la frontière du souci, nous tombons sous l'emprise de l'inquiétude et du stress. Nous pouvons alors nous poser une question dont la réponse nous éclairera : notre sollicitude est-elle régénératrice à la fois pour nous et pour la personne qui en est l'objet? Si notre «attention soutenue» ne semble pas ajouter à notre compte énergétique en même temps qu'elle affecte les autres d'une façon inspirante, il y a de fortes chances que nous nous fassions du souci.

Le souci siphonne la force de la sollicitude que nous voulions manifester et en réduit l'efficacité. L'inquiétude et la colère n'aident rien ni personne, même si nous nous inquiétons «parce que nous nous faisons du souci». Les problèmes se résolvent lorsque nous atteignons la clarté et la cohérence, et non lorsque nous nous inquiétons. En fait, le souci peut vraiment empirer les choses : le fait d'écraser un proche de souci et d'inquiétude peut susciter la répulsion plutôt que l'attirance. Personne n'aime que l'on s'accable et que l'on s'inquiète de lui pendant trop longtemps.

Le souci est l'une des principaux facteurs de burn-out chez les gens qui exercent des fonctions axées sur le service. Mais même les banquiers, les ménagères et les jardiniers savent à quoi ressemble le burn-out; il nous est tous arrivé de nous sentir usés, vidés. Dans certaines institutions — les hôpitaux, les sanatoriums, les maisons de retraite et de convalescence, par exemple —, le souci a largement remplacé la sollicitude véritable. Pourquoi? Parce que les intentions originelles de ceux qui travaillent dans de telles institutions — des intentions nées du cœur — sont souvent drainées par un mental non géré, et amalgamées à l'énergie incohérente de la disharmonie émotionnelle.

Il est essentiel que ceux qui travaillent auprès des autres dans des situations difficiles émotionnellement demeurent équilibrés afin de maintenir leur efficacité. Si une infirmière, par exemple, tombe dans le piège de l'excès d'identification à chacun de ses patients, continuant à s'inquiéter de leur santé quand elle rentre chez elle et prenant trop de responsabilités quant à leur bien-être, le souci en devenant une sur-protection sapera son énergie.

Elle aura bientôt l'impression qu'elle doit se distancier de ses patients, afin de se protéger de l'épuisement émotionnel. Cependant, si elle le fait, cette distance la sépare de son cœur. Et, sans cœur, elle ne peut pleinement apprécier son travail. Elle oublie pourquoi elle est devenue une infirmière au départ. Car si elle ne peut plus se permettre de prodiguer des soins avec sollicitude, elle n'a pas l'impression d'être une soignante.

Ce qu'elle ne réalise pas, c'est qu'il y a une autre possibilité : rester dans son cœur et continuer de se préoccuper de ses patients sans les sur-protéger. Mère Teresa n'aurait pu travailler pendant toutes ces années avec les personnes les plus malades et les plus pauvres du monde sans avoir un cœur immense qui comprenait la différence entre la véritable sollicitude et le souci.

Jerry Kaiser, directeur de la division des programmes de santé chez HeartMath LLC, travaillait auparavant auprès d'une organisation qui fournissait des secours en cas de désastre aux victimes d'ouragans, de tremblements de terre, d'incendies et d'autres événements catastrophiques. «Lorsque les équipes de secours arrivaient, nous reconnaissions toujours les novices. Ils se faisaient immédiatement du souci : "Oh non! Regardez ces pauvres gens!"

«Nous qui avions de l'expérience, nous hochions la tête. Nous savions que, avec une telle fuite d'énergie émotionnelle, ces bénévoles bien intentionnés ne seraient bientôt plus utiles à personne. Après un jour ou deux, ils étaient épuisés et nous devions les renvoyer chez eux.»

Quand nous manifestons de la sollicitude au point de vider nos réserves émotionnelles, nous n'avons tout simplement plus l'énergie ni le goût de nous préoccuper de grand-chose. Le souci est un moyen rapide d'arriver au burn-out, lequel mène inévitablement à l'absence totale de sollicitude.

Éliminer le souci

Afin d'éliminer la fuite énergétique causée par le souci, nous devons d'abord prendre conscience des formes particulières qu'il prend en nous. Elles ne sont pas les mêmes chez tous. Certains ont tendance à s'identifier exagérément à des facteurs comme l'apparence physique, le statut social ou les idées. (Oui, c'est du souci, cela aussi!) D'autres sont attachés démesurément aux gens, à l'argent, aux objets ou aux problèmes. Influencés par le souci dissimulé sous chacun de ces déguisements, nous sommes plus susceptibles de céder à l'inquiétude, à l'anxiété, à la colère ou à la peur. Choisissez votre poison. Nous avons tous nos préférences.

Heureusement, écouter l'intelligence de votre cœur est la meilleure façon de découvrir à quels moments ou dans quelles situations vous dépensez de l'énergie inefficacement. Naturellement, plus vous développerez cette intelligence, mieux vous connaîtrez la façon dont en arriverez à être soucieux.

Vous pouvez commencer tout de suite, si vous ne l'avez déjà fait, en préparant une liste de vos soucis majeurs. Qu'est-ce qui vous cause du souci et de l'anxiété? À quoi êtes-vous trop attaché ou trop identifié? Rappelez-vous que le souci peut être présent dans presque chaque domaine de votre vie : vos rapports avec les gens, les animaux ou les objets, vos croyances, les pressions professionnelles, les problèmes. Il peut être évident ou subtil. Vous devez faire attention aux émotions qui sont associées au souci : l'anxiété, la peur, la dépression, l'inquiétude, la déception, la culpabilité, la jalousie et le stress. Elles peuvent toutes varier en intensité, de légère à forte.

Prenez quelques minutes pour porter un regard objectif sur vos soucis. Écrivez-les sur la feuille d'inventaire qui se trouve à la page 252. Cet exercice n'a pas pour but de vous procurer de l'inquiétude. S'il vous rend soucieux, détendez-vous et concentrez-vous sur la région du cœur, puis activez un sentiment fondamental. Essayez d'éliminer toute anxiété en accédant au cœur.

Comment faire un FREEZE-FRAME sur le souci

Lorsque vous êtes soucieux, le mieux à faire est d'activer la force de votre cœur et de trouver un sentiment de sollicitude équilibré. Ce processus implique d'évacuer la gravité de votre problème et de réduire la quantité d'énergie émotionnelle que vous y avez investie. Comme vous pouvez l'imaginer, le FREEZE-FRAME est fort utile pour la gestion du souci. Au prochain chapitre, vous apprendrez une autre technique — le CUT-THRU — qui éliminera davantage le souci, surtout lorsqu'une grande quantité d'énergie y est associée.

Remplissez maintenant la fiche d'exercices du FREEZE-FRAME de la page 253 (la même que vous avez remplie au chapitre 4). Choisissez l'un des problèmes de votre feuille d'inventaire des soucis, inscrivez-le sous la rubrique « Situation », puis, sous la rubrique « Réaction de la tête », décrivez en quelques mots votre perception de la situation et le sentiment qu'elle vous fait éprouver.

Ayant fixé ces éléments, faites maintenant la technique du FREEZE-FRAME et demandez à votre cœur de vous indiquer comment revenir du souci à la véritable sollicitude; écoutez bien, puis écrivez (sous la rubrique « Réponse intuitive du cœur ») ce que vous dit votre cœur. Comparez les deux points de vue, celui d'avant et celui d'après. Voyez si vous avez trouvé une façon plus efficace de gérer votre situation — un point de vue qui élimine une part de votre souci et vous ramène à une sollicitude équilibrée. Surtout, suivez le conseil que votre cœur vous a donné.

Fiche d'inventaire des soucis

Les soucis sont causés par des souvenirs non gérés de la tête et des cellules, qui épuisent notre force. Leur identification est la première étape de leur élimination.

Les soucis comprennent :

- Le malaise
- L'inquiétude
- Une vague perturbation ou insécurité
- Les jalousies
- Les peurs

Énumérez les soucis qui minent présentement votre vie, tels que :

- L'inquiétude quant à l'opinion des autres à votre sujet
- L'insécurité dans vos relations
- Les préoccupations financières
- Les problèmes de santé
- L'anxiété quant à votre performance au travail
- Le malaise ressenti face à certaines personnes, certaines questions, certaines situations, et face à la vie en général.

Feuille d'exercice du FREEZE-FRAME

Voici les cinq étapes de la technique du FREEZE-FRAME :

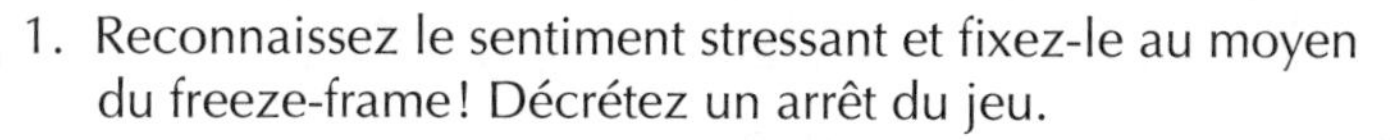

1. Reconnaissez le sentiment stressant et fixez-le au moyen du freeze-frame! Décrétez un arrêt du jeu.
2. Efforcez-vous sincèrement de vous concentrer sur la région qui entoure votre cœur, plutôt que sur votre esprit agité ou vos émotions perturbées. Faites comme si vous respireriez par le cœur, afin de focaliser votre énergie dans cette région. Maintenez-y votre attention pendant au moins dix secondes.
3. Rappelez-vous un sentiment positif et agréable que vous avez déjà éprouvé et essayez de le ressentir à nouveau.
4. Maintenant, en utilisant votre intuition et votre jugement, demandez à votre cœur, en toute sincérité : quelle serait la réaction la plus efficace à la situation, pour minimiser le stress, à l'avenir?
5. Écoutez ce que vous répond votre cœur. (C'est une façon efficace de contrôler les réactions de votre esprit et de vos émotions, et une source intérieure de solutions judicieuses!)

Situation ______________________________

____

____

Réaction de la tête ______________________________

____

____

____

____

____

FREEZE-FRAME

Réponse intuitive du cœur ______________________________

____

____

____

____

____

____

En faisant l'exercice de **FREEZE-FRAME**, je suis passé de________à________

Rassurez-vous : tout le monde se fait du souci dans une certaine mesure. En l'identifiant et en travaillant à l'éliminer, vous ferez un grand pas. Et, en continuant d'avancer, vous finirez par mettre le doigt sur la cause réelle du stress caché qui vous empêche de mener une vie plus enrichissante.

Le souci et les émotions

Le souci engendre plusieurs de nos états émotionnels indésirables. Comme nous l'avons vu plus haut, la déception, la culpabilité, l'anxiété et l'envie, entre autres, naissent souvent du souci. Tout comme les peurs et les insécurités, qui s'accumulent et se multiplient si elles ne sont pas résolues. Ce qu'il y a de merveilleux, c'est que si nous gérons nos soucis avec le cœur, nous éliminons en même temps une foule d'autres états émotionnels.

Si l'on n'y remédie pas, le souci finit par produire une angoisse existentielle de bas étage qui assombrit chaque aspect de notre vie. Et ce sentiment de bas étage augmente si on ne l'arrête pas, finissant par devenir de la peur ou même de la panique. Bientôt, la peur commence à mener le bal — la peur de *tout.* Nous pouvons éliminer une bonne partie de ce comportement émotionnel en épinglant rapidement le souci.

Puisqu'il faut le reconnaître pour l'épingler, examinons en profondeur certaines de ses formes courantes.

Le souci en action

L'anxiété généralisée et les autres émotions basées sur la peur

Commençons par la peur. Bien que nous n'éprouvions pas souvent de grandes peurs dans notre vie quotidienne, nous ressentons véritablement des émotions qui sont fondées sur la peur, telles que l'anxiété, l'inquiétude, la panique et l'insécurité.

L'anxiété généralisée est l'une des plus courantes. Et nous la ressentons souvent sans raison apparente. Mais il y a forcément une raison cachée : nous sommes peut-être trop préoccupés par un problème précis ou trop attachés à ce qui pourrait en résulter. Et il y a aussi une conséquence : l'anxiété continuelle engendre l'insécurité. Et si on la laisse faire, elle produit la peur et la panique.

Supposons que votre fils de dix ans vienne de partir pour la colonie de vacances. Il n'a jamais quitté la maison pour une semaine entière et, même si vous essayez de ne pas le montrer, vous êtes un peu anxieux. Dans votre cœur, vous savez que les conseillers de la colonie le surveilleront, mais, plus vous y pensez, plus vous devenez anxieux. Après tout, il n'est qu'un petit garçon. Si vous n'êtes pas là, il pourrait tomber d'un arbre et se casser le cou, ou se noyer dans le lac… *Tout* peut arriver!

Lorsque la sécurité d'un enfant est en cause, l'anxiété devient rapidement de l'inquiétude, puis de la peur, puis de la panique. Mais si vous réussissez à éliminer l'anxiété à la source, vous éviterez d'être bombardé pendant des heures par les hormones du stress et, surtout, vous éviterez de ressentir de l'insécurité ou de la peur.

L'anxiété de performance

Plus souvent qu'autrement, comme nous l'avons vu, l'anxiété est directement associée à un souci quelconque. L'anxiété de performance en est un parfait exemple. Elle consiste à s'inquiéter de notre capacité à répondre à nos propres attentes et à celles des autres. Comment y arriverons-nous? Aurons-nous tout bon? Que vont penser les autres?

Toutes ces pensées et tous ces sentiments proviennent du souci que l'on se fait de notre image et de notre capacité à répondre à des normes personnelles ou sociales. Il est évidemment important de se préoccuper de bien faire les choses, mais lorsque cette préoccupation devient souci, elle est déformée par le stress et elle va alors à l'encontre du but recherché, car elle compromet l'énergie que nous avons à notre disposition pour réussir.

Au travail, où la concurrence est élevée, l'anxiété de performance peut atteindre des niveaux extrêmes, alors que les gens travaillent plus fort et plus longtemps pour tenter de conserver leur avance. L'anxiété est courante quant à des échéances à respecter, des problèmes de communication, la gestion de l'information, le statut, le salaire, les avantages sociaux, les augmentations, l'évaluation de la performance.

Parmi les athlètes de haut niveau, l'anxiété de performance est un problème si courant que plusieurs psychologues ont édifié leur carrière sur le traitement de ce seul problème. Que ce soit sur le sommet des montagnes enneigées d'où s'élancent des skieurs professionnels ou sur les terrains de matches où évoluent des étoiles du football professionnel, des psychologues du sport restent aux côtés de leurs clients pour leur rappeler de se relaxer, de garder leur concentration, d'évacuer de leur esprit tout le reste. Les athlètes savent trop bien que l'anxiété peut signifier la fin de leur réussite.

Il est admirable de se fixer des buts élevés, tout comme de travailler fort pour les atteindre. Mais *s'inquiéter* à leur propos cause une perte d'énergie affaiblissante. C'est se faire du souci.

Le perfectionnisme

Le perfectionnisme suit le même processus. Il nous piège dans des émotions inefficaces telles que la déception, le jugement de soi et la culpabilité. Rien ne peut être tout simplement bon ou même exceptionnel. Il faut que ce soit *parfait.* Il ne vous suffit pas d'obtenir la note B+, vous voulez un A. Être simplement une épouse ou un mari apprécié et aimé ne vous intéresse pas; vous devez être impeccable. Le perfectionnisme, c'est le souci à son apogée.

Supposons que vous planifiez la fête d'anniversaire de votre mère. Elle célébrera bientôt ses quatre-vingts ans et vous voulez que tout soit au point, car vous vous efforcez toujours d'être la fille parfaite. Peut-être qu'au fil des ans on vous a incité à la perfection et que vous y avez cru, vivant dans le souci inconscient de toujours atteindre la norme la plus élevée.

Donc, vous planifiez la fête avec un soin immense, en vous faisant du souci. Obtiendrez-vous la table exacte que vous avez demandée au restaurant? Votre frère, qui a l'habitude d'être toujours en retard, se présentera-t-il à temps? Votre mère aura-t-elle du plaisir? Recevrez-vous des remerciements pour avoir créé la parfaite fête d'anniversaire? Vous êtes de plus en plus anxieuse, vous demandant si vous vous êtes occupée de tous les détails. Tout *doit* se passer exactement comme vous l'avez planifié, sinon la fête sera un échec, et vous, une ratée.

Comme il fallait s'y attendre, votre frère arrive en retard chez vous. Tout votre souci n'a eu aucun effet sur son manque de ponctualité. Même s'il n'a eu que quelques minutes de retard, vous commencez à avoir du ressentiment à son égard et à le juger. Même si vous conduisez un peu plus vite que la loi ne le permet, vous arrivez en retard au restaurant, où vous découvrez que votre table spéciale est déjà prise. C'est typique de l'endroit, vous dites-vous.

Votre mère est très heureuse, toutefois, et elle apprécie le temps qu'elle passe avec ses enfants. Elle se sent honorée que chacun se préoccupe d'elle au point de rendre cette soirée exceptionnelle. *Elle* ne se fait pas de souci à propos de la table à laquelle elle est assise. Mais *vous* vous sentez déçue et frustrée. Au lieu d'avoir un magnifique bouquet d'amour à offrir à votre mère pour cet anniversaire particulier, vous n'avez que des restes d'intentions affectueuses, entremêlés de déception et de ressentiment.

Au nom du perfectionnisme, votre souci a compromis la force de la sollicitude que vous aviez l'intention de prodiguer. Et vous avez épuisé votre énergie. Vous ne vous feriez pas autant souffrir si vous aviez un peu plus de sécurité dans votre cœur, de flexibilité et d'équilibre émotionnel.

L'attachement excessif

L'attachement excessif est un sentiment qui nous lie à une personne, à un endroit, à un objet ou à une idée, au point de perdre une perspective équilibrée. Une mère a un sentiment naturel d'attachement à son enfant; cependant, si elle s'attache au point de ne pas supporter d'en être séparée, son attachement favorise la dépendance, renforce sa propre insécurité et celle de son enfant, ainsi que leur malheur.

Les conjoints et les amoureux ont un attachement naturel réciproque. Les sentiments que notre partenaire suscite en nous, le soutien et le confort qu'il nous donne, peuvent constituer des actifs immenses. Mais si nous devenons dépendants de cet attachement, nous perdons notre propre centre de pouvoir. Tout ce que fait (ou ne fait pas) l'autre personne devient une source de sécurité (ou d'insécurité). Cette sécurité mal fondée déforme notre perception de nous-mêmes et de notre partenaire. C'est de la fausse sécurité. Les comparaisons, la jalousie, la peur de perdre l'autre, et sa perte réelle, sont des résultats fréquents. Les relations ne peuvent tout simplement pas se déployer quand l'attachement est dominé par le souci.

Nous pouvons également développer un attachement à des attitudes et à des habitudes. Par exemple, nous avons l'habitude de prendre une tasse de café matinale, de plier les vêtements d'une certaine façon, ou d'adhérer à nos opinions si rigidement que nous avons horreur de les abandonner. Si quelque chose interfère avec notre routine, nous en éprouvons une contrariété «justifiable». Nous sommes si établis dans nos habitudes que nous avons perdu notre saine flexibilité. Cependant, nous savons tous que ce qui ne plie pas finit par casser. L'attachement excessif à nos attitudes et routines est une source potentielle de problèmes.

En affaires, de nos jours, des sociétés dépensent des millions de dollars pour former des employés à penser en dehors des sentiers battus. Le «sentier» auquel on fait référence est celui des concepts rigides et de l'incapacité d'élargir la conscience. L'attachement à certaines idées ou façons de faire limite les nouvelles possibilités et peut nous emprisonner dans un étroit sentier. On peut toutefois en sortir rapidement si la tête et le cœur sont associés en coentreprise.

L'attachement excessif aux résultats attendus est également une forme de souci. Lorsque nous nous attachons à nos attentes, nous nous dirigeons vers la déception. Pourtant, si nos attentes ne sont pas satisfaites, cela a un bon côté : nous devons repenser notre attachement.

Quand nous identifions le souci et procédons à des ajustements intérieurs afin de retrouver un sentiment de sollicitude véritable, nous éliminons les bases de nos émotions épuisantes. Ce seul geste nous ramène en équilibre. Cette approche de la gestion émotionnelle est efficace car elle nous amène à la source ou à la cause de plusieurs problèmes émotifs.

Chaque fois que vous vous sentez émotionnellement déséquilibré, essayez de repérer tout souci qui pourrait se trouver à l'origine de vos sentiments inharmonieux. Lorsque vous reconnaissez le souci sous l'un ou l'autre de ses déguisements, allez vers le cœur et passez à l'action.

Les fils et les filles du souci

L'inquiétude, l'anxiété et l'insécurité sont les résultats les plus évidents de la sollicitude déréglée. Bien que ces sentiments puissent survenir lorsque nous nous y attendons le moins, nous savons généralement qu'ils sont là. Mais plusieurs formes plus subtiles de souci passent facilement inaperçues dans notre univers mental.

La plupart des gens ne considèrent pas les projections, les attentes et les comparaisons comme des soucis qu'il faut gérer. Ces formes de souci sont souvent responsables d'autres états émotionnels désagréables et plus manifestes. Elles peuvent finir par produire d'énormes fuites d'énergie nuisibles à notre santé et mener à la dépression. Lorsque Mark Twain disait : «Il y a eu beaucoup de tragédies dans ma vie. Au moins la moitié sont vraiment arrivées», il faisait allusion au mal que les projections non gérées peuvent nous causer.

La projection

Nous utilisons le terme «projection» pour désigner nos pensées et nos images mentales concernant l'avenir. Chaque jour, nous avons tous littéralement des milliers de pensées au sujet de l'avenir, que ce soit en faisant une liste d'emplettes pour la semaine ou en planifiant une réunion d'affaires pour le jeudi suivant. Nos buts à long terme, qui sont inestimables pour garder notre vie sur la bonne voie, nous projettent inévitablement dans l'avenir. Nos espoirs et nos rêves entretiennent notre enthousiasme. Mais lorsque la peur et l'anxiété s'attachent à nos projections, ce n'est plus la même chose.

Les projections créent des fuites d'énergie incalculables dont nous ne soupçonnons pas l'étendue. Toute leur nocivité réside dans leur effet *cumulatif*. Bien que nous ne considérions pas les projections comme des problèmes — après tout, *tout le monde* se projette dans l'avenir —, elles drainent petit à petit l'énergie dont nous avons besoin pour créer un avenir positif. Il en résulte que nous n'avons pas assez d'énergie pour faire l'expérience de la «qualité» dans notre vie. Tout peut sembler bien aller en surface, mais quelque chose manque encore.

Si nous traversons le désert avec de l'eau dans un seau tout percé, nous n'aurons rien à boire lorsque nous aurons soif. Plus il y a de trous, plus l'eau s'épuise rapidement; mais même un seul trou va vider le seau. On peut comparer la projection à ce trou unique qui fait que le seau est vide au bout de quinze pas ou de cinq kilomètres.

Nous avons souvent de petites projections qui «tournent» toute la journée. Même si chacune semble anodine, n'étant qu'un trou minuscule dans notre seau, rappelez-vous qu'il ne faut qu'un trou pour vider ce seau.

C'est une simple question de physique : l'énergie doit être comptabilisée. Lorsque nous nourrissons nos peurs et nos insécurités en les projetant dans l'avenir, nous ouvrons la porte à davantage de peurs, ce qui crée une fuite d'énergie encore plus grande. Si nous accordons foi à ces peurs, nous contribuons en fait à créer ce que nous craignons le plus.

Pensez-y un peu. Combien d'énergie dépensez-vous à vous demander comment les choses vont se passer? À quelle fréquence projetons-nous que nous n'aurons pas suffisamment de temps, que nous ne réussirons pas à respecter une importante échéance, ou que ne pourrons pas communiquer avec quelqu'un? Combien nous coûtent ces projections et ces soucis? Les fuites d'énergie qu'ils provoquent ne s'arrêteront pas d'elles-mêmes. À nous de les remarquer et de les interrompre.

Vous est-il déjà arrivé, en partant en voyage, de vous demander, après avoir parcouru des kilomètres, si vous aviez bien éteint le four de la cuisinière? Vous êtes presque certain de l'avoir fait, mais que se passerait-il si...? Si vous avez une bonne raison de penser que vous avez vraiment pu laisser le four ouvert, il est approprié de réagir. C'est naturel et responsable. Mais si vous imaginez toute votre maison en train de brûler en vous basant sur une hypothèse sans fondement, vous êtes dans une projection de souci. Et toute cette inquiétude deviendra un déficit sur votre bilan d'actifs-déficits intérieurs.

Nous pouvons également entretenir des projections à long terme, sur notre succès, la rencontre du partenaire idéal, l'obtention d'un bon emploi, et ainsi de suite. Envisager notre avenir est en soi très approprié, mais pas si cette anticipation se change en souci, donnant naissance à une crainte quant à votre sécurité future et à celle des autres. Ce genre de projection ne vous sert pas et ne sert personne d'autre non plus.

Voici un autre exemple intéressant. Nous l'appelons la «projection à haute vitesse». Vous êtes-vous déjà trouvé à dire : «Tout va vraiment bien. Je me demande quand ça va cesser et se mettre à aller mal.»

En plein milieu d'un bon moment, sans raison valable, nous sabotons notre bien-être par le souci et la projection d'un malheur qui pourrait arriver. Les pensées et le sentiment d'un désastre imminent traversent à haute vitesse notre esprit. Nous ne savons même pas ce qui nous a pris. Sans nous en rendre compte, notre spéculation a inhibé notre capacité d'apprécier aussi pleinement notre situation actuelle que nous pourrions (et devrions) le faire.

Et que dire des projections idéalistes? Nous imaginons une glorieuse nouvelle carrière ou des vacances merveilleuses, et y investissons nos espoirs et notre identité, pour finir par être consternés si la réalité n'est pas conforme à la projection.

Projeter des résultats est automatique chez la plupart des gens. En réalité, tout le monde le fait, bien qu'à des degrés différents. Ce n'est pas mauvais, mais il est sage d'apprendre à gérer vos projections.

Puisque les pensées et les sentiments de projection peuvent parfois être subtils, demandez à votre cœur de vous aider à les voir. Essayez de ne pas vous y identifier en les observant. Mettez-vous au neutre et laissez l'intelligence de votre cœur vous indiquer un point de vue différent. Il faut un niveau de gestion émotionnelle raffiné pour faire cesser les projections dès qu'elles surviennent. Appréciez alors votre vie sans vous inquiéter ni projeter une réalité future qui peut arriver ou non.

Les attentes

Nous considérons généralement comme allant de soi que nous serons traité avec respect et politesse par notre famille, nos collègues, et même le serveur du restaurant. Que les gens nous traitent vraiment ainsi ou non, nous avons tous des attentes. Nous

nous attendons également à des résultats prévisibles pour nos efforts. Nous nous attendons à ce que les réunions commencent à l'heure prévue. Nous nous attendons à ce que les gens fassent ce qu'ils ont promis. Et, lorsque les choses vont mal, nous estimons avoir droit au stress que nous ressentons. Et trop souvent nos attentes nous mènent par le bout du nez.

Lorsque nous nous soucions trop que la vie se conforme à nos attentes, nous attirons la déception. Comme nous le savons tous, la vie n'est tout simplement pas aussi docile. La réalité finit très souvent par ne pas satisfaire nos attentes. La déception que nous ressentons alors peut mener au désespoir, qui peut devenir dépression. Nous nous sentons victimes. Tout cela pénalise notre corps et a un effet négatif sur notre longévité.

Les attentes mènent aussi au blâme, qui consomme beaucoup d'énergie et ne règle rien. Au contraire, il empire les choses. Le blâme épuise celui qui le donne. Toutefois, ce ne sont pas les pensées de blâme qui provoquent la fuite la plus forte, mais l'énergie émotionnelle qui les soutient.

Il y a des années, quand je (Doc) suis sorti de l'école, j'ai trouvé un emploi dans une usine de meubles. Un jour, ma voiture est tombée en panne et, pendant plusieurs semaines, j'ai dû avoir recours au covoiturage pour me rendre au travail.

Un ami a accepté de me véhiculer régulièrement si je le rencontrais à mi-chemin entre nos maisons respectives. Les choses se sont bien déroulées pendant quelques semaines. J'étais content de pouvoir compter sur lui pendant que ma voiture était en réparation.

Un matin où il pleuvait, je me traînais les pieds sur la route de terre pour me rendre à l'endroit habituel. J'ai alors attendu longtemps mon ami, qui ne s'est pas présenté, même s'il savait que je dépendais de lui. Je ne pouvais le croire. J'étais si déçu que je ne pouvais réfléchir clairement.

Après avoir fait de l'auto-stop, sans succès, j'ai fini par frapper à la porte d'un inconnu, trempé, et j'ai appelé un taxi. À partir de ce jour-là, j'ai décidé de prendre un taxi pour me rendre au travail. J'ai laissé à mon ami un message pour l'en informer, mais sans lui fournir d'explication.

Quand j'ai fini par récupérer ma voiture, j'ai croisé mon ami et je me suis défoulé. Je n'ai pas eu un seul mot de reconnaissance parce qu'il m'avait véhiculé pendant un certain temps avant de me laisser tomber.

Il m'a dit qu'il avait essayé de me joindre, ce matin pluvieux, pour m'expliquer qu'il avait eu une crevaison. Dans le but d'une réconciliation, il m'a même montré la facture du nouveau pneu. Je me suis rapidement rendu compte à quel point j'avais été stupide d'entretenir si longtemps une rancune envers lui. J'ai failli perdre un bon ami parce que mes attentes idéalistes n'étaient pas tempérées par une considération des événements inattendus de la vie.

Il est étrange de voir à quel point nos attentes peuvent être idéalistes. Ce sont des fantasmes sur la façon dont nous aimerions que la vie se déroule, rien de plus. Mais nous ne pouvons contrôler le déroulement de tout. Et même lorsque tout va bien, nous semons parfois nous-même la zizanie. Comment pouvons-nous appliquer aux autres une norme plus élevée que celle que nous appliquons à nous-mêmes?

La force positive des attentes se trouve au moyen du cœur. Cependant, cette force n'est positive que dans la mesure où l'on peut abandonner ses attentes si elles ne sont pas comblées, adopter une nouvelle perspective plus réaliste, et réduire les pertes.

La comparaison

Nous entendons ici par *comparaison* le fait de nous mesurer par rapport à quelqu'un d'autre, d'évaluer qui nous sommes (image de soi) et ce que nous avons par rapport à ce qu'est et à ce qu'a quelqu'un d'autre.

Les comparaisons qui provoquent un stress émotionnel proviennent de notre propre insécurité ou fragilité. Par exemple, nous pouvons nous soucier d'être aussi brillants ou aussi beaux que quelqu'un d'autre et perdre de vue nos belles qualités. Nous pouvons envier les acquisitions et les réalisations des autres — leurs voitures, leurs familles, leurs maisons, leurs emplois — et complètement méconnaître à quel point nous pourrions être heureux dans notre propre vie si nous cessions de nous comparer. Faire ce genre de comparaison est fort différent d'avoir une saine admiration pour des gens qui ont réussi.

Le statut est un sujet de comparaison courant. «Ai-je autant d'argent (ou de prestige) que lui?» «Notre fils va-t-il aller dans une aussi bonne université que la fille de notre voisin?» «Est-ce que je ne mérite pas le bureau d'angle autant que mon collègue?» «Mon poste est-il aussi important que celui de mon ami?» Toutes ces questions révèlent un souci de comparer ce que nous avons à ce qu'ont les autres.

Si, au cours des exercices précédents, nous avons fait un inventaire honnête à partir du cœur, nous avons peut-être maintenant l'impression d'avoir plus que nous ne croyions. Toutefois, nous en voulons toujours davantage (et nous avons l'impression d'y avoir *droit*). C'est dû en partie à un besoin naturel de croissance et de réalisation, mais les comparaisons nous font perdre le sens des proportions et étouffent notre reconnaissance pour tout ce que nous avons *vraiment*.

Un ami commun a hérité, lorsque sa mère est morte, d'un legs substantiel constitué d'une propriété, d'actions et de biens personnels. Son frère a reçu un héritage d'une valeur égale, mais aussi la bague de mariage de sa mère, ornée d'un diamant. Lorsque notre ami découvrit cela, il devint extrêmement soucieux, se demandant de façon obsessionnelle pourquoi son frère avait obtenu la bague. Celle-ci avait tellement d'importance pour leur mère, se dit-il. Cela voulait-il dire qu'elle aimait davantage son frère? S'affolant jusqu'à la frénésie, il commença à examiner tous les aspects de leur héritage, tentant d'interpréter les décisions de leur mère. «Pourquoi ai-je obtenu la maison, tandis que mon frère a eu la ferme? Est-ce que la ferme est meilleure?» Comme son point de vue était marqué par le souci, notre ami voyait chaque ligne du testament, chaque legs généreux, comme une source potentielle de douleur. Après de nombreuses semaines de tristesse, il abandonna graduellement sa perception et accepta les décisions de sa mère. Il s'aperçut qu'il ne doutait pas vraiment de l'amour qu'elle avait eu pour lui, et qu'il avait reçu, en fait, un merveilleux héritage, avec ou sans bague.

Si la comparaison s'empare de notre esprit, elle nous mène directement à l'envie et à la jalousie, un terrain fertile à d'autres émotions de déficit, telles que le blâme, le ressentiment et même la haine. Rendez-vous compte. Nous commençons par nous préoccuper de quelque chose ou de quelqu'un, et, à cause d'une seule pensée jalouse, nous finissons par avoir du ressentiment ou même de la haine envers cette chose ou cette personne. Voilà où peut conduire le souci non géré.

Sous l'angle du souci, notre point de mire est ce que nous *n'avons pas*, par comparaison avec ce qu'ont les autres. Le souci non seulement réduit la reconnaissance pour ce que nous avons réellement, mais aussi abaisse sérieusement notre estime de soi. La solution, bien sûr, consiste à développer un plus fort sentiment de sécurité intérieure. L'intelligence du cœur aide à établir cette sécurité, mais cela ne se produit pas du jour au lendemain.

Si vous avez l'habitude de vous comparer défavorablement aux autres, c'est que vous avez l'habitude d'être trop dur envers vous-même. Il n'est tout simplement pas possible que vous soyez pire à tous les points de vue que tous les gens que vous connaissez. Il est donc important que, dès que vous décidez de travailler ce genre de souci, vous vous concentriez sur votre propre valeur. Ce n'est que progressivement que vous en viendrez à ne plus faire de comparaisons. Prenez conscience qu'un grand nombre de nos soucis proviennent d'une programmation familiale, scolaire et sociale. Sachez apprécier vos progrès au lieu de vous attendre à un succès instantané.

S'attaquer aux projections, aux attentes et aux comparaisons

Lorsque nous abandonnons les projections, les attentes et les comparaisons, équilibrant notre souci par la sagesse et la sollicitude du cœur, nous faisons place à la fragilité humaine et laissons la vie être la vie. Nous réalisons que la croissance émotionnelle implique de ne plus s'attendre à ce que tout se passe comme nous le désirons. Cette prise de conscience nous aide à entretenir une préoccupation sincère sans tomber dans le souci, afin de ne pas avoir à subir le stress engendré par ce dernier.

Voici cinq suggestions qui vous aideront à éliminer la projection, les attentes et les comparaisons.

1. Observez vos pensées et vos sentiments, et efforcez-vous sincèrement de repérer ce qui peut vous amener à vous faire régulièrement du souci.
2. Lorsque vous vous surprenez à faire des projections dans l'avenir, à avoir des attentes ou à faire des comparaisons malsaines, rappelez-vous que ces déficits énergétiques vident vos réserves. Cette perspective vous fournira la motivation nécessaire pour les dépasser.
3. Tentez d'évacuer une partie de la gravité des pensées et des sentiments associés aux projections, aux attentes et aux comparaisons. Ils ne sont habituellement pas aussi importants qu'ils le paraissent.
4. Lorsque vous vous surprenez à éprouver l'un ou l'autre de ces soucis, efforcez-vous d'y mettre fin, faites un bref FREEZE-FRAME et demandez à votre cœur de vous montrer

comment transformer chaque souci en sollicitude véritable. Prendre contact avec l'intelligence de votre cœur élargira votre vision et fournira une nouvelle direction à votre sollicitude.

5. Activez la reconnaissance, ce sentiment fondamental du cœur. Soyez reconnaissant pour la situation présente au lieu de trop vous identifier à une situation souhaitée, et soyez reconnaissant envers vous-même d'avoir la conscience nécessaire pour repérer ces soucis subtils.

Apprendre à se préoccuper davantage de soi-même et des autres ne signifie pas que l'on sera parfait et que l'on n'aura jamais plus de soucis. Le processus n'est ni instantané ni fini. Il faut du temps pour retirer le souci de sa vie, et le processus est continu, mais il est vraiment amusant de prendre conscience du souci et de s'en libérer.

Lorsque l'intelligence de votre cœur vous sera plus facilement accessible, vous n'aurez plus à surveiller chaque pensée ou chaque sentiment égaré. Les signaux du cœur seront plus clairs et vous saurez instantanément que votre sollicitude est devenue du souci. Chaque fois que vous éliminerez un souci, vous éprouverez un immense soulagement et vous emmagasinerez une force qui vous permettra d'éliminer plus facilement votre souci la prochaine fois.

Vous découvrirez bientôt que la transmutation du souci en sollicitude véritable est l'une des réalisations les plus enrichissantes et les plus régénératrices que vous puissiez accomplir. L'élimination du souci est un acte de sollicitude envers vous-même qui améliorera votre vie de diverses façons que vous ne soupçonnez même pas. Il améliorera également votre capacité de vous préoccuper intelligemment des gens et des questions sociales qui comptent le plus pour vous.

Souvent, lorsque nous donnons un séminaire, nous parlons de cultiver la sollicitude envers soi-même. La plupart des participants adorent l'idée — et pourquoi pas? Elle semble nourrissante pour l'âme. Nous avons appris depuis si longtemps à nous attribuer le petit bout du bâton qu'il nous semble un luxe d'éprouver de la sollicitude envers nous-mêmes.

À cause du manque d'expérience, les premiers exemples d'autosollicitude qui viennent à l'esprit sont assez simples. « Serrer mon petit chien dans mes bras m'a fait tellement de bien que je vais le faire plus souvent! » dira un étudiant. Ou : « Bien sûr. Je vais allumer des chandelles et prendre un long bain chaud. » Magnifiques suggestions. Mais l'autosollicitude va beaucoup plus loin.

Éprouver suffisamment de sollicitude envers vous-même pour vous aimer pendant toute la journée — sans raison particulière, sinon que vous le méritez! — envoie un message important à votre cœur. Dès qu'il saura que c'est ce que vous voulez, il vous aidera à générer cet amour de vous-même. Ce n'est pas du narcissisme; c'est un autotraitement de santé. Vous éliminerez le souci et les autres fuites d'énergie plus rapidement et moins douloureusement en sortant du fatras du mental et en vous motivant par une profonde sollicitude envers vous-même. Cette autosollicitude vous permettra d'augmenter votre capacité de sollicitude jusqu'à ce que cette dernière se manifeste spontanément envers vous-même, vos proches et le monde qui vous entoure.

Retour à la sollicitude

La sollicitude est une ressource essentielle, beaucoup plus précieuse que la plupart des gens ne le réalisent. Elle nous revitalise et agit comme un tonique apaisant pour l'organisme humain.

Cependant, les gens gaspillent leur sollicitude sous forme de souci, puis ils font un burn-out et se retrouvent sans aucune sollicitude. Bien des problèmes personnels, interpersonnels et sociaux se résoudront lorsque l'humanité aura développé un sentiment de sollicitude plus mature. Au niveau le plus profond, c'est d'amour et de sollicitude véritable que les gens ont besoin. Donnez-leur en des manifestations et vous en recevrez. Par vos actes de sollicitude, vous laisserez vraiment votre empreinte sur le monde.

C'est le souci qui empêche la plupart des gens d'exprimer de la sollicitude. Le souci est intermittent, mais il importe de se rappeler qu'il naît d'un excès de sollicitude. C'est une question d'équilibre, et la ligne de démarcation est fine. Mais le cœur peut nous procurer cet équilibre, en nous permettant d'exprimer notre sollicitude sans en gaspiller la chaleur régénératrice et la force rassurante.

Dans le monde actuel, le souci inconscient à l'égard de soi-même et de ses problèmes est si répandu qu'il est devenu une maladie sociale. Il engendre des mégadoses de stress, créant tellement d'incohérence chez les individus et dans la société qu'il domine la liste des fuites d'énergie humaine. On n'insistera jamais trop sur l'importance d'éliminer ce facteur de stress.

La sollicitude ouvre la voie à l'intuition. Puis survient le souci, qui détruit la voie, nous empêchant ainsi d'accéder à l'intuition. C'est pourquoi nous n'allons nulle part. La sollicitude permet à notre esprit de s'exprimer au sein de la société. Plus elle est sincère, plus nous parvenons à nous connaître et à connaître les autres. La sollicitude nous permet d'actualiser notre potentiel. Dans le cœur se trouve le pont entre tout ce que nous sommes et tout ce que nous pouvons être. C'est le pont de la Sollicitude.

POINTS CLÉS À RETENIR

- La sollicitude est extrêmement motivante. Elle nous inspire et nous rassure doucement. Elle fait *vraiment* du bien, que nous la donnions ou la recevions.

- La recherche démontre que la sollicitude renforce le système immunitaire, tandis que la colère l'affaiblit considérablement.

- Lorsque la sollicitude du cœur est soumise à des inquiétudes harassantes, à de l'anxiété, à des projections dans l'avenir et à des attentes, elle se dégrade et devient du souci.

- Le souci siphonne la force de la sollicitude que nous voulions manifester et en réduit l'efficacité. Les problèmes se résolvent lorsque nous atteignons la clarté et la cohérence, et non lorsque nous nous inquiétons.

- Des milliers de gens souffrent d'épuisement et de burn-out causés par le souci. Ils ont l'impression d'avoir manifesté trop de sollicitude et ils ne peuvent plus le faire.

- Si l'on n'y remédie pas, le souci finit par produire une angoisse existentielle de bas étage qui assombrit chaque aspect de notre vie.

- Des signaux du cœur vous font savoir que votre bienveillance est devenue du souci, si vous voulez bien les écouter. Chaque fois que vous éliminerez un souci, vous éprouverez un immense soulagement et vous emmagasinerez une force qui vous permettra d'éliminer plus facilement votre souci la prochaine fois.

- En identifiant le souci, puis en travaillant à l'éliminer, on finit par mettre le doigt sur la cause réelle du stress caché qui nous empêche de mener une vie plus enrichissante. L'élimination du souci est un acte de sollicitude envers vous-même qui améliorera votre vie de diverses façons que vous ne soupçonnez même pas.

- La sollicitude permet à notre esprit de s'exprimer au sein de la société. Plus elle est sincère, plus nous parvenons à nous connaître et à connaître les autres.

- Le retour à la sollicitude doit figurer en tête de liste des besoins sociaux.

CHAPITRE 9

Un raccourci vers la maturité émotionnelle

Présidente d'une société d'informatique et de haute technologie de l'Omaha, Carol McDonald gère à chaque semaine plus de situations à coefficient de stress élevé que bien des gens n'en affrontent en un an. Elle adore le défi de surmonter des obstacles, ce qu'elle fait très bien. Cependant, lorsqu'elle apprit que son père alcoolique avait désespérément besoin d'aide, son équilibre émotionnel fut mis à l'épreuve.

«Nous l'avons trouvé sous le lit, replié en position fœtale et baignant dans son urine. Les poches sous ses yeux était noircies, et il avait le nez et la tempe lacérés, parce qu'il était tombé contre la coiffeuse de la salle de bains, terrassé par l'ivresse. Il gémissait, criait, en se rappelant des moments terribles que même deux bouteilles et demie de scotch n'avaient pu effacer. Il était exceptionnellement gris et gonflé pour ses soixante-quinze ans, pas tant par l'âge que par l'alcool. Et il en avait pris beaucoup au cours des décennies, jusqu'à ce que ça commence à dévorer son cerveau, provoquant l'atrophie et la démence. Je suppose qu'à sa manière l'anesthésiant a fini par faire effet.

«Mon mari et moi l'avons emmené à l'autre bout du pays, afin de l'aider à trouver la volonté nécessaire pour entreprendre un traitement de désintoxication. Ce processus fut vraiment graduel, car on ne peut priver d'alcool, sans supervision médicale, un alcoolique chronique. Il faut plutôt diminuer graduellement ses doses tout en surveillant ce qu'il ingurgite, et en espérant qu'un centre de désintoxication lui accordera bientôt une place afin que la guérison véritable puisse commencer.

« Même si nous cachions bien la bouteille, il la découvrait parfois et, en revenant du travail, je le trouvais en train de fainéanter bêtement, le regard vide et le visage sans expression. Il n'était plus que l'ombre de cet être humain qui jadis reliait tous les éléments de mon univers.

« Je me suis mise en colère. Puis j'ai développé du ressentiment. Puis j'ai commencé à juger son comportement pitoyable. Avec le temps, j'ai eu tendance à me faire du souci pour lui, suffoquant d'inquiétude au sujet de cette situation qui me dépassait. Lorsque ma colère l'emportait sur ma compassion, je sortais sur le patio et je pratiquais la technique du CUT-THRU, parfois à répétition, sans arrêt, jusqu'à ce que toute anxiété soit expulsée de mon corps.

« Durant tout l'été de son séjour, l'efficacité du CUT-THRU m'a permis de fournir à mon père, à chaque jour et à chaque instant, tout l'amour et le soutien dont il avait besoin. La force de mon cœur parcourait mon corps et mon esprit, rétablissant mon acceptation sincère de lui et soutenant ma sollicitude, sans que je sois en proie au souci. Je sais dans mon cœur que le CUT-THRU a été l'outil qui m'a sauvé la vie. »

En appliquant sincèrement la technique du CUT-THRU, Carol put gérer ses émotions, réduire le souci et sentir en elle un changement extraordinaire. Elle était prise dans une situation propice à une foule d'émotions justifiées, mais elle savait dans son cœur qu'elle ne pouvait vivre ainsi. Elle se tourna vers la force de son cœur pour se libérer, et elle y parvint.

Qu'est-ce que le CUT-THRU?

Le but du cut-thru est d'aider les gens à reconnaître et à reprogrammer les circuits de mémoire émotionnelle subconsciente qui, par le renforcement à long terme, influencent notre perception, colorent nos pensées et sentiments quotidiens, et conditionnent nos réactions à des situations futures.

Les scientifiques ont découvert que les circuits émotionnels sont susceptibles d'améliorations, de même que toute autre trace mnémonique [1]. La technique du CUT-THRU fournit une méthode fiable qui permet de se débarrasser des émotions indésirables, d'améliorer celles que l'on désire, et de changer son architecture neuronale. Cela couvre beaucoup de terrain. Si vous êtes comme la plupart des gens, il y a de nombreux sentiments dont vous pourriez vous passer et d'autres que vous aimeriez éprouver plus souvent. La gestion émotionnelle permet de passer à une nouvelle dimension de liberté émotionnelle, et elle vous sera nécessaire pour atteindre de nouveaux niveaux de conscience et de sécurité intérieure.

Comme nous l'avons souligné, les émotions sont très complexes et notre schématisme émotionnel peut être difficile à changer. Le FREEZE-FRAME fournit un outil fiable pour la gestion de nombreuses émotions et réactions émotionnelles. Parfois, cependant, lorsque nous faisons le FREEZE-FRAME, nous voyons clairement comment mieux affronter une situation, mais nous ne nous sentons pas complètement libérés du point de vue émotionnel. Pour dépasser des questions émotionnelles profondément incrustées, il faut plus qu'une technique d'une minute comme le FREEZE-FRAME; il faut entrer plus profondément dans l'intelligence du cœur, et c'est là que nous avons besoin du CUT-THRU, ou raccourci.

Nous savons tous que le mot «raccourci» veut dire «chemin plus court que le chemin ordinaire pour aller quelque part» et que, lorsque nous prenons un raccourci, nous «coupons à travers», comme dans l'expression «couper à travers champs». C'est ce que nous faisons lorsque nous allons directement au cœur d'un sujet. Vous avez peut-être déjà fait l'expérience de travailler en groupe afin de résoudre un problème. Lorsque la discussion tourne en rond sans que la question soit résolue, quelqu'un finit par dire : «Allons, cessons de nous attarder à des détails sans pertinence et revenons à la question véritable.» Le fait de revenir à l'essentiel permet de remettre la discussion sur les rails.

C'est comme le récit du nœud gordien, dans la mythologie grecque. Un jour, Gordias, roi de Phrygie, fit un nœud si complexe que personne ne pouvait le défaire. Puis il misa tout sur ce nœud, proclamant que si quiconque pouvait le dénouer, il ferait de cette personne le monarque de toute l'Asie.

L'idée intéressait Alexandre le Grand, qui désirait beaucoup régner sur l'Asie. Pourquoi mener une bataille avec des milliers d'hommes lorsqu'il pouvait tout simplement se montrer plus malin qu'un roi? Après avoir jeté un coup d'œil au nœud, Alexandre se douta qu'il ne pourrait le défaire. Mais il n'y voyait aucun problème. Il tira son épée et, d'un seul coup, trancha le nœud gordien, devenant ainsi le monarque de toute l'Asie.

Essayer de dénouer vos émotions peut ressembler à une lutte contre un nœud que vous n'arrivez pas à défaire. Parfois, les efforts ne font que le compliquer davantage. Le CUT-THRU est conçu pour vous aider à trancher le nœud gordien de vos émotions. Il vous permet de traverser plus rapidement la distorsion émotionnelle pour atteindre un «lieu» de résolution.

Au cours du processus, vous abandonnez vos rancunes et vos points de vue personnels, ainsi que le besoin de vous vautrer dans vos sentiments. Ce n'est pas que vous ne les ressentez plus; vous les ressentez toujours. Mais vous vous obligez à les transcender. Vous faites un choix qui vous mène au niveau suivant de la gestion émotionnelle.

Songez à quel point les jeunes enfants sont à la merci de leurs émotions. Si vous enlevez un jouet à un bambin, il éclate en sanglots, englouti par la déception. À mesure que les enfants mûrissent, ils découvrent de nouvelles options qui leur donnent un plus grand contrôle sur leurs émotions. Ils réalisent bientôt qu'ils peuvent demander qu'on leur rende le jouet, ou tout simplement se lever pour aller le prendre eux-mêmes. Le fait de savoir qu'ils peuvent obtenir des résultats permet aux enfants plus âgés d'écarter le sentiment de détresse au moins assez longtemps pour poser un geste.

La plupart des gens s'arrêtent à ce stade. Nous apprenons à gérer nos émotions dans une certaine mesure au cours de notre développement physique naturel, et nous nous débrouillons avec cela. Cependant, avec les bons outils, vous pouvez gérer vos émotions d'une façon délibérée et efficace. Au lieu de tenter d'écarter une émotion tout en vous demandant quoi faire, ou d'essayer sans fin de défaire un nœud d'émotions pour atteindre le cœur d'un problème, vous pouvez apprendre à sortir de la turbulence émotionnelle pour passer à une cohérence émotionnelle équilibrée, paisible et claire. Vous atteignez cette cohérence émotionnelle au moyen de la cohérence du cœur — un état d'équilibre qui survient lorsque vos émotions s'alignent sur le fond de votre cœur. Souvent, avec une telle clarté, une solution pratique à votre problème se présente rapidement.

Le CUT-THRU facilite la cohérence émotionnelle. Il vous permet de transformer les émotions paralysantes et stressantes en sentiments de paix et de régénération. Et ce, sans recourir à la rationalisation ni au refoulement.

Bien que les preuves accumulées à l'institut démontrent que cette technique est puissante et efficace, il est important de réaliser qu'elle n'est pas magique. Un nom comme « CUT-THRU » peut vous faire croire qu'il s'agit d'une formule faisant disparaître instantanément les émotions problématiques. Ce n'est pas toujours le cas.

Même si tout le monde peut utiliser le CUT-THRU pour aider à se dégager un sentier à travers la jungle émotionnelle, ce n'est pas l'une de ces techniques d'autoassistance qui sont de belles promesses en l'air. Si vous êtes honnête avec vous-même, vous savez que vos émotions sont terriblement difficiles à gérer. En tant qu'humains, nous avons cultivé notre mental, mais négligé nos émotions. Même les plus grands intellects ont souvent laissé leurs émotions au hasard, sans prendre la peine de se diriger consciemment vers une gestion émotionnelle qui aurait rendu leur vie tellement plus facile et moins frustrante.

En commençant ce processus, vous découvrirez que certaines émotions peuvent se changer très rapidement, tandis que d'autres — généralement celles qui ont une histoire plus longue — prennent plus de temps. Gardez à l'esprit que les schémas émotionnels négatifs qui ont été renforcés depuis des années (ou même des décennies) ont tracé des voies neuronales dans votre cerveau. Si vous cessez d'emprunter ces voies, elles feront bientôt place aux nouveaux schémas que vous êtes en train de créer, mais il faut de la répétition. Soyez rassuré : votre physiologie réagira à votre intervention.

Utilisé convenablement, le CUT-THRU permet une gestion émotionnelle nettement plus grande. Toutefois, pour atteindre une profondeur réelle avec cette technique, il faut une application sincère et une contemplation mûre. Lisez d'abord les descriptions détaillées de l'attitude et des changements émotionnels nécessaires à chaque étape; puis revenez au point de départ et mettez les étapes en pratique. Il vaut la peine de prendre le temps d'explorer soigneusement chaque aspect du CUT-THRU.

Les six étapes du CUT-THRU

1. *Prenez conscience* de ce que vous ressentez au sujet du problème.
2. Focalisez-vous sur le *cœur* et le *plexus solaire*; *inspirez* de l'amour et de la reconnaissance dans cette zone pendant dix secondes ou plus, pour bien y ancrer votre attention.
3. Faites comme si vous étiez *objectif* à propos du sentiment ou de la question; comme si c'était le problème de quelqu'un d'autre.
4. Passez au *neutre*, dans votre *cœur* rationnel et mûr.
5. *Imprégnez* de compassion tout sentiment perturbé ou déroutant, en *dissolvant* peu à peu sa *gravité*. Prenez le temps d'accomplir cette étape; il n'y a aucune limite de durée. Rappelez-vous : ce n'est pas tellement le problème qui cause une fuite d'énergie que l'importance que vous lui accordez.
6. Après avoir *extrait* du problème autant de *gravité* que possible, *demandez* sincèrement, du *fond* de votre *cœur*, des conseils ou une révélation appropriée. Si vous n'obtenez pas de réponse, *trouvez* quelque chose dont vous puissiez être reconnaissant pendant un moment. La reconnaissance de quoi que ce soit facilite souvent la clarté intuitive sur des questions auxquelles vous travaillez.

Répétez les étapes au besoin. Certaines questions ont besoin de s'imprégner de l'énergie du cœur plus longtemps que d'autres afin de mûrir pour aboutir à une nouvelle compréhension et à une libération.

Vous avez peut-être remarqué que la description de ces étapes est en partie plus abstraite que celle du FREEZE-FRAME. Parce que le CUT-THRU traite un processus très complexe — la transformation en cohérence du cœur de schémas émotionnels profondément enregistrés —, il ne peut être décrit avec autant de simplicité. Les termes utilisés ici ont été très soigneusement choisis pour vous aider à atteindre l'attitude et les changements émotionnels requis. Remarquez que certains de ces mots sont en italiques. Ce sont les mots clés de chaque étape.

Lorsque vous aurez pratiqué le CUT-THRU à quelques reprises, vous en comprendrez mieux le mécanisme. Ainsi, vous trouverez les étapes plus simples à suivre et pourrez passer de l'une à l'autre en n'utilisant que les mots clés (ou peut-être de simples indices que vous créerez vous-même). Cette simplification rendra les étapes plus faciles à retenir.

Examinons maintenant chacune en détail.

Étape 1

Prenez conscience de ce que vous ressentez au sujet du problème.

Il semble évident que nous savons ce que nous ressentons à propos d'une question. Et c'est souvent le cas : maintes fois, lorsque nous sommes en colère, inquiets, anxieux ou dépassés par la situation, nous le savons. Mais nous sommes beaucoup moins en contact avec nos sentiments que nous ne le croyons. Il est très courant d'écarter des sentiments qui nous épuisent ou d'être tellement pris par un sentiment que nous ne le reconnaissons pas pour ce qu'il est.

Peut-être vous êtes vous levé du mauvais pied et avez-vous échangé des paroles dures avec votre conjoint. Cela vous met en colère, mais, après quelques minutes, l'intensité de l'incident diminue. Et pourtant, alors que vous vaquez à vos occcupations, le sentiment persiste. Vous demeurez irrité et nerveux pendant des heures. Même si vous ne vous rendez pas compte que ces paroles dures ont provoqué en vous un déséquilibre émotionnel, vous ressentez un épuisement émotif pendant tout le reste de la journée.

À partir de cet état où vos moyens sont diminués, les choses commencent à se gâter. Quelqu'un au bureau fait une erreur et vous ne le lui envoyez pas dire. Cependant, si vous vous donniez la peine de prendre conscience de ce que vous ressentez réellement à propos de son erreur, vous verriez que la chose vous importe peu. *N'importe qui* aurait pu commettre la même erreur. Ce à quoi vous réagissez *vraiment*, c'est la querelle antérieure avec votre conjoint (et l'irritabilité que vous ressentiez même avant).

Parfois, nous nous sentons légèrement désagréables, mais, parce que c'est subtil, nous l'acceptons et n'y changeons rien. Le souci en est un bon exemple. Nous nous apercevons rarement que nous passons d'une préoccupation normale au souci épuisant et contreproductif. Intellectuellement, c'est une distinction subtile, qui varie d'une personne à une autre. Du point de vue du cœur, toutefois, elle n'est pas si difficile à concevoir, car, lorsque nous sommes soucieux, ça ne *va* pas bien. Vous pouvez apprendre à reconnaître ce sentiment d'inquiétude et à faire sur-le-champ un CUT-THRU vers la préoccupation équilibrée.

Comme le souci, les problèmes de longue date peuvent entretenir le trouble émotionnel. Les vieux ressentiments, la culpabilité non résolue ou d'autres blessures émotionnelles constituent de constantes fuites énergétiques qu'il faut faire cesser si l'on veut tirer le meilleur parti de la vie.

Lorsque surgit un problème, passé ou présent, observez vos sentiments de plus près. Si vous ne vous sentez pas en équilibre émotionnel, il vous faut réaliser que vous pouvez effectuer un changement vers un état émotionnel plus paisible et plus bénéfique — et vous devez ensuite amorcer ce changement. Bien sûr, vous pouvez d'abord essayer le FREEZE-FRAME. Cette technique est très utile pour équilibrer vos émotions, et vous serez surpris de son efficacité pour colmater les fuites émotionnelles et mentales. Si toutefois vous ne ressentez pas de changement émotionnel important après avoir fait un FREEZE-FRAME dans une situation donnée, commencez à pratiquer les étapes du CUT-THRU.

Étape 2

Focalisez-vous sur le cœur et le plexus solaire; inspirez de l'amour et de la reconnaissance dans cette zone pendant dix secondes ou plus, pour bien y ancrer votre attention.

À cette étape, respirez lentement à travers la région de votre corps qui s'étend de votre poitrine à votre ventre. Ressentir de l'amour et de la reconnaissance tout en respirant aide à créer de la cohérence. Votre plexus solaire est situé juste au-dessous du sternum, là où votre diaphragme se relie aux autres muscles de votre poitrine. Les chanteurs d'opéra et autres artistes de la scène apprennent à respirer à travers leur plexus solaire afin de projeter leur voix avec une grande puissance.

L'étape 2 déclenche un processus qui consiste à calmer vos émotions, pour vous permettre d'acquérir plus d'équilibre et de stabilité. Respirer à travers la région du cœur et du plexus solaire vous aidera à garder vos énergies émotionnelles focalisées et enracinées.

Souvent, nous ressentons de fortes émotions dans le plexus solaire. Nous comprenons maintenant pourquoi : il contient ces neurones et neurotransmetteurs d'une importance extrême. Comme le cœur, il a son propre petit cerveau. Les émotions fortes affectent ce dernier, ce qui explique pourquoi nous ressentons de la nervosité, sous forme de nœud à l'estomac, lorsque nous sommes anxieux ou fâchés.

Dans un article paru en 1996 dans le *New York Times*, le docteur Michael Gershon, professeur d'anatomie et de biologie cellulaire au centre médical Columbia-Presbyterian de New York, disait ceci : «Lorsque le cerveau central rencontre une situation effrayante, il libère des hormones de stress qui préparent le corps à lutter ou à fuir. L'estomac contient plusieurs nerfs sensoriels qui sont stimulés par cet afflux chimique, d'où les papillons.»

On croit également que le système nerveux du plexus solaire communique directement avec les centres du cerveau inférieur activant certains de nos instincts les plus primaires, d'où le terme «venant des trippes» pour désigner une réaction instinctive. Selon le docteur Gershon, «tout comme le cerveau central affecte le ventre, le cerveau du ventre peut réagir à la tête». Le docteur David Wingate, professeur de science gastro-intestinale à l'université de Londres et consultant au Royal London Hospital, ajoute ceci : «La plupart des sensations ventrales qui entrent dans la conscience sont négatives, comme la douleur et le gonflement. Nous ne nous attendons à aucune bonne sensation venant du ventre, mais cela ne veut pas dire une absence de signaux [2].»

Maintenant, rappelez-vous que le cœur est de loin la source la plus forte de bioélectricité rythmique de votre corps. C'est votre oscillateur biologique dominant, et ses rythmes puissants peuvent attirer en entraînement les autres oscillateurs biologiques. En vous concentrant à la fois sur le cœur et le plexus solaire alors que vous y inspirez de l'amour et de la sollicitude, vous alignez le cerveau du ventre sur celui du cœur. Le cœur harmonisera automatiquement la communication entre les deux.

Vous découvrirez que cette interaction entre le cœur, le plexus solaire et le cerveau vous donne le sentiment d'être plus ancré. Au lieu de dériver émotionnellement, vous vous sentirez plus fixé. Un bateau à l'ancre peut dériver un peu dans une direction ou dans une autre, mais il ne peut s'éloigner de l'endroit où l'ancre est déposée. Il en résulte un sentiment de sécurité et de stabilité.

L'ancrage établit un nouveau point de repère, ce qui veut dire que, lorsque vous êtes déphasé émotionnellement, vous pouvez retrouver facilement et rapidement votre équibre. À mesure que vous vous ancrerez, vous ressentirez plus d'entrain. Plus de force et de cohérence circuleront dans votre organisme, ce qui vous permettra de dépasser plus aisément la distorsion émotionnelle.

Étape 3

Faites comme si vous étiez objectif à propos du sentiment ou de la question; comme si c'était le problème de quelqu'un d'autre.

Lorsque vous êtes prisonnier des émotions associées à un problème, vous ne pouvez être objectif. Combien de décisions irrationnelles et nocives avez-vous prises alors que vous étiez si enfoncé dans les émotions que vous perdiez complètement de vue l'ensemble de la situation?

Sans objectivité, une question peut sembler plus grave qu'elle ne l'est réellement, causant une réactivité émotionnelle accrue et un excès d'identification. La plupart des problèmes émotionnels sont dus à un excès d'identification dès le départ; autrement dit, votre tête plonge dans une réaction avant votre cœur. Plus vous êtes pris par les émotions, moins vous êtes objectif; moins vous êtes objectif, plus vous êtes pris par les émotions. Et le cycle continue jusqu'à ce que vous perdiez toute énergie émotionnelle, éclatiez en larmes ou explosiez de colère. Vous devez ensuite réparer les dégâts. Afin de vous libérer du tourbillon d'émotions, il vous faut rompre ce cycle à un moment donné du processus.

Les conseillers matrimoniaux et les médiateurs de disputes passent environ 80% de leur temps à essayer d'amener les opposants à reculer d'un pas pour voir les choses plus objectivement. Ils ne consacrent que 20% de leur temps à fournir des solutions précises. C'est que les solutions sont là, prêtes à être choisies et appliquées, lorsque les parties sont désireuses de faire des compromis. Mais comment celles-ci pourraient-elles envisager un compromis alors qu'elles sont occupées à se blâmer mutuellement en essayant chacune de l'emporter sur l'autre?

Il en est de même lorsque vous servez de médiateur dans une dispute entre vous et vous-même. Vous n'aboutirez jamais à rien si votre opinion est déjà faite. Si vous êtes déterminé à blâmer quelqu'un ou à avoir raison à tout prix, il vous est impossible de voir les événements de façon objective. Le vieux dicton qui dit «Ne me troublez pas avec des faits; mon opinion est déjà faite» provient justement de cette situation. Et nous sommes tous passés par là. Aussi longtemps que nous garderons un intérêt quant au résultat, nous serons trop engagés personnellement pour être impartiaux.

«Faire comme si vous étiez objectif», cela veut dire trouver l'intégrité nécessaire pour vous *dégager* du sentiment ou du problème qui vous trouble. Mais ce dégagement n'est pas facile. En fait, l'étape 3 est sans doute la plus difficile, surtout si le problème est chargé d'émotions. «Si je sens de la résistance et que je ne peux pas retirer mon énergie de l'émotion, a dit une personne, je brandis alors un drapeau blanc et je l'accroche à mon cœur.»

Vous rappelez-vous ces vieux films de cow-boys et d'Indiens que vous adoriez dans votre enfance? D'un côté de la montagne se trouvaient les cow-boys avec leurs chariots couverts et leurs enfants éparpillés, et, de l'autre, les Indiens sur leurs chevaux, prêts à livrer bataille. Comme vous connaissiez bien les personnages, vous étiez tenu en haleine, espérant que quelqu'un ferait preuve de bonne volonté et que personne ne se ferait tuer. Puis un côté brandissait un drapeau blanc et vous sentiez la tension baisser. Il y avait une chance que l'on négocie avec le cœur, alors que les deux camps mettaient de côté leurs émotions pendant un moment et parvenaient à un compromis. Comme dans ces films, suspendre momentanément vos sentiments afin de pouvoir les considérer objectivement au milieu du tumulte émotionnel peut sauver la situation. mise.

Apprendre à nous «désidentifier» — à nous observer comme si nous étions quelqu'un d'autre — est l'un des éléments clés du succès en gestalt-thérapie. Mais quand nous sommes vraiment dans tous nos états et identifiés à un problème, le mental ne veut surtout pas reculer. Nous avons un argument à présenter, n'est-ce pas? Et, dans le feu de l'action, on dirait que cet argument est ce qui compte le plus au monde, même si nous l'avons déjà présenté plusieurs fois : «La vie est injuste!» ou «Les gens sont insensibles!» ou «Elle fait ça à chaque fois!». Nous devrions être ennuyés par la répétition, mais ce n'est pas le cas.

La prochaine fois que vous vous surprendrez à vous approprier un problème, essayez plutôt d'effectuer l'étape 3. Dites-vous que vous allez vous dégager de la question, puis brandissez un drapeau blanc et tentez d'observer vos sentiments ou le problème comme si c'étaient ceux d'une autre personne. Faites comme si vous étiez en train d'observer une autre personne aux prises avec ce problème. À quoi la scène ressemble-t-elle à cette distance? Le changement de perception peut être renversant.

Il est remarquable de voir à quel point nous pouvons donner de bons conseils aux autres. Nous sommes incroyablement matures et objectifs lorsqu'il s'agit de *leur* problème et non du *nôtre*. En appliquant l'étape 3 à une question particulière, pensez aux conseils que vous donneriez à cette personne hypothétique se trouvant à votre place. Comment lui suggéreriez-vous de traiter la situation? La réaction émotionnelle dont vous êtes témoin est-elle appropriée? Cette personne a-t-elle vraiment besoin de ressentir ce qu'elle ressent?

À l'étape 3, vous faites un effort afin de considérer la situation de l'extérieur. Vous devenez spectateur au lieu d'être l'acteur principal. Vous serez étonné des bons conseils que vous pourrez vous prodiguer une fois que vous serez débarrassé de votre attachement émotionnel.

Jouer l'objectivité vous permet de devenir moins identifié au problème, ce qui réduit la somme d'énergie émotionnelle que vous y avez investie. En diminuant grandement le fardeau de la signification que vous accordez au problème, vous commencerez à retrouver la cohérence émotionnelle.

Étape 4

Passez au neutre, dans votre cœur rationnel et mûr.

Lorsque l'étape 3 vous a conduit à un état d'objectivité relative, vous devenez plus neutre et commencez à éprouver une réaction émotionnelle rationnelle et mature face au problème en question, une réaction fondée sur l'intelligence du cœur.

Comme nous l'avons vu, un état neutre permet à de nouvelles possibilités d'apparaître. Rappelez-vous : le fait de vous mettre au neutre ne veut pas dire que vous devez accepter ou gober quoi que ce soit. C'est un état impartial qui autorise de nouvelles probabilités. Si vous pouvez trouver un espace neutre où vous reposer durant une tempête émotionnelle, vous changerez rapidement votre attitude et vos sentiments. Et ce changement sera réel, non perceptuel. Autrement dit, vous ne ferez pas qu'opérer un changement mental; vous adopterez une autre attitude et éprouverez des sentiments nettement différents, alors que vous abandonnerez votre mental au fond de votre cœur. À cette étape du CUT-THRU, relaxez-vous au neutre, trouvez la paix, et prenez contact avec l'intelligence de votre cœur.

Votre «cœur rationnel et mûr» est cet espace profond de votre cœur qui est plus raisonnable dans ses affirmations. Les nouvelles attitudes et sentiments qu'il vous procure vous permettent d'envisager ce qu'il y a de mieux pour votre bien-être.

Plusieurs des approches thérapeutiques actuelles les plus efficaces impliquent ce qu'on appelle la «restructuration cognitive», c'est-à-dire la réorientation des pensées en vue d'interpréter les événements de la vie d'une façon plus réaliste et positive. La recherche menée à l'institut suggère que le cœur doit y être impliqué pour qu'un changement cognitif se produise; sinon, la restructuration cognitive peut être un exercice intellectuel sans grand pouvoir de changer les émotions.

Le cœur rationnel et mûr offre à l'esprit une nouvelle direction en l'encourageant à abandonner une attitude inflexible qui inhibe votre capacité à effectuer des changements émotionnels. Du fond du cœur, vous voyez ce qui a besoin d'être changé, et pourquoi.

Au cours de vos épisodes de tension émotionnelle, vous avez probablement désiré le calme intérieur nécessaire pour adoucir vos sentiments. Ce désir est la voix du cœur qui vous dit qu'il faut retrouver l'équilibre. Même si vous entendez cette voix, vous pouvez demeurer coincé dans la dissonance émotionnelle. En effectuant les deux prochaines étapes de la technique du CUT-THRU, vous pourrez retrouver votre calme et votre cohérence émotionnelle. Les étapes 1 à 4 vous ont préparé à la dernière phase de la technique, qui vous aidera à dégager le reste de vos sentiments perturbés ou dissonants.

Étape 5

Imprégnez de compassion tout sentiment perturbé ou déroutant, en dissolvant peu à peu sa gravité. Prenez le temps d'accomplir cette étape; il n'y a aucune limite de durée. Rappelez-vous : ce n'est pas tellement le problème qui cause une fuite d'énergie que l'importance que vous lui accordez.

Comme nous le disions dans un chapitre précédent, les émotions sont de l'énergie en mouvement. Rappelez-vous que, lorsque vous êtes en colère, ce n'est pas le problème réel qui provoque le malaise, mais l'importance que vous lui accordez. Comme le disait Nietzsche, « les faits n'existent pas, il n'y a que des interprétations ». Toute contrariété à propos d'un problème quelconque a été ajoutée par votre interprétation, qui est totalement subjective. Un observateur possédant un tout autre point de vue pourrait tirer des conclusions complètement différentes.

Vous pouvez évacuer la gravité du problème sans crainte d'en abandonner la « vérité ». Ce que vous cédez n'est pas la vérité. Ce n'est que de l'énergie incohérente renforcée par l'importance que vous lui accordez. C'est ce qui constitue les sentiments perturbés.

À l'étape 5, vous utilisez la force cohérente du cœur pour retirer l'énergie que vous avez investie dans le problème, réduisant ainsi son importance. En suivant les étapes 1 à 4, vous avez accédé au fond de votre cœur, et vous êtes maintenant prêt à dégager les résidus émotionnels. Laissez la force du cœur faire le reste du travail pour vous.

Focalisez-vous sur la région de votre cœur et placez-y les sentiments désagréables ou perturbés, en les imprégnant de compassion pour en dissoudre la gravité. Bien que le langage utilisé ici soit nécessairement abstrait, cette étape n'est pas difficile à effectuer. Il suffit de ne plus vous identifier aux émotions ressenties, puis de vous imprégner de l'énergie cohérente du cœur. Ressentir de la compassion augmente la cohérence.

Tout comme vous devez imprégner de détergent un tissu souillé et peut-être même le frotter pour y faire disparaître les taches, ainsi devez-vous procéder pour traiter vos problèmes émotionnels, en les approchant à partir du cœur. Votre cœur ajuste la circulation de votre sang, mais il ajustera aussi la circulation de vos émotions si vous le lui permettez. Il vous suffit d'être sincère et de vous rendre compte que votre cœur — votre source intégrée de sécurité et de nourriture intérieures — peut vous aider à évacuer la gravité de vos problèmes émotionnels et à en empêcher l'accumulation. Ce sont souvent des vieilles identifications inconscientes qui coincent vos sentiments. Vous ne savez peut-être même pas ce qu'elles sont. À l'étape 5, vous utilisez la force du cœur pour dissiper et transmuter de l'énergie émotionnelle désagréable. Vous l'imprégnez du solvant du cœur — votre amour et votre compassion —, puis vous faites disparaître délicatement la perturbation.

Lorsque Carol McDonald a pratiqué le CUT-THRU pour affronter l'épuisement émotionnel causé par l'assistance qu'elle avait apportée à son père, elle a réussi à « expulser l'anxiété » de son corps. Imprégner de compassion l'inquiétude, la colère, l'anxiété et le souci réduit leur densité. Celle-ci disparue, vous pouvez traiter par le cœur des tensions encore plus subtiles; et, surtout, la sollicitude du cœur peut circuler aisément à l'intérieur de vous, suscitant un sentiment de légèreté et de clarté.

Prenez votre temps pour accomplir cette étape. Alors que vous vous relaxez et vous imprégnez de la force du cœur, il peut s'effectuer beaucoup de travail important. Comme nous l'avons vu, la plupart des vieux schémas sont incrustés profondément dans vos circuits neuroniques. Selon votre état présent et le degré d'incrustation des vieux sentiments, vous avez peut-être beaucoup d'énergie émotionnelle à libérer. Dans ce cas, accordez-vous un supplément de compassion et de sollicitude à l'égard de vous-même; laissez reposer vos systèmes intérieurs. En vous imprégnant, ne vous préoccupez pas de ressentir de l'amour ou de la sollicitude, d'obtenir une réponse ou d'appliquer la technique correctement. Essayez seulement d'abandonner vos sentiments désagréables dans la chaleur du cœur, jusqu'à ce que vous ressentiez une libération. Laissez-les sortir doucement et délicatement, jusqu'à ce que s'installe la cohérence.

S'imprégner du cœur ne fait pas toujours disparaître le problème. Cependant, si votre effort est sincère, le processus évacuera de votre mémoire cellulaire suffisamment de densité pour vous permettre de traiter le problème plus intelligemment lorsque vous y reviendrez. De plus, il ne sera certainement pas aussi écrasant.

Étape 6

Après avoir extrait du problème autant de gravité que possible, demandez sincèrement, du fond de votre cœur, des conseils ou une révélation appropriée. Si vous n'obtenez pas de réponse, trouvez quelque chose dont vous puissiez être reconnaissant pendant un moment. La reconnaissance de quoi que ce soit facilite souvent la clarté intuitive sur des questions auxquelles vous travaillez.

Ayant utilisé le cœur afin de libérer de vieux sentiments désagréables, vous entendrez maintenant plus facilement la voix de son intelligence. Demandez sincèrement à votre cœur de vous procurer une nouvelle compréhension et de vous indiquer une nouvelle direction. Mais faites-le avec maturité, en réalisant que le cœur ne vous fournira pas une réponse tonitruante. En appliquant les techniques du CUT-THRU ou du FREEZE-FRAME, vous n'obtiendrez pas toujours une réponse immédiate, ni même dans les deux heures qui suivent. Parfois, la réponse se présentera le lendemain, ou même la semaine suivante. Vous devez laisser aux choses le temps de s'accomplir.

Souvent, le cœur répond au moyen de délicats sentiments intuitifs ou d'une compréhension subtile. Cependant, il peut également parler haut et clair. Respectez les deux types de réponse et ayez la sagesse de comprendre que le processus d'apprentissage de l'écoute du cœur prend du temps.

Si vous n'obtenez pas une réponse immédiate, utilisez la clarté et la libération que vous avez retirées des étapes 1 à 6 pour trouver un objet de reconnaissance. Et cela, pour plusieurs raisons. D'abord, la reconnaissance est un sentiment fondamental du cœur qui peut faciliter la libération des sentiments désagréables. Ensuite, activer un sentiment de reconnaissance peut vous aider à transformer rapidement votre attitude de façon à vous empêcher de retomber dans l'identification émotionnelle à votre problème. Enfin, éprouver de la reconnaissance pendant un moment active souvent la clarté intuitive pour d'autres questions que vous voulez résoudre. Alors, trouvez un objet de reconnaissance, quel qu'il soit, et éprouvez ce sentiment jusqu'à ce que vous obteniez de votre cœur une direction claire. Puis, lorsque cette direction vous est donnée, suivez-la.

Répétez les étapes du CUT-THRU au besoin. Certaines émotions se dissolvent rapidement; d'autres exigent du temps et de la répétition. Si les mêmes sentiments désagréables se présentent de nouveau, usez de patience et essayez encore et encore. Rappelez-vous : comme certains schémas ont été renforcés depuis des années, ils ne peuvent disparaître en un ou deux CUT-THRU. Comme Carol, qui est restée assise sur son patio à faire des CUT-THRU à répétition, vous pouvez en répéter les étapes jusqu'à ce que survienne un changement majeur dans vos émotions ou votre attitude, quelle que soit la difficulté de la situation.

Changements d'attitude

Nos attitudes forment des circuits neuronaux dans le cerveau. Si nous maintenons habituellement une certaine attitude, le cerveau se réorganise littéralement pour faciliter cette attitude. Autrement dit, le cerveau s'habitue à certaines attitudes.

Un grand nombre des éléments que vous considérez comme étant «vous» ne sont que les voies neuronales que vous avez créées en adoptant à répétition certaines attitudes. Nous pourrions dire que des *états*, lorsqu'on les renforce, produisent des *traits*. Qui vous êtes, ce que vous aimez, et votre façon de réagir, tout cela a été établi dans votre cerveau par vos habitudes. En un sens, ces traits sont «vous» parce qu'ils sont maintenant gravés dans votre cerveau; mais ils ne devaient pas nécessairement l'être et ils ne doivent pas nécessairement y rester.

C'est pourquoi, lorsque vous arrivez *vraiment* au fond du cœur, l'une des meilleures choses que vous puissiez demander est la force de créer un changement d'attitude (au besoin). Cela exige du courage, car les changements d'attitude manifestant de la maturité vont parfois dans une direction que le mental refuse. Celui-ci a été programmé pour certaines attitudes et constructions qu'il ne veut pas libérer, même si vous savez intuitivement qu'elles ne sont pas bonnes pour vous. Ne sachant pas ce qui se présentera s'il va dans la direction du cœur, il ne veut pas se risquer. Par conséquent, il est parfois difficile d'apprendre à suivre le cœur.

Souvent, les solutions aux problèmes se trouvent en plein devant nous, mais elles sont cachées par des sentiments négatifs ou de vieilles attitudes. Les problèmes n'exigent pas tous que nous changions d'attitude pour leur trouver une solution, mais les principaux, oui; ce sont ceux-là qui nous minent. Dans ces cas-là, un changement d'attitude ouvre souvent la voie à une solution tangible. Mais si nous ne voulons pas payer le prix d'un changement d'attitude, nous nous coupons des solutions et d'une clarté potentielles.

Parfois, on résiste à l'abandon de certaines attitudes, parce que l'on veut conserver au mental son droit de faire la moue. On fait la moue lorsque l'on est en colère ou que l'on se sent justifié d'avoir telle attitude contrariée. Mais souvent les solutions et les révélations intuitives sont bloquées parce que le mental choisit de faire la moue plutôt que d'abandonner le principe. Comme la moue cristallise les attitudes, elle vous empêche d'adopter celle qui est la meilleure pour vous et pour les autres.

Le CUT-THRU vous permet d'accéder à de nouveaux sentiments et à de nouvelles attitudes, en vous faisant dépasser la moue ainsi que l'attachement à des émotions et à des insécurités nuisibles. Respectez donc votre engagement à évacuer la gravité des problèmes et à diminuer la fuite émotionnelle.

La pratique du CUT-THRU

Prenez le temps d'étudier et d'expérimenter les six étapes du CUT-THRU. Au fil de votre pratique, vous découvrirez qu'elles s'enchaînent facilement. Comme nous l'avons mentionné, vous pouvez créer des indices ou utiliser les mots clés en italiques pour vous rappeler chaque étape.

Le moyen le plus facile d'apprendre les étapes est de pratiquer chacune en la lisant. Pratiquez-la d'abord les yeux fermés, si vous vous sentez plus à l'aise ainsi. Lorsque le processus intérieur vous sera devenu familier, vous pourrez l'exécuter rapidement les yeux ouverts. Après un certain temps, les étapes deviendront automatiques et vous serez capable de les exécuter partout : sous la douche, au volant de votre voiture ou en réunion de travail.

Vous pouvez également effectuer le CUT-THRU en écoutant de la musique. Choisissez une musique instrumentale qui vous relie au cœur, des pièces qui ne sont ni trop stimulantes ni trop douces. Accompagnée d'une bonne musique, la technique du CUT-THRU devient encore plus puissante. Tentez l'expérience avec diverses musiques jusqu'à ce que vous trouviez le style ou la pièce qui fonctionne le mieux pour vous. L'efficacité de la technique ne dépend toutefois pas de la musique. C'est son application adéquate et sincère qui en garantit les résultats, qu'on utilise de la musique ou non. (Voir le chapitre 10 pour plus de détails sur l'utilisation de la musique dans le travail sur soi.)

Pour simplifier votre apprentissage de la technique du CUT-THRU, pratiquez-la à l'aide de sa fiche d'exercices, qui figure à la page 295. Vous pouvez vous attaquer à toute émotion de déficit ou à tout souci récurrent que vous avez identifié en vous-même en lisant les chapitres 7 et 8. Vous pouvez également prendre un raccourci jusqu'à certaines des émotions épuisantes les plus courantes, énumérées ci-dessous. Le CUT-THRU vous aidera à comprendre comment fonctionnent ces émotions et à en facilitera la libération.

Tension	Blessure morale	Douleur
Rage	Culpabilité	Irritabilité
Apathie	Peine	Tristesse
Manque d'énergie/fatigue	Grief	Ressentiment
Inquiétude	Colère	Anxiété
Blâme de soi	Dépression	Peur

Fiche d'exercices du CUT-THRU

Voici les six étapes de la technique du CUT-THRU :

1. *Prenez conscience* de ce que vous ressentez au sujet du problème.
2. Focalisez-vous sur le *cœur* et le *plexus solaire*; *inspirez* de l'amour et de la reconnaissance dans cette zone pendant dix secondes ou plus, pour bien y ancrer votre attention.
3. Faites comme si vous étiez *objectif* à propos du sentiment ou de la question; comme si c'était le problème de quelqu'un d'autre.
4. Passez au *neutre*, dans votre cœur rationnel et mûr.
5. *Imprégnez* de compassion tout sentiment perturbé ou déroutant, en *dissolvant* peu à peu sa *gravité*. Prenez le temps d'accomplir cette étape; il n'y a aucune limite de durée. Rappelez-vous : ce n'est pas tellement le problème qui cause une fuite d'énergie que l'importance que vous lui accordez.
6. Après avoir *extrait* du problème autant de *gravité* que possible, *demandez* sincèrement, du *fond* de votre *cœur*, des conseils ou une révélation appropriée. Si vous n'obtenez pas de réponse, *trouvez* quelque chose dont vous puissiez être reconnaissant pendant un moment. La reconnaissance de quoi que ce soit facilite souvent la clarté intuitive sur des questions auxquelles vous travaillez.

Problème émotionnel ______________________________

____

____

Réactions émotionnelles ______________________________

____

____

____

____

____

CUT-THRU

Réaction du CUT-THRU ______________________________

____

____

____

La pression temporelle

Au cours de nos séances de formation, la majorité des gens nous disent que le sentiment qui leur cause le plus de difficulté est *l'accablement.* Il engendre l'irritation, l'angoisse existentielle et la fatigue associée au manque d'énergie. Les médecins nous disent que jusqu'à 30 % des visites de leurs nouveaux patients sont dues à une fatigue inhabituelle, un manque d'énergie, symptôme le plus souvent accompagné d'un sentiment chronique d'accablement. La cause la plus courante de ce sentiment est la *pression temporelle.*

Mais pouvons-nous vraiment utiliser la technique du CUT-THRU pour réduire la pression causée par les contraintes de temps? Après tout, celles-ci sont extérieures et semblent si incontrôlables. Notre charge de travail, nos enfants, nos tâches ménagères, tout cela impose des exigences implacables à notre emploi du temps.

Considérons la chose de la façon suivante. Lorsque nous sommes sous pression, dans une course contre la montre, nous ne nous sentons pas seulement accablés. Nous devenons irritables. Et lorsque nous sommes irritables, nous disons ou faisons souvent des choses que nous regrettons plus tard. Ensuite, nous devons réparer les dégâts. C'est du temps perdu.

En coupant à travers vos sentiments de pression et d'irritabilité dès que vous en prenez conscience, vous retrouvez l'équilibre émotionnel, et cela crée un *déplacement temporel.* Autrement dit, vous épargnez du temps parce que nous n'avez pas à passer par toutes les conséquences inefficaces de la mauvaise humeur. Vous vous gérez à *l'intérieur d'un intervalle de temps* — sur-le-champ — en utilisant le CUT-THRU.

Dans notre exemple le plus simple, celui où vous vous êtes levé du mauvais pied un matin, vous auriez, si vous aviez utilisé le CUT-THRU immédiatement après avoir remarqué les effets des premières paroles dures échangées avec votre conjoint, évité la persistance du déséquilibre émotionnel au bureau (et peut-être même durant la soirée, avec votre conjoint). Vous auriez épargné beaucoup de temps (et d'énergie). Rendez-vous compte que vous auriez pu employer ce temps différemment.

Quand vous utilisez le CUT-THRU pour changer vos émotions et les aligner sur le cœur, vous provoquez un changement temporel, ce qui interrompt une réaction en chaîne entraînant un gaspillage de temps. Vous entrez dans une nouvelle zone d'efficacité temporelle et énergétique. Si vous oubliez de faire le CUT-THRU immédiatement, ne pensez pas que vous avez totalement manqué l'occasion. Le CUT-THRU empêche à *tout* moment la perte de temps et d'énergie. Avec la répétition de la technique, les étapes vous viendront spontanément en mémoire de plus en plus tôt dans la réaction en chaîne.

Examinons quelques exemples. Lorsque vous subissez une pression liée au temps, vous efforçant d'accomplir certaines tâches à l'intérieur d'un certain délai, faites au moins l'étape 4 : évacuez une partie de la gravité de la situation, au lieu de vous laisser dominer par des émotions perturbées qui vous affectent comme une mauvaise fièvre. Et lorsque, au cours d'une réunion de travail, quelqu'un dit quelque chose qui vous dérange, allez à l'étape 5 : essayez de plonger dans l'énergie du cœur le sentiment perturbé afin qu'il s'y imprègne pendant le reste de la réunion. Chaque fois que vous *actualisez* l'effort de la pratique, vous arrêtez une partie de la fuite d'énergie et créez un changement temporel. L'accumulation des changements temporels vous apportera un nouvel entrain et une nouvelle force émotionnelle.

Il y a environ deux ans, j'ai (Howard) eu une occasion intéressante d'appliquer le CUT-THRU. En utilisant cette technique, j'ai pu créer un changement temporel et éviter ce qui aurait pu être une immense perte de temps et d'énergie.

L'un de nos employés, qui traversait une période difficile, blâmait et jugeait constamment les gens de son entourage et leurs comportements. Non seulement cette attitude le rendait malheureux, mais elle commençait à affecter son emploi et ses relations avec ses collègues.

Après une réunion au cours de laquelle il était particulièrement fâché, j'ai fait une pause et me suis libéré de mon souci. Je suis ensuite entré avec lui dans une franche discussion sur son attitude, en tentant de l'aider à la dépasser. Réagissant négativement — et fortement —, il m'a dit à quel point ma propre attitude lui déplaisait.

Quelques jours plus tard, il m'a demandé de sortir de l'édifice avec lui pour un moment. Il a alors laissé exploser sa colère, m'accusant de n'avoir ni compassion ni sensibilité, et me blâmant de jouer un rôle majeur dans tous ses problèmes. Sa rage augmentant, il a commencé à me menacer physiquement. Parvenant à rester au neutre, j'ai gardé mon sang-froid et fait mon possible pour le laisser exprimer sa colère.

Lorsqu'il eut terminé, je suis allé dans mon bureau et j'ai fermé la porte. Même si j'avais fait tous les efforts possibles pour conserver mon équilibre émotionnel, j'étais un peu secoué. De lourdes pensées émotives associées à cet incident continuaient de tourner en moi.

Lorsque j'ai réalisé ce qui se passait, j'ai décidé de tout arrêter et de pratiquer sincèrement le CUT-THRU. J'ai effectué plusieurs fois toutes les étapes, développant un nouveau point de vue, évacuant la gravité de la situation et imprégnant de l'énergie du cœur mes fragiles émotions.

Par mon cœur rationnel et mûr, j'ai vu que ce collègue traversait une période vraiment difficile. Même si certains employés auraient trouvé approprié de l'écarter, je savais qu'il était un travailleur dévoué et qu'il possédait un grand cœur. J'ai décidé de continuer à chercher une solution.

Ce jour-là, après avoir pratiqué le CUT-THRU pendant un moment, j'ai trouvé une certaine libération. À mesure que la journée avançait, cependant, je me sentais toujours un peu instable et j'ai continué d'imprégner de l'énergie du cœur le reste de mon trouble afin de retrouver la cohérence émotionnelle. Cela a fonctionné.

J'ai continué de parler à cet employé afin de résoudre nos différends et, avec le temps, nous y sommes parvenus. De son côté, en utilisant les outils et techniques de la solution HeartMath, il est revenu en contact avec son cœur. Je l'ai admiré d'avoir fait cela. Aujourd'hui, c'est un ami que j'apprécie beaucoup et dont l'apport à la compagnie est important.

Les bienfaits de l'usage du CUT-THRU sont nombreux. L'une des premières choses que vous remarquerez en pratiquant cette technique, c'est que vos capacités émotionnelles et votre motivation s'accroîtront. De plus, vous remettrez moins de choses à plus tard (parce que vous serez davantage dans le mouvement), vous deviendrez plus sensible et empathique aux autres (ce qui améliorera la communication interpersonnelle) et vous commencerez à traverser la vie à la vitesse la plus efficace possible, soit celle de l'équilibre.

En effet, vous élaborerez une nouvelle grille de relation avec vous-même et la vie. Vous redirigerez votre énergie émotionnelle d'une manière productive. Essayez la technique du CUT-THRU pendant une semaine et accordez-lui de l'importance. Voyez si des changements surviennent. Soyez patient pour les schémas émotionnels qui prennent plus de temps à changer. Même s'il vous faut un mois pour régler un problème émotif qui a été renforcé durant des années, c'est tout de même un raccourci vers la liberté émotionnelle!

Erreurs courantes

Soyez à l'affût des deux erreurs les plus courantes que l'on peut faire lorsque l'on pratique le CUT-THRU.

Erreur numéro un : «Je comprends ce que vous dites, mais mes peurs et anxiétés sont tellement *différentes* de celles des autres.» Il y a des gens qui pourraient argumenter pendant des jours pour essayer de prouver que leurs problèmes sont pires que ceux des autres. Vous ne saurez jamais si la technique fonctionne pour vous si vous ne l'essayez pas.

Erreur numéro deux : «Mon problème est si profond qu'il est impossible qu'une technique puisse m'aider. J'ai tout essayé.» Des milliers de gens essayent d'équilibrer leurs émotions par des techniques d'autoassistance, par la religion ou par la thérapie, et c'est souvent un long processus. Les gens croient qu'ils peuvent changer une attitude par la *pensée*, mais les changements dans le domaine du sentiment exigent une cohérence du cœur. Ils exigent aussi une pratique soutenue et sincère, car un très grand nombre de nos perceptions, attitudes et réactions émotionnelles sont profondément intégrées à notre schématisation cellulaire [3]. Cela garde les mystères non résolus de nos expériences émotionnelles passées verrouillés dans nos cellules nerveuses et dans les circuits qu'elles forment. Nos cellules nerveuses retiennent et emmagasinent réellement les souvenirs chargés d'émotions des événements passés et présents [1].

Pour comprendre le processus de la mémoire

L'étude expérimentale de la mémoire remonte à 1885, alors qu'Hermann Ebbinghaus s'engagea dans une série d'expériences afin de découvrir comment les nouvelles informations étaient emmagasinées dans la mémoire. Il fit le raisonnement suivant : pour être certain que de nouveaux souvenirs seraient en train de se former, il aurait besoin de s'assurer qu'un sujet n'ait aucune association passée avec la matière qu'il lui présenterait.

Pour obliger les sujets à former de nouveaux souvenirs, il eut l'idée de leur donner de la matière verbale qui leur était totalement étrangère, afin qu'ils ne puissent faire aucune association avec quoi que ce soit d'antérieur. Il inventa des syllabes absurdes formées de deux consonnes séparées par une voyelle (par exemple : WUX, JEK, ZUP). Ebbinghaus créa ainsi environ 2300 syllabes, écrivit chacune sur un bout de papier, et tira au hasard de 7 à 36 bouts de papier, créant des listes de syllabes qui devaient être mémorisées de façon sérielle.

À partir de ces simples expériences, il découvrit deux principes de base. D'abord, il vit que la mémoire est «progressive» — c'est-à-dire que c'est la répétition qui crée l'habitude. Ensuite, il constata une relation linéaire entre le nombre de répétitions et la quantité de souvenirs retenus.

Ebbinghaus étudia également l'oubli. Il découvrit que réapprendre une liste prend moins de temps et d'efforts que l'apprentissage original. Il découvrit aussi que l'oubli a au moins deux phases : un rapide déclin initial au cours de la première heure, suivi d'un déclin beaucoup plus graduel qui se poursuit pendant environ un mois [4].

Cette recherche a permis de comprendre que le cerveau utilise au moins deux processus mnémoniques différents, maintenant appelés couramment mémoire à court terme et mémoire à long terme. Avec la mémoire à court terme, la force du synapse — un synapse étant la région de connexion de deux neurones — est modifiée temporairement, et si nous répétons une action ou un comportement, la connexion est renforcée davantage.

Pour que la mémoire à long terme des processus comportementaux se produise, les cellules nerveuses doivent effectuer deux opérations additionnelles. D'abord, elles doivent subir une série compliquée de réactions chimiques afin de produire une molécule qui active des gènes particuliers contenus dans l'ADN des cellules nerveuses. Ensuite, elles doivent croître et se modifier structurellement. C'est dans les circuits formés par les cellules nerveuses lors de ces changements structurels que se gravent les attitudes, réactions émotionnelles et comportements répétés [5].

La mémoire permet des changements cumulatifs dans les systèmes de perception et de réaction du cerveau, ce qui explique le développement graduel de nouvelles aptitudes et de schémas de réaction émotionnelle inconscients. Elle permet à nos expériences passées d'influencer notre comportement actuel, même lorsque nous ne nous rappelons pas consciemment ces expériences [6].

Une fois formés, nos souvenirs inconscients affectent nos perceptions du moment, qui à leur tour affectent l'activité biochimique du corps et la production des hormones. En coupant graduellement à travers les fuites d'énergie émotionnelle, vous pouvez utiliser la force de la cohérence du cœur pour créer et renforcer de nouveaux changements structurels cellulaires et éliminer les résidus émotionnels au niveau cellulaire [3].

Examen de l'impact hormonal du CUT-THRU

Les émotions et les hormones vont de pair. Nos perceptions et nos humeurs affectent notre activité biochimique, et celle-ci, à son tour, influence nos humeurs et nos comportements [7].

Pourquoi des gens peuvent-ils se rappeler où ils se trouvaient lorsque le président Kennedy a été assassiné, mais pas, disons, où ils ont déjeuné avant-hier? C'est parce que leur réaction émotionnelle à la mort de Kennedy était beaucoup plus forte que leur expérience du déjeuner.

Les hormones et neurotransmetteurs libérés par un fort stimulus émotionnel contribuent à incruster cette mémoire émotionnelle dans nos circuits neuronaux. Nous nous rappelons les événements selon l'importance qu'ils ont pour nous. Et nous avons tendance à nous rappeler davantage les forts états émotionnels *négatifs* plutôt que les *positifs*.

Tandis que de fortes empreintes émotionnelles, négatives ou positives, ont pu être importantes dans le passé pour la survie et l'évolution, nous aurons besoin, au cours de la prochaine phase du développement humain, d'une meilleure gestion émotionnelle — et subséquemment d'un plus grand contrôle sur nos réactions hormonales — si nous espérons améliorer la qualité de la vie.

Le CUT-THRU offre-t-il un moyen d'atteindre ce contrôle hormonal ? Les scientifiques de l'institut tentent depuis longtemps de découvrir si la pratique régulière de la technique du CUT-THRU change les taux de deux hormones clés : la DHEA et le cortisol.

Dans la communauté médicale, il est bien connu que l'expérience répétée d'émotions négatives peut amener une élévation chronique du niveau de cortisol, qui nuit aux cellules du cerveau tout en diminuant le niveau de DHEA. Comme nous l'avons mentionné au chapitre 3, l'élévation chronique du taux de cortisol peut également entraîner une détérioration croissante des os, une augmentation de l'accumulation de graisse (particulièrement autour de la taille et des hanches), des troubles de la mémoire et la destruction de cellules cérébrales. Les scientifiques ont également relié un taux inférieur de DHEA à une multitude de troubles, y compris l'épuisement, les désordres immunitaires, le SPM, les difficultés de la ménopause, la maladie d'Alzheimer, l'obésité, les maladies cardiaques et le diabète. Selon des indications importantes, une augmentation du niveau de DHEA réduit la dépression, l'anxiété, la perte de mémoire et les possibilités de maladie cardiovasculaire. Des tests cliniques récents à l'université de Californie à San Diego démontrent qu'une augmentation du taux de DHEA produit un accroissement des sentiments de bien-être, d'énergie et de vitalité [3, 8 à 12].

En partant de l'hypothèse selon laquelle la pratique du CUT-THRU modifierait avantageusement le niveau de ces hormones, l'institut a entrepris une étude auprès de trente hommes et femmes. Les sujets d'expérience furent formés à la technique du CUT-THRU et on leur donna une cassette audio intitulée *Speed of Balance*, qui présentait de la musique conçue scientifiquement pour faciliter l'équilibre émotionnel [13]. Les sujets pratiquèrent la technique du CUT-THRU cinq jours par semaine, tout en écoutant cette musique, et ils utilisaient aussi le CUT-THRU chaque fois qu'ils ressentaient un souci ou de la détresse. Des échantillons de salive furent prélevés pour mesurer les niveaux de DHEA et de cortisol avant et après un mois de pratique.

Cette étude fut effectuée en utilisant une version antérieure du CUT-THRU. Le principe de base était le même, mais la technique était présentée dans un langage différent. En formant des gens au CUT-THRU au fil des ans, nous avons acquis une mine de connaissances pratiques, que nous avons incorporées dans la version plus raffinée de la technique présentée ici. Nous poursuivons notre recherche sur le CUT-THRU, mais, comme vous allez le voir, même la version antérieure de la technique a eu un effet positif très spectaculaire sur l'équilibre hormonal.

Après seulement un mois de pratique, les sujets montrèrent une augmentation moyenne de 100% de leur niveau de DHEA et une baisse moyenne de 23% de leur niveau de cortisol (voir figure 9.1). Certains sujets triplèrent et même quadruplèrent leur niveau de DHEA en un mois [3].

Pour vous donner une idée de l'importante de ces découvertes, ajoutons que le chef du laboratoire indépendant qui a analysé les résultats hormonaux nous a dit que, même s'il avait vu, au cours de ses nombreuses années dans le domaine, des suppléments de DHEA et autres ordonnances élever la DHEA, il en avait vu très peu qui en avaient doublé le niveau.

Une analyse complémentaire fut effectuée pour vérifier la relation entre le stress et l'anxiété rapportés par les sujets et leur niveau de cortisol. Les résultats démontrèrent que moins les sujets rap-

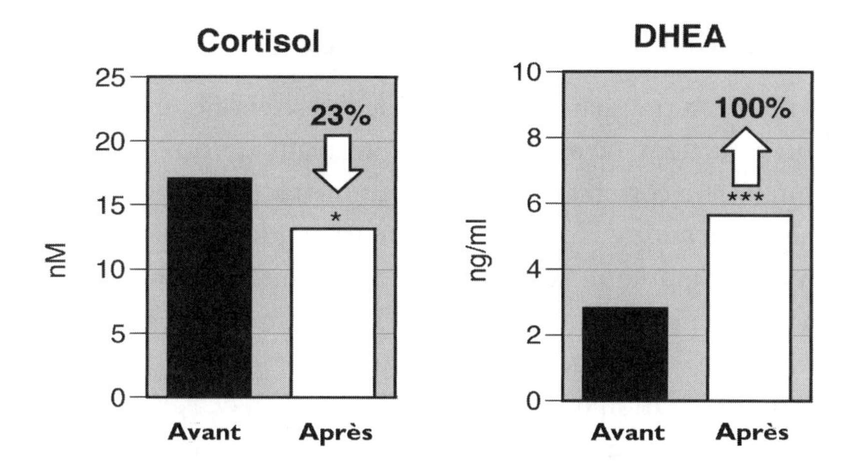

L'impact du CUT-THRU sur l'équilibre hormonal

FIGURE 9.1. Ces graphiques montrent les niveaux des hormones cortisol et DHEA dans un groupe de gens avant et après leur apprentissage et leur pratique de la technique du CUT-THRU. Après avoir pratiqué le CUT-THRU pendant un mois, les sujets affichaient une diminution moyenne de 23 % du taux de cortisol et une augmentation moyenne de 100 % du taux de DHEA.

portaient d'anxiété et de stress, plus leur niveau de cortisol était bas, confirmant la fiabilité de cette relation établie par l'étude. Les sujets ne rapportèrent aucun changement dans leur alimentation, leur exercice physique ou leur mode de vie durant ce mois, sauf la pratique du CUT-THRU et l'écoute de *Speed of Balance*. Des scientifiques ont émis l'hypothèse que, avec le temps, une pratique régulière continue pourrait produire des résultats encore meilleurs [3].

Cette étude est particulièrement importante. Elle confirme que les gens ont la capacité de changer leur équilibre hormonal — d'augmenter leur taux de DHEA et de diminuer leur taux de cortisol — sans prendre ni médicaments ni suppléments. Cela indique bien que nos schémas hormonaux réagissent à nos changements de perceptions et d'émotions. Et, rappelez-vous, ces résultats impressionnants ne sont survenus qu'après un seul mois de pratique du CUT-THRU.

Examen de l'impact émotionnel du CUT-THRU

Dans une autre phase de cette étude, les scientifiques de l'institut voulaient savoir si la pratique régulière du CUT-THRU réduirait de façon importante les sentiments négatifs et le stress, et augmenterait de façon importante les sentiments positifs et le bien-être. Comme auparavant, des participants reçurent l'instruction d'exécuter les étapes du CUT-THRU cinq fois par semaine (tout en écoutant *Speed of Balance*) et de pratiquer la technique dans toute situation qui leur causerait du souci, de l'anxiété ou de la détresse. Un groupe de contrôle de quinze personnes fut également soumis aux tests psychologiques, mais ne pratiqua pas le CUT-THRU.

Dans le groupe qui pratiquait le CUT-THRU, les résultats démontrèrent une augmentation importante des sentiments positifs (sollicitude, cordialité, reconnaissance, gentillesse, amour, pardon, acceptation, harmonie, compassion) et de la vigueur, et, après un mois, une augmentation moins substantielles du contentement et du bonheur. Ce même groupe connut également des diminutions d'anxiété, de burn-out, de dépression, de culpabilité, d'hostilité, de souci général et de stress général (voir figure 9.2). Dans le groupe témoin, aucun changement significatif ne fut constaté dans les émotions positives ou négatives [14].

De plus, les femmes participant à l'étude ont tenu un tableau quotidien de leurs sautes d'humeur durant leur cycle menstruel pendant un mois avant l'apprentissage du CUT-THRU et pendant deux mois par la suite. Les tableaux révélèrent une réduction marquée des sautes d'humeur, de la dépression et de la fatigue associées à la période menstruelle [14].

Ces études illustrent le fait que l'usage du CUT-THRU peut avoir un effet dynamique sur notre bien-être physique et psychologique.

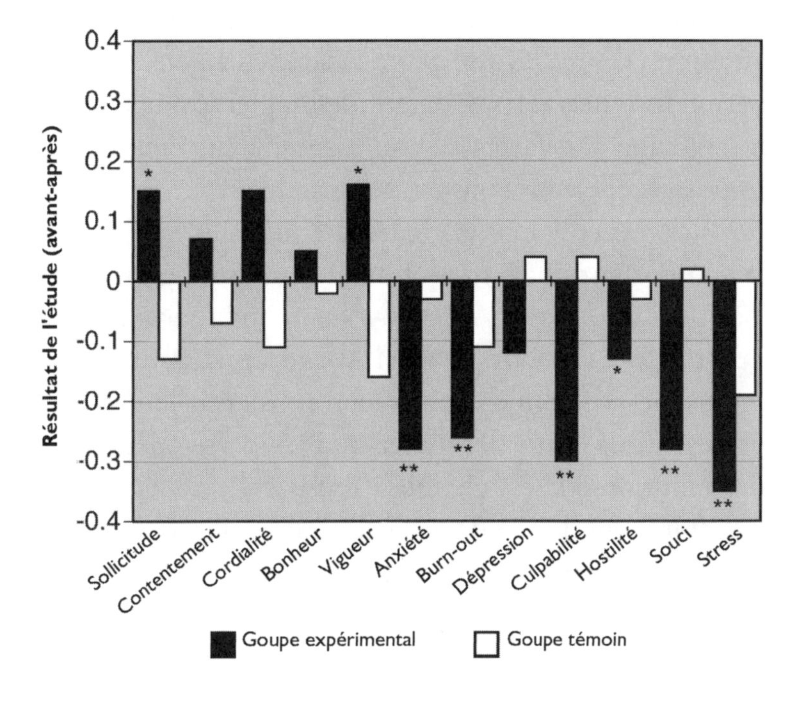

L'effet du CUT-THRU sur l'équilibre émotionnel

FIGURE 9.2. Après avoir pratiqué la technique du CUT-THRU pendant un mois, des sujets d'étude ont connu une réduction importante du stress, du souci et des émotions négatives, et une augmentation de la vigueur et des émotions positives (barres noires). Un groupe témoin qui n'utilisait pas le CUT-THRU n'a connu aucun changement psychologique important (barres blanches). *p – 0.5, **p – .01.

Le CUT-THRU hors du labo

Les résultats de cette recherche sont effectivement encourageants, mais vous serez encore plus enthousiaste lorsque le CUT-THRU aura un impact important sur votre vie. Et il en aura un, car ses effets augmentent avec votre pratique et votre engagement.

Apprendre à changer les émotions

Utilisez le CUT-THRU chaque fois que vous voulez effectuer un changement d'état émotionnel. Après avoir pratiqué suffisamment cette technique, vous pourrez colmater les fuites émotionnelles et passer à volonté à un état émotionnel plus désirable. Vous devrez avoir atteint un degré élevé de maîtrise pour changer à volonté des schémas émotionnels forts et datant de longtemps, mais on peut couper rapidement à travers de nombreuses zones émotionnelles.

Supposons que vous vous sentiez irritable. Peut-être une série de petites contrariétés vous ont-elles atteint. Vous ne pouvez rien déceler d'important, mais vous êtes néanmoins grognon et irritable. Vous pensez à faire un FREEZE-FRAME, mais vous décidez de suivre plutôt les étapes du CUT-THRU, reconnaissant que votre état émotionnel a besoin d'une révision substantielle. Après avoir effectué ces étapes, vous découvrez que vous avez abandonné le désordre émotionnel; en quelques minutes, vous éprouvez un généreux sentiment de reconnaissance pour la journée qui vient de s'écouler : tout s'est bien passé, et chaque élément de votre univers semble à sa place. (Comme les journées ne sont pas toutes comme celle-ci, il y a vraiment matière à reconnaissance!) Lorsque vous coupez à travers un malaise général, un plus grand sentiment de reconnaissance se lève tout naturellement dans votre conscience.

Retrouver rapidement l'équilibre

Lorsque vos émotions sont sérieusement en déséquilibre, il est carrément temps de cesser toute activité et d'utiliser le CUT-THRU. Vous voudrez peut-être d'abord effectuer un FREEZE-FRAME, pour activer un sentiment fondamental du cœur, et ensuite passer à la technique du CUT-THRU. Le FREEZE-FRAME vous aidera à équilibrer vos divers systèmes, rendant ainsi le CUT-THRU plus facile à effectuer et plus efficace. Le FREEZE-FRAME vous ramène rapidement à un état de clarté mentale et d'équilibre, et ensuite le CUT-THRU rend vos émotions cohérentes avec votre cœur. Ces deux processus sont étroitement liés : lorsque, dans le cadre de votre FREEZE-FRAME, vous demandez à votre cœur comment procéder, vous pourriez bien vous faire dire que vous avez besoin d'utiliser le CUT-THRU pour dégager tout reste d'émotion déformée.

Lorsque nous vous suggérons d'appliquer le CUT-THRU chaque fois que vos émotions sont sérieusement déséquilibrées, à quel genre de situation faisons-nous allusion? Aux accès de colère, bien sûr, soit durant la crise ou lorsque tout est terminé (mais que vous êtes encore en train de fulminer et de perdre de l'énergie). Et certainement à ces moments où vous êtes fortement en proie au souci, sous l'un de ses nombreux déguisements : l'inquiétude, par exemple. Au moment même où vous lisez ces lignes, il y a partout dans le monde des gens en train de se dire : «Cela [inscrivez vous-même le souci] m'inquiète à mourir.» Et ils ne plaisantent peut-être pas.

Lorsque vous êtes aux prises avec de fortes émotions, de quelque ordre qu'elles soient, le CUT-THRU peut vous ramener à l'équilibre et au calme. Et plus vous y revenez rapidement, plus vous épargnez d'énergie. Vous n'avez qu'à vous souvenir de l'existence de cet outil et à vous donner la peine de l'utiliser. Effectuez les étapes du CUT-THRU jusqu'à ce que vous sentiez un changement. Rappelez-vous que vous ne vous sentirez peut-être pas euphorique immédiatement. Mais, en continuant patiemment à prendre le raccourci, à évacuer la gravité du problème et la densité du sentiment, vous retrouverez votre équilibre. En une courte période de temps, vous connaîtrez un changement majeur sur le plan de vos sentiments.

Certains problèmes n'ont aucune solution évidente. Si vous ratez un avion pour une rencontre importante et qu'un accord commercial échoue, vous ne pouvez rien y changer. Cependant, vous *pouvez* évacuer la gravité de l'incident sur le plan émotionnel, retrouver votre équilibre et passer à autre chose. Le CUT-THRU, appliqué de façon sincère, permet vraiment d'y arriver en prenant un raccourci vers l'équilibre émotionnel. En passant de la tête au cœur; du chaos à la cohérence.

Éliminer les plus gros blocages

Les problèmes émotionnels de longue date sont habituellement les blocages majeurs qui nous empêchent de ressentir une plus grande satisfaction.

Supposez que vous ayez été profondément blessé dans une relation. La douleur qui persiste vous empêche d'exprimer votre amour, car elle entretient en vous la méfiance et la crainte. Faites entrer ces sentiments dans votre cœur. Rappelez-vous : ce n'est pas ce problème particulier qui vous cause maintenant de la douleur; c'est l'importance émotionnelle que vous lui avez accordée à l'époque et que vous avez renforcée pendant toutes ces années. À présent, la douleur n'est que de l'énergie qui a besoin d'être transformée afin que vous puissiez être libre à nouveau d'exprimer votre amour.

Nous comprenons qu'il peut être difficile de dépasser les émotions qui sont profondément incrustées dans votre mémoire. Mais si vous voulez vraiment abolir ces limites émotionnelles, prenez le temps d'utiliser le CUT-THRU sur des sentiments que vous avez identifiés comme des blocages émotionnels majeurs. Lorsque vous les aurez ciblés, engagez-vous à parcourir les six étapes du CUT-THRU sur chacun. À mesure que vous remplirez cet engagement, vous éliminerez progressivement vos schémas d'autosabotage. Le seul fait d'être vulnérable à vous-même incitera le cœur à vous fournir les révélations intuitives dont vous avez besoin. En moins de temps que vous ne croyez, vous ressentirez une nouvelle liberté grâce à la pratique du CUT-THRU. Rendez-vous compte qu'en pratiquant le CUT-THRU pendant trente minutes environ, plusieurs jours par semaine, pendant seulement un mois, comme l'ont fait les sujets de l'étude, vous pourrez dépasser un blocage émotionnel qui vous affecte depuis des années.

Générer votre propre bonheur

Parce que le CUT-THRU est une technique qui vous fait passer d'une émotion stressante et épuisante à une émotions fortifiante et paisible, il est conçu, en un sens, pour vous aider à trouver le bonheur.

Nous voulons tous être heureux, mais le bonheur est une denrée rare. Nous ne pouvons tout simplement pas le faire survenir par notre seule volonté. Le monde extérieur est une source peu fiable de bonheur; si vous attendez que les événements et les circonstances vous rendent heureux, vous connaîtrez une attente longue et souvent décourageante.

Le meilleur et le plus fiable bonheur provient d'une négociation équilibrée entre le mental et le cœur. Cette négociation exige de l'effort et de la détermination. Lorsque les émotions sont drainées par la solitude, la jalousie ou la peur, il ne reste plus de carburant émotionnel pour soutenir le bonheur. Bien sûr, le bonheur peut surgir momentanément, mais il ne dure pas. Les émotions non gérées l'assèchent et épuisent nos réserves.

La gestion des émotions s'effectue de l'intérieur. C'est pourquoi il est important d'apprendre des techniques qui vous permettront d'ajuster votre attitude au besoin. Vous pourrez ensuite diriger plus efficacement vos émotions. Le bonheur vient grâce à des émotions qui sont qualifiées par le cœur.

Le but premier du CUT-THRU est de gérer les émotions à l'aide de l'intelligence profonde du cœur et d'éliminer celles qui dégradent le bonheur. Le CUT-THRU vous amène à dépasser la distorsion émotionnelle; à partir de cette nouvelle perspective, vous avez une vision plus large et ressentez un plus grand bonheur et une plus grande sécurité intérieure.

Lorsque votre cœur vous indique ce qu'il vous faut faire différemment, il est important d'écouter et d'obéir. Vous établissez vos capacités émotionnelles en actualisant ce que votre cœur vous dit. L'écoute intuitive doit être suivie d'une action intuitive. Votre bonheur en dépend.

POINTS CLÉS À RETENIR

- Le CUT-THRU facilite la cohérence émotionnelle et vous permet de transformer des émotions indésirables en nouveaux sentiments régénérateurs. Et ce, sans recourir à la rationalisation ni à la répression.

- LE CUT-THRU n'est pas une technique d'autoassistance simpliste. C'est une technique sérieuse qui exige une réflexion profonde. Étudiez-en les étapes et faites l'effort de l'expérimenter.

- Utilisez le CUT-THRU pour abandonner des émotions qui épuisent votre énergie, pour retrouver votre équilibre émotif et pour éliminer les problèmes émotionnels de longue date.

- L'état émotionnel négatif numéro un dont les gens se plaignent de nos jours est le sentiment *d'accablement.* Sa cause fondamentale : la *pression temporelle.* En coupant à travers le sentiment d'accablement dès que vous en prenez conscience, vous retrouvez votre équilibre émotionnel, ce qui crée un *changement temporel.*

- Gérer vos émotions au moyen du CUT-THRU requiert d'abord de reconnaître comment vous vous sentez. Respirer par le cœur et le plexus solaire vous aide à ancrer vos émotions. Jouer l'objectivité mène à la maturité émotionnelle.

- Laissez votre cœur dissiper l'énergie émotionnelle inharmonieuse. Ce n'est pas le problème en soi qui vous entrave, mais l'énergie émotionnelle que vous y avez investie. Évacuer la gravité du problème et imprégner celui-ci de la force du cœur libère l'énergie emmagasinée et suscite de nouvelles révélations.

- Souvent, de vieilles identifications entretiennent en vous le sentiment d'être coincé. Vous ignorez peut-être même ce qu'elles sont. En appliquant le CUT-THRU, vous pouvez effacer de votre mémoire inconsciente et de vos circuits neuronaux des schémas émotionnels improductifs.

- Les émotions et les hormones vont de pair. Nos perceptions et nos humeurs affectent notre activité biochimique, et celle-ci, à son tour, influence nos humeurs et nos comportements.

- Les avantages de la technique du CUT-THRU sont nombreux. D'abord, vous augmentez vos capacités émotionnelles. Ensuite, votre motivation personnelle s'accroît, vous avez moins tendance à remettre les choses à plus tard (parce que vous êtes davantage dans le mouvement), vous êtes plus sensible et empathique aux autres (ce qui améliore la communication interpersonnelle) et vous commencez à vivre à la vitesse la plus efficace possible, soit celle de l'équilibre.

CHAPITRE 10

Le HEART LOCK-IN

Ne serait-il pas merveilleux de pouvoir monter dans une machine qui nous bombarderait d'énergie revitalisante? Ou de trouver quelque part, au sommet d'une haute montagne ou au fond d'une forêt tropicale, un lieu d'une grande puissance énergétique où nous serions certains d'atteindre, en une seule et brève visite, un haut niveau de conscience et de vitalité?

Avant d'entendre parler de HeartMath, Deborah, cadre prospère d'une entreprise de biotechnologie, se rendait plusieurs fois par année dans le désert ou dans un monastère catholique surplombant l'océan, afin de se ressourcer et de renouer avec son cœur. Elle adorait ce séjour calme et inspirant qui la régénérait, mais, comme la plupart des gens, elle se replongeait ensuite dans sa vie affairée et le sentiment de paix disparaissait en quelques jours.

Après que Deborah eut appris et pratiqué la technique du HEART LOCK-IN, elle eut la surprise de découvrir qu'elle pouvait obtenir avec son cœur un renouveau semblable à celui qu'elle trouvait au cours de ses retraites. Elle dit ceci : «Rien ne me satisfait davantage que de prendre contact avec mon cœur. J'adore partir en voyage en solitaire, mais ce n'est pas toujours pratique. Le

HEART LOCK-IN peut me conduire chaque jour, en quinze minutes, dans ce lieu d'équilibre et de résonance du cœur, et je garde ce sentiment pendant toute la journée. Je ne ressens plus le même besoin de tout quitter pour partir en retraite. Maintenant, je trouve cette retraite dans mon cœur, partout où je suis.»

Entrer en contact profond avec votre cœur, c'est comme découvrir en vous une forêt tropicale, un océan ou un sommet de montagne propre à vous régénérer. Nous savons tous que ce lieu existe. C'est cet endroit que nous espérons trouver en nous quand nous partons en vacances ou faisons une promenade dans la nature.

Lorsque vous aurez commencé à utiliser régulièrement les techniques du FREEZE-FRAME et du CUT-THRU, exposées dans les chapitres précédents, vous serez énormément soulagé des stress quotidiens de votre vie. Après avoir éliminé certains des blocages qui ont parsemé votre route, vous verrez le monde sous un meilleur jour. Vous serez naturellement plus reconnaissant envers les autres, plus indulgent, et moins porté à les juger. Les problèmes ne vous sembleront plus insurmontables. L'intelligence de votre cœur sera plus active et facilement disponible. Vous aurez une vision d'ensemble qui constituera une source d'espoir.

Comme le FREEZE-FRAME améliore la communication entre votre cœur et votre cerveau, votre acuité mentale va augmenter. La pratique du CUT-THRU va rééquilibrer vos émotions et vous donner accès à une nouvelle intelligence intuitive en éliminant les vieux blocages émotionnels. Ensemble, ces deux outils vont réduire remarquablement vos déficits énergétiques et vous aider à établir des actifs énergétiques fiables.

Même si ce n'était peut-être pas le premier but recherché, vous allez également vous aimer davantage. Les relations avec les autres vont donc s'améliorer. Plus les valeurs fondamentales du cœur seront présentes dans votre vie, plus vous vous demanderez : «Y a-t-il autre chose? Puis-je me développer davantage?» Votre nouvelle ouverture du cœur vous poussera à vous demander comment aider les autres et continuer à vous développer.

Le HEART LOCK-IN (ou «arrimage au cœur») est la technique à utiliser pour aller plus loin dans le cœur, afin d'élargir la conscience qui y réside. Le HEART LOCK-IN ne sert pas nécessairement à résoudre un problème précis, mais plutôt à vous procurer une expérience agréable et régénératrice, et un meilleur accès général à l'intelligence intuitive du cœur. À cet égard, le HEART LOCK-IN est différent du FREEZE-FRAME ou du CUT-THRU. Même si ces derniers peuvent servir à autre chose qu'à résoudre des problèmes — ils sont utiles pour augmenter la cohérence afin d'améliorer la créativité et la conscience à propos d'un sujet donné, par exemple —, nous les utilisons le plus souvent pour trouver une solution ou passer d'un état d'esprit médiocre à un état plus cohérent et plus efficace. Le HEART LOCK-IN, par ailleurs, s'utilise pour la relaxation profonde, la régénération et la conscience, et pour améliorer l'efficacité des autres outils et techniques de la solution HeartMath.

Pour établir un lien profond avec cette nouvelle intelligence qui s'éveille en vous, vous devez consacrer du temps à le développer. Comme dans toute relation, vous devez régler les problèmes de communication et surmonter des obstacles. Mais le plus important, c'est de passer du temps ensemble.

La technique du HEART LOCK-IN vous procure cinq à quinze minutes de temps privilégié avec votre cœur. Parce qu'elle peut donner le ton à toute votre journée, il est bon de la pratiquer au réveil, le matin. Ainsi, vous partirez du bon pied, avant d'être livré au chaos des occupations journalières.

Le FREEZE-FRAME et le CUT-THRU font merveille pour l'élimination de l'incohérence; c'est comme s'ils arrachaient les mauvaises herbes d'un jardin, tandis que le HEART LOCK-IN nourrit le sol. Cette dernière technique a été conçue pour vous aider à cultiver une relation encore plus riche avec votre cœur. C'est un outil puissant, que vous pouvez utiliser chaque fois que vous voulez approfondir le lien le plus important de votre vie [1].

Au plus profond de votre cœur

La technique du HEART LOCK-IN est conçue pour vous permettre d'amplifier la force de votre cœur et de votre amour. Lorsque vous cultivez le merveilleux champ de votre cœur, vous régénérez votre vie, tant physiquement que mentalement, émotionnellement et spirituellement.

«C'est difficile à décrire, a dit un participant d'un séminaire, mais mes émotions me semblent maintenant plus riches, plus texturées. J'éprouve un sentiment familier de paix. Je suis plus détendu que je ne l'ai jamais été depuis des années, mais, en même temps, je possède une conscience plus aiguë de mon environnement.»

Dans la technique du HEART LOCK-IN, vous concentrez vos énergies dans la région de votre cœur pendant une période de cinq à quinze minutes (ou davantage si vous le désirez). Cette technique ressemble beaucoup à l'étape 2 du FREEZE-FRAME, sauf qu'ici votre focalisation est plus douce. En maintenant votre attention dans le cœur pendant plus longtemps, vous en retirez plus de bienfaits et le lien créé est plus durable.

Tranquilliser le mental et maintenir un lien solide avec le cœur — s'*arrimer* à sa force — ajoutent une énergie régénératrice à tout votre organisme. En vous arrimant à votre rythme cardiaque cohérent pour maintenir l'état d'entraînement dont nous avons déjà parlé, vous affinez l'énergie qui émane du cœur, reformez et reprogrammez votre système nerveux, et réorganisez vos cellules, vos organes et votre système électrique. Avec de la pratique, l'entraînement devient votre état naturel. Pourquoi ne pas essayer tout de suite cette technique?

La pratique du HEART LOCK-IN

Voici comment procéder :

1. Trouvez un lieu tranquille, fermez les yeux et détendez-vous.
2. Éloignez votre attention du mental ou de la tête et focalisez-la dans la région du cœur. Pendant dix ou quinze secondes, faites comme si vous respiriez lentement par le cœur.
3. Rappelez-vous l'amour ou la sollicitude que vous ressentez pour quelqu'un qu'il vous est facile d'aimer; ou bien focalisez-vous sur la reconnaissance que vous éprouvez pour quelqu'un ou pour la présence de tel ou tel élément positif dans votre vie. Conservez ce sentiment pendant cinq à quinze minutes.
4. Dirigez doucement ce sentiment d'amour, de sollicitude ou de reconnaissance vers vous-même ou vers d'autres.
5. Lorsque des pensées affluent, ramenez doucement votre attention à la région de votre cœur. Si l'énergie paraît trop intense ou semble bloquée, essayez de ressentir de la douceur dans votre cœur et détendez-vous.
6. Après avoir terminé, notez par écrit, si vous le pouvez, tous les sentiments ou les pensées intuitives qui s'accompagnent d'une impression de sagesse ou de paix intérieures, pour vous souvenir de les mettre en œuvre.

À la différence du FREEZE-FRAME, un HEART LOCK-IN ne consiste pas à poser une question précise ni à chercher des réponses, comme nous l'avons déjà souligné. Vous vous focalisez plutôt sur la recherche des *sentiments fondamentaux du cœur*, comme la reconnaissance, la sollicitude véritable, la compassion ou l'amour, et sur leur maintien. Souvent cependant, des réponses intuitives viendront de toute façon. Dans un LOCK-IN, vous consultez votre cœur, mais vous laissez les réponses vous trouver au lieu de les chercher.

Envoyer un sentiment fondamental du cœur — le diffuser dans votre corps et vos cellules ou le diriger vers quelqu'un ou sur un problème — vous permet de vous arrimer plus longtemps au sentiment (et ainsi à la cohérence). Avec un peu de pratique, vous parviendrez plus rapidement à ralentir le mental et à atteindre vos sentiments fondamentaux. Vous devez effectuer ce processus dans un état décontracté, et non en vous y astreignant par la volonté.

Vous rappelez-vous ces images holographiques, ou stéréogrammes, qui étaient populaires il y a quelques années? En les regardant, vous ne pouviez voir d'abord qu'une masse de points colorés. Puis, lorsque vous vous détendiez et déplaciez légèrement votre vision, une magnifique image détaillée prenait forme parmi les points. Pour que l'image émerge, il fallait se détendre et ne pas trop essayer de la voir. C'était le secret. De même, pour maximiser votre expérience du HEART LOCK-IN, l'essentiel est de vous détendre et de ne pas faire trop d'efforts.

Si vous parvenez à vous détendre ainsi pour effectuer le HEART LOCK-IN, vous trouverez aisément les sentiments appropriés et déboucherez sur de nouvelles expériences, intuitions et perceptions. Votre aptitude à atteindre ce but se développera naturellement, dans la mesure de vos efforts sincères.

Mais, de toute évidence, vous ne pouvez récolter les bienfaits sans cultiver la pratique. Il faut d'abord prendre le temps de faire un HEART LOCK-IN à chaque jour. Il suffit de cinq à dix minutes, rappelez-vous. En retour, vous augmenterez vos réserves d'énergie, approfondirez votre intuition et resterez plus longtemps dans un état qui en favorise l'expression.

L'intuition peut se manifester de façon très pratique. Bien qu'il comporte des éléments mystérieux, le HEART LOCK-IN n'est pas une expérience intrinsèquement mystique; le processus et les résultats sont tangibles, offrant de nombreux avantages qui tombent sous le sens. Jennifer Weil, une enseignante au premier cycle du secondaire, dit que cette technique a aidé ses étudiants de licence d'anglais à démontrer leurs connaissances au cours d'un important examen.

Par un chaud après-midi, alors que les vingt étudiants de Jennifer étaient rassemblés pour l'examen de placement de la licence d'anglais, elle consacra plus de cinq minutes à effectuer un HEART LOCK-IN avec eux.

« Durant l'heure, dit Jennifer, j'ai vu plusieurs étudiants fermer à nouveau leurs yeux, placer leur main sur leur cœur pendant un moment, puis continuer leur texte. Chaque étudiant termina l'examen calmement et aisément, et tous sauf un furent acceptés au programme de licence à partir de leur travail de cet après-midi-là. »

Envoyer des sentiments fondamentaux du cœur

La diffusion, pendant un HEART LOCK-IN, des sentiments fondamentaux du cœur, comme l'amour, la sollicitude et la reconnaissance, a de nombreux effets bénéfiques. Le HEART LOCK-IN vous aide à maintenir l'état d'entraînement sur lequel reposent la guérison du corps et l'amélioration des relations. Votre rythme cardiaque demeure cohérent plus longtemps, ce qui augmente la cohérence dans tous les systèmes du corps : mental, émotionnel, spirituel, électrique et cellulaire. Le maintien de la cohérence vous aligne sur votre cœur profond, ce qui vous amène en contact chaleureux avec votre source d'esprit personnelle.

Souvent, des gens rapportent que, lorsqu'ils envoient leurs sentiments fondamentaux du cœur, ils sentent vraiment l'énergie du cœur, sous forme de chaleur ou de cercles d'énergie en expansion, ou de picotement dans les cellules.

Lorsqu'on envoie des sentiments fondamentaux du cœur vers les autres ou vers la vie, on ressent l'amour, la sollicitude ou la reconnaissance comme une énergie tangible nous reliant aux gens et à la nature. Ce lien procure une merveilleuse sensation, celle d'un soulagement des émotions, du mental et du corps.

De plus, lorsque nous envoyons de l'amour et de la sollicitude à quelqu'un qui nous pose des problèmes, souvent la relation s'améliore. Que ce soit dû à notre propre changement d'attitude ou à un changement de pensée ou de sentiment chez le récépiendaire, c'est une question que la physique quantique résoudra peut-être un jour. Quelle qu'en soit la raison, cependant, plus vous envoyez d'amour et de sollicitude à quelqu'un (ou à un problème), plus vous vous alignez à la fois sur votre esprit et sur cette personne, et plus votre intuition intervient.

Après huit mois à son nouveau poste, Carolyn se trouva dans l'obligation de déménager dans une autre ville, pour des raisons personnelles. Lorsqu'elle en parla à Linda, la directrice qui était encore en train de la former, leur lien devint très tendu. Carolyn se sentit coupable, mais elle ne savait que faire.

Se sentant encore mal plusieurs jours plus tard, elle pensa à faire un HEART LOCK-IN. Tout en envoyant de l'amour et de la sollicitude à Linda, elle espérait établir entre elles un lien plus profond. Durant le LOCK-IN, elle eut l'idée de lui écrire pour lui exprimer ses sentiments.

Ce qui arriva ensuite la surprit. «Le lendemain, dit Carolyn, avant même que j'aie écrit la lettre, Linda passa par mon bureau et commença une conversation chaleureuse. Nous avons découvert que nous avions déjà vécu certaines expériences similaires, et elle me dit qu'elle me souhaitait bonne chance à Boston.»

«C'était le signal que j'attendais. Je me suis excusée de l'avoir mise dans cette situation et elle m'a remerciée sincèrement. Ça m'a donné la chance de lui dire à quel point je l'appréciais du fond de mon cœur. Tout ce que j'allais dire dans ma lettre est sorti.»

Parce que Carolyn avait amplifié ses sentiments fondamentaux par le HEART LOCK-IN, elle était prête à reconnaître et à saisir l'occasion de se relier sincèrement à Linda. Elle dit qu'elle n'avait encore jamais eu une conversation de ce genre avec un collègue et qu'elles ont toutes deux bénéficié de l'expérience.

Spiritualité et santé

Nos valeurs et nos croyances peuvent déterminer nos succès et nos échecs, mais peuvent-elles déterminer notre santé?

De nombreuses études démontrent des corrélations entre la foi, les valeurs personnelles et la guérison, et la communauté médicale commence à reconnaître que la répugnance de la médecine pour les questions «spirituelles» peut nuire à la santé publique.

C. Everett Koop, qui était *surgeon general* (ministre de la Santé publique) des États-Unis dans les années 80, dit que l'attitude de la communauté médicale à l'égard de la spiritualité a bouclé la boucle. Lorsqu'il est entré en médecine, il y a soixante ans, on enseignait aux médecins d'utiliser les croyances de leurs patients pour les aider à guérir. Dès la fin des années 50 et le début des années 60, la foi et la spiritualité devinrent absolument tabous. À présent, la médecine corps/esprit a tellement la faveur du public que la communauté médicale accueille de nouveau les principes de la spiritualité, de la foi et de la prière [2].

Une partie du problème tient à la définition de la spiritualité. On peut être spirituel sans être religieux, ou religieux sans beaucoup se soucier de sa propre spiritualité. Bien des gens s'accordent à dire que la spiritualité inclut le sens de l'utilité, un profond système de valeurs personnel et un sentiment de lien profond avec soi, avec les autres et avec «l'esprit», une forme quelconque de puissance ou d'intelligence supérieure. Si la santé est considérée comme un tout, nous devons tenir compte de l'esprit tout autant que du corps, du mental et des émotions pour atteindre un soi entier et sain.

Célèbre pour ses recherches et son développement de méthodes non agressives de traitement de la maladie cardiaque, le docteur Dean Ornish a découvert que celle-ci pouvait être soulagée et, dans certains cas, renversée, lorsque des patients effectuaient des changements importants dans leur régime alimentaire, faisaient de l'exercice physique, et avaient recours à la méditation et à des groupes de soutien pour soulager leur stress. Après avoir passé des années à enseigner sa méthode et à la décrire dans des livres, Ornish a conclu, dans son dernier ouvrage, *Love and Survival*, que c'était l'amour ressenti par les patients cardiaques lorsqu'ils ouvraient intimement leur cœur dans des groupes de soutien qui constituait le plus grand facteur de soulagement et de guérison de leur stress [3].

Plusieurs des livres les plus populaires figurant sur la liste des best-sellers des années 90 traitaient de la spiritualité et de la relation entre l'esprit, l'amour, le mental et le corps. Selon certains sondages, quatre Américains sur cinq croient que la spiritualité est liée à la santé [4]. Le docteur Herbert Benson, dans son livre *Timeless Healing*, décrit comment il a acquis la certitude, à partir de sa pratique médicale, que nos corps sont génétiquement programmés pour bénéficier de notre richesse intérieure — nos croyances, nos valeurs, nos pensées et nos sentiments —, et comment il a tenté d'explorer ces aspects apparemment intangibles de l'humain [5].

Benson développa une technique appelée «la réaction de relaxation» afin d'aider les gens à se calmer et à améliorer leur santé. Appliquant cette technique, les patients ferment les yeux et répètent une affirmation relaxante de leur choix, d'un ou de quelques mots — peut-être une expression qui reflète leurs valeurs, que ce soit une prière ou même le simple mot «*one*» —, pour les aider à se calmer. Benson découvrit qu'en conséquence 25% de ceux qu'il interrogea se sentaient «plus spirituels». Ils décrivaient l'expérience comme la perception de la présence d'une énergie, d'une force qui les dépassait, et rapportaient que cette présence leur paraissait proche.

Après avoir pratiqué la médecine pendant plusieurs années, le docteur Larry Dossey découvrit, à son grand étonnement, des preuves scientifiques du pouvoir de guérison de la prière. Intrigué, il entama dix années de recherches sur la relation entre la prière et la guérison. Dans son livre *Healing Words*, Dossey cherche à évaluer les méthodes de prière qui présentent le plus grand potentiel de guérison. Même si tous les types de prière sont utiles, les études ont démontré que celles qui sont faites sans que l'on ait à l'esprit un résultat précis, «en laissant l'univers faire le travail», donnent des résultats scientifiques deux fois plus élevés [6].

Le livre de Dossey traite de l'importance de renoncer au mental et de choisir une méthode de prière intuitivement bénéfique. Il résume ses années de recherche en ces mots : «Quand nous reconnaîtrons la preuve empirique du pouvoir de la prière [...] nous ferons plus de prières de gratitude et moins de prières de supplication [...] réalisant que le monde est fondamentalement plus glorieux, bienveillant et amical que nous ne le supposions jusqu'à tout récemment.»

L'équilibre, un choix personnel

Avant de développer la technique du HEART LOCK-IN, j'ai (Doc) pratiqué la prière et la méditation au moins cinq heures par jour, cinq jours par semaine, pendant des années. Cette pratique régulière, en même temps que ma recherche sur diverses techniques, m'a mené à de nouvelles découvertes, qui ont fini par donner la solution HeartMath. Je n'essayais pas, dans ma recherche et ma pratique, à réinventer la prière ou la méditation; j'essayais plutôt de les *enraciner*, de ramener le ciel sur la terre.

Dans le Sud, où j'ai grandi, les séances de prière faisaient partie de la vie courante. Dès mon plus jeune âge, j'utilisais la prière pour me faire guider et inspirer. Plus tard, quand j'ai décidé de mener une recherche sur les effets de la prière, je l'ai pratiquée sous bien des formes, ainsi que sa proche parente, la méditation. J'ai réalisé que les gens interprètent à leur façon les mots *prière* et *méditation*, mais j'ai trouvé certains éléments communs aux diverses interprétations.

J'ai été troublé par le fait que, même dans cette culture du Sud, où la prière était courante, la plupart des gens avaient de la difficulté à appliquer dans la vie quotidienne ce qui leur était suggéré par la prière ou la méditation. Je me suis rendu compte que ceux qui le faisaient avec le plus grand succès étaient ceux qui géraient le mieux leurs émotions et avaient le meilleur équilibre émotionnel. Le problème n'était pas la prière, mais l'état émotionnel des gens qui la pratiquaient. J'ai alors cherché des moyens d'y remédier.

Je prévoyais que le stress augmenterait radicalement dans la société, et j'ai réalisé que des millions de gens ne connaissaient — et ne pratiquaient probablement — aucune technique de méditation formelle. Ils auraient toutefois besoin d'un outil très pratique pour réduire leur stress mental et émotionnel et accroître leur bien-être intérieur.

La solution HeartMath fut créée dans ce but. J'ai conçu le HEART LOCK-IN, en particulier, pour aider les gens à demeurer équilibrés et enracinés, sachant que cela leur permettait d'actualiser davantage l'influence du cœur dans leur vie quotidienne. Mon but a toujours été d'aider les gens à vivre davantage dans la voie de l'amour et à s'aimer davantage les uns les autres, quelles que soient leurs croyances, leur religion ou leurs pratiques spirituelles.

Le HEART LOCK-IN est pour moi un « facilitateur bénéfique ». Il n'est pas concurrentiel, ni contraire aux croyances ou à la méthode d'introspection de quiconque. Je savais, en développant cette technique, que bien des techniques existantes étaient fort utiles. J'avais moi-même retiré plusieurs bienfaits personnels d'une large gamme de techniques de méditation ainsi que d'autres formes de travail intérieur.

Le HEART LOCK-IN a enrichi plutôt que remplacé les diverses pratiques et techniques que j'utilisais. J'ai découvert qu'il augmentait ma capacité de prier sincèrement et de mettre mes idées en œuvre. Lorsque j'eus raffiné mon utilisation du HEART LOCK-IN, j'ai trouvé qu'il me procurait l'essentiel de ce que m'avaient apporté les autres pratiques. En faisant du HEART LOCK-IN l'instrument principal de mon travail intérieur et en abandonnant une partie des autres pratiques, j'y ai gagné plus de temps pour poursuivre intensément ma recherche. Et, surtout, cette approche m'a aidé à maintenir une vie équilibrée.

L'équilibre est un élément clé pour atteindre nos buts, dans n'importe quel domaine de la vie : les relations, le régime alimentaire, l'exercice, le sommeil, la lecture, la prière, la méditation, etc. Cependant, ce qui est l'équilibre pour une certaine personne peut être le déséquilibre pour une autre, et ce qui est maintenant l'équilibre pour quelqu'un peut être différent de ce que c'était il y a cinq ans et de ce que ce sera l'an prochain. Chez HeartMath, une grande partie du personnel a changé de régime alimentaire ou de programme d'exercices bien des fois au cours des années. Certains d'entre nous étaient végétariens depuis dix ou quinze ans, par exemple, alors que maintenant nous trouvons plus approprié d'avoir un régime équilibré, comportant de la viande, des légumes et des céréales. À ce stade de notre vie, ce programme élargi nous convient, tandis que d'autres programmes étaient appropriés auparavant.

Le sens pratique implique de savoir ce qui est l'équilibre pour soi en tant qu'individu. Tous les gens sont différents. En écoutant votre cœur, vous trouverez votre propre équilibre. Le HEART LOCK-IN constitue un excellent moyen de consulter votre cœur afin de trouver l'équilibre dans chaque domaine de votre vie, qu'il s'agisse du régime alimentaire, de l'exercice physique, des techniques de travail sur soi ou du temps consacré aux loisirs.

Rappelez-vous que le HEART LOCK-IN a pour but de renforcer la communication entre votre cœur et votre cerveau et de maintenir la cohérence pendant de plus longues périodes. La pratique régulière du LOCK-IN augmente la capacité de votre cœur d'équilibrer vos systèmes nerveux, immunitaire et hormonal. Elle augmente également le temps d'intervention de votre cœur, ce qui facilite l'activation de ses sentiments fondamentaux et l'usage de techniques comme le FREEZE-FRAME ou le CUT-THRU (ou d'autres pratiques que vous appréciez).

S'arrimer à la musique

Nous savons que la musique peut changer nos sentiments et nos attitudes. Vous êtes-vous déjà trouvé dans une fête où une musique endiablée cède soudain la place à un vieux blues? Que se passe-t-il alors dans la salle? Non seulement les pas de danse changent pour s'adapter au nouveau rythme, mais l'ambiance également change autour de vous.

La musique peut nous exciter, nous relaxer, nous rendre heureux ou nostalgique. Elle peut même évoquer une histoire dramatique. C'est le cas de la bande sonore d'un film, par exemple. Chez HeartMath, la musique nous sert de «conditionneur atmosphérique», pour créer une ambiance qui permet de sentir le cœur plus facilement [7 à 9].

Faire un HEART LOCK-IN avec de la musique est l'une des meilleures façons d'augmenter l'efficacité de votre expérience. Trouvez de la musique qui vous convient. Comme pour le CUT-THRU, nous vous suggérons d'utiliser une musique instrumentale à la fois stimulante et douce. Choisissez une musique qui, d'après ce que vous ressentez, vous aidera à ouvrir votre cœur et à promouvoir un équilibre intérieur, mais ne vous fera pas rêvasser ni vous endormir. Rappelez-vous que le HEART LOCK-IN est conçu pour vous procurer une expérience détendue, *mais d'une conscience élevée.*

Le HEART LOCK-IN et votre corps

Pour utiliser une métaphore, on peut dire que le HEART LOCK-IN fournit des vitamines à votre système immunitaire. Une étude de recherche de l'institut s'est concentrée sur les variations d'un anticorps immunitaire appelé IgA sécrétoire lorsque des sujets ont effectué un HEART LOCK-IN avec ou sans musique. Comme nous l'avons dit au chapitre 8, l'IgA sécrétoire est la première ligne de défense du corps contre une invasion d'agents pathogènes. Comme on en trouve dans les parois muqueuses du corps, c'est un important indice de mesure de la santé du système immunitaire [10].

Au cours de la première phase de cette expérience, on mesura le niveau d'IgA des sujets avant et après qu'ils eurent effectué un HEART LOCK-IN de 15 minutes en essayant de ressentir de la reconnaissance sincère. Après le HEART LOCK-IN, les niveaux moyens d'IgA s'accrurent de 50 % dans le groupe, une augmentation substantielle pour cet important marqueur du système immunitaire. Une deuxième phase de l'expérience fut menée plusieurs jours plus tard. Cette fois, on demanda aux participants d'effectuer un HEART LOCK-IN de 15 minutes en tentant de ressentir de la reconnaissance tout en écoutant la musique *Heart Zones*, conçue scientifiquement pour faciliter la cohérence interne [11]. Étonnamment, le groupe montra une augmentation de 141 % des niveaux d'IgA [7]. (Voir figure 10.1.)

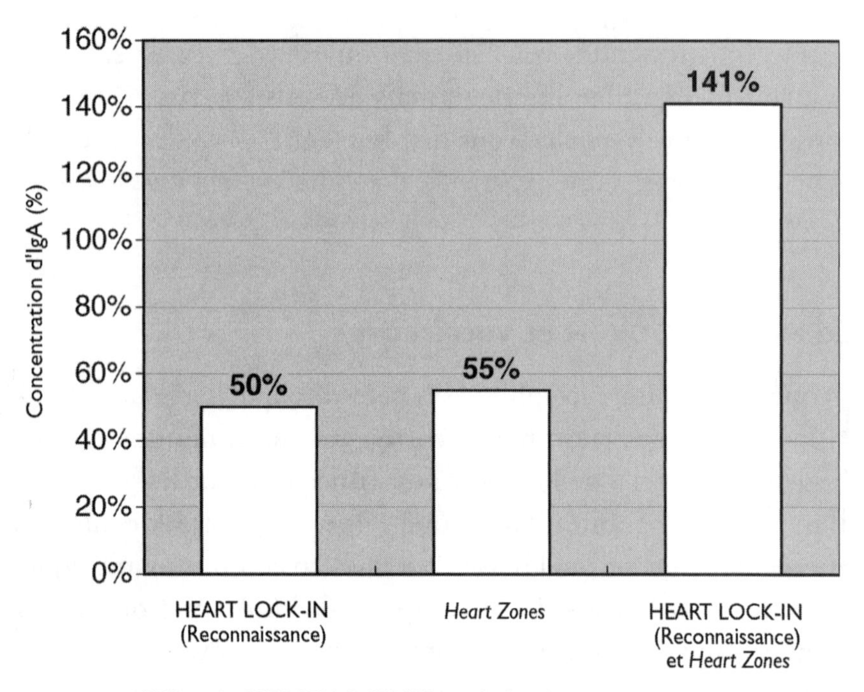

Effets du HEART LOCK-IN sur le système immunitaire

FIGURE 10.1. Ce graphe illustre les changements moyens du taux d'IgA sécrétoire, un anticorps immunitaire, chez un groupe de gens après un HEART LOCK-IN ; après une écoute de *Heart Zones*, une musique scientifiquement conçue pour faciliter l'équilibre mental et émotionnel ; et après un HEART LOCK-IN accompagné de cette même musique. Les trois conditions ont substantiellement augmenté les niveaux d'IgA, mais le système immunitaire fut surtout amélioré lorsque la musique de *Heart Zones* fut utilisée conjointement avec la technique du HEART LOCK-IN.

Au cours des deux phases de l'expérience, les chercheurs surveillèrent le système nerveux autonome de chaque participant. Une augmentation de l'activité autonome totale fut observée chez tous les sujets. L'étude démontra que la technique du HEART LOCK-IN produisait un effet d'amélioration du système immunitaire, par l'intermédiaire d'un accroissement de l'activité autonome, et que cet effet était augmenté lorsque les sujets pratiquaient la technique en écoutant *Heart Zones*.

Que vous fassiez le HEART LOCK-IN avec ou sans musique, cette technique est un outil essentiel de la solution HeartMath. Vous octroyer ces cinq à quinze minutes aussi souvent que possible pour vous arrimer à des sentiments fondamentaux du cœur est un acte sincère de sollicitude à l'égard de vous-même. Avec une musique adéquate, le HEART LOCK-IN peut devenir votre technique préférée, mais n'allez pas croire que la musique est nécessaire à son efficacité. Le cœur se suffit à lui-même.

Approfondir et élargir

Nous avons remarqué une chose étrange : quand les gens pratiquent le HEART LOCK-IN, ils veulent souvent laisser leur sentiment d'expansion monter à la tête. Un très grand nombre de techniques — la visualisation créative et certaines formes de méditation, par exemple — enseignent aux gens à créer un sentiment d'expansion de la conscience dans la tête. Ce peut être stimulant, mais cela peut également vous procurer une sensation de déracinement. Le but d'un HEART LOCK-IN est de vous garder focalisé dans le cœur, et non dans la tête, afin de rester équilibré et enraciné.

Ressentir l'expansion dans la tête peut être une habitude difficile à enrayer. Après tout, lorsque vous fermez les yeux et commencez à écarter les pensées quotidiennes, vous pouvez éprouver un sentiment de détachement et un agréable élargissement du mental. Ce sentiment d'expansion peut engendrer des pensées grandioses et des idées créatrices. Les idées s'enchaînent naturellement.

Raoul est un méditant assidu depuis des années. Il a développé sa propre routine de méditation et il peut maintenant ressentir une relaxation profonde après quelques minutes. L'ennui, c'est que si le téléphone sonne ou que quelqu'un frappe à sa porte, il a de la difficulté à revenir de son expérience intérieure. Il a du mal à se réorienter sur le monde réel et à affronter l'interruption, car il n'est pas enraciné.

Le but premier du HEART LOCK-IN est de vous permettre d'entrer profondément dans le cœur. De là, vous pouvez ressentir une conscience élargie, tout en restant calme et équilibré. Si quelque chose vous interrompt, un léger ajustement peut être requis, certainement; mais, puisque vous n'êtes pas en train de planer, vous avez la souplesse nécessaire pour vous ajuster rapidement, en vous occupant de ce qu'il faut faire et en revenant plus tard à votre LOCK-IN. L'essentiel est d'être à la fois présent, enraciné et en conscience élargie.

Si vous êtes comme la plupart des gens, vous aurez des pensées vastes et inspirantes lorsque vous effectuerez un HEART LOCK-IN. Ce peut être agréable, divertissant et parfois même éclairant. Il n'y a donc rien de mal à cela, mais n'essayez pas de vous perdre dans de telles pensées. Le truc, c'est de discerner les pensées ou les images lorsqu'elles surviennent, de les apprécier un moment, puis de ramener doucement votre attention aux sentiments fondamentaux du cœur. Ne vous perdez pas dans des *concepts* associés au cœur; demeurez dans les *sentiments*. Cela vous aidera à garder l'esprit et le cœur en équilibre.

En restant dans la profondeur et l'expansion, vous alimenterez vos systèmes mental, émotionnel et physique davantage que si vous étiez à la dérive dans le mental. En abandonnant le mental au cœur, vous ne manquerez de rien. Aller en profondeur n'enlèvera rien au plaisir du HEART LOCK-IN. Tous vos projets, toutes vos idées créatrices et toutes vos intuitions seront encore là lorsque vous aurez terminé. Après votre LOCK-IN, vous ressentirez un lien avec le cœur, qui persistera tout le reste de la journée. Vous serez «présent» avec un plus grand nombre de vos facultés et pourrez de plus en plus maintenir cet état dans toutes vos activités.

Vous et vous-même

Ne sous-estimez pas la profondeur de ce qui se produit pendant un HEART LOCK-IN. Cette technique développe la relation la plus importante de toutes : celle que vous avez entre vous et vous-même. Devenez votre propre expérimentateur scientifique.

Essayez d'effectuer un HEART LOCK-IN de 15 minutes trois à cinq fois par semaine. Si vous pouvez trouver une musique adéquate, écoutez-la pendant ce temps. Si vous avez besoin d'être calme pour un examen (comme dans l'exemple des étudiants du secondaire), que vous devez vous préparer à une rencontre potentiellement litigieuse ou qu'il vous faut une bonne dose d'énergie pour la journée, et que vous pouvez vous retirer pendant un moment, faites un HEART LOCK-IN de cinq minutes.

Reliez-vous profondément à votre cœur et envoyez de l'amour et de la sollicitude à n'importe quel domaine de votre vie ou encore à votre corps, soit en général ou bien à un organe ou système précis. Vous verrez si les choses fonctionnent mieux.

Avec le temps, alors que vous continuerez à effectuer ce passage de la tête au cœur, vous aurez de plus en plus l'impression de vivre continuellement dans le cœur. Vous vaquerez à vos occupations dans un état enraciné. Votre lien avec le cœur sera toujours présent, à divers degrés, du matin au soir. En fait, *il y est déjà*. La technique du HEART LOCK-IN vous permettra tout simplement de le maintenir plus longtemps. Après un certain temps, toutefois, la présence de ce lien vous semblera toute naturelle. Lorsque vous aurez atteint ce stade, vous n'aurez plus l'impression, en faisant le HEART LOCK-IN, de tenter de créer ce lien. Ce sera un simple moyen d'activer ce qui est déjà là.

Chercher ce sentiment de sagesse intérieure est une simple question de bon sens. Non seulement cela est-il bénéfique à chaque aspect de votre vie, mais c'est également fort agréable.

Cependant, vous devez bien prendre conscience que personne d'autre ne le fera pour vous. Personne ne vous apportera l'épanouissement sur un plateau d'argent. Votre sécurité réside en vous-même et c'est à vous de l'y trouver.

POINTS CLÉS À RETENIR

- La technique du HEART LOCK-IN vous aide à découvrir que vous possédez votre propre source intérieure de régénération.
- Tranquilliser le mental et maintenir un lien solide avec le cœur—*s'arrimer* à sa force—ajoutent une énergie régénératrice à tout votre organisme.
- Plus les sentiments fondamentaux de votre cœur seront activés, plus vous réaliserez combien vous pouvez retirer d'une attitude d'amour et de sincérité.
- La diffusion, pendant un HEART LOCK-IN, des sentiments fondamentaux du cœur, comme l'amour, la sollicitude et la reconnaissance, a de nombreux effets bénéfiques. Le HEART LOCK-IN vous aide à maintenir l'état d'entraînement sur lequel reposent la guérison du corps et l'amélioration des relations.
- Des études démontrent que la technique du HEART LOCK-IN produit un effet d'amélioration du système immunitaire, par l'intermédiaire d'un accroissement de l'activité autonome, et que cet effet est augmenté lorsque les sujets pratiquent la technique en écoutant la musique *Heart Zones*.

- Le HEART LOCK-IN augmente la cohérence dans tous les systèmes du corps : spirituel, mental, émotionnel, électrique et cellulaire. La cohérence vous aligne sur votre cœur profond et mûr.

PARTIE 4

L'intelligence du cœur et la société

Les trois premières parties de *La Solution HeartMath* vous ont fourni des outils et des techniques destinés à vous aider à suivre votre cœur. L'expérience nous dit que ceux qui utilisent ces outils et techniques remarquent invariablement une immense amélioration de leur vie personnelle, sous bien des aspects. L'application de la solution HeartMath dépasse toutefois les avantages personnels.

Tout au long de ce livre, nous vous avons présenté des connaissances scientifiques, des études de cas, des expériences personnelles et des anecdotes illustrant la puissance des applications de l'intelligence du cœur. Dans la quatrième partie, nous traiterons davantage de ces applications.

D'abord, nous montrerons comment l'intelligence du cœur peut être appliquée (et l'est déjà) pour produire d'importants changements positifs dans nos familles, nos entreprises, nos communautés et notre société. Nous commencerons par des améliorations dans les familles et les systèmes éducatifs. Certains des résultats les plus prometteurs et les plus spectaculaires se sont produits lorsque des parents et des éducateurs ont utilisé la solution HeartMath avec des enfants.

La plupart d'entre nous travaillent dans une entreprise ou une organisation. L'une des premières applications de la solution HeartMath a consisté à améliorer la productivité et à augmenter la satisfaction au travail. Nous présenterons de l'information montrant les effets de l'application des outils et techniques dans le cadre d'une organisation.

Enfin, nous exposerons ce que signifie l'émergence de l'intelligence du cœur pour la société et le monde dans son ensemble. Le changement rapide et les nouveaux défis affectent tout le monde dans tous les pays. Nous présenterons notre point de vue sur l'état actuel de la société mondiale et suggérerons des façons d'appliquer la solution HeartMath afin de répondre aux défis, de gérer le changement et d'apporter une contribution valable à un monde qui a besoin d'une nouvelle intelligence et d'un plus grand cœur.

Au cours de la quatrième partie, vous allez :

➢ voir comment les outils et techniques de la solution HeartMath peuvent être utilisés avec des enfants;

➢ constater l'efficacité de l'application de l'intelligence du cœur aux organisations et aux efforts d'amélioration communautaire;

➢ mieux comprendre notre époque actuelle en transformation rapide et voir comment garder l'équilibre au milieu du changement.

CHAPITRE 11

Les familles, les enfants et le cœur

Imaginez que nous puissions donner à nos familles et à nos communautés un sentiment de sécurité, d'espoir et d'optimisme pour l'avenir. Et si ceux qui nous entourent étaient capables d'acquérir un meilleur équilibre et une maîtrise substantiellement plus grande de leur vie, même au milieu du changement? Au cours des chapitres précédents, nous avons appris comment utiliser le FREEZE-FRAME, les outils performants du cœur, le CUT-THRU et le HEART LOCK-IN pour activer l'intelligence de notre cœur et créer un état plus cohérent en nous-mêmes. En diffusant notre cohérence vers les gens et les problèmes qui nous entourent, nous découvrirons que les relations se détendent et que les solutions viennent plus aisément. La solution HeartMath changera notre façon de traiter nos problèmes familiaux, professionnels et sociaux.

Les valeurs familiales

La famille est la première unité sociale dans laquelle nous puissions développer les qualités du cœur. Les membres d'une famille véritable grandissent et avancent ensemble dans la vie, inséparables dans le cœur. Que ce soit une famille biologique ou une famille élargie, composée de gens attirés les uns vers les autres par la résonance du cœur et le soutien mutuel, le mot «famille» implique la chaleur et un lieu où peuvent être nourris les sentiments fondamentaux du cœur.

Les valeurs familiales constituent les points de repère fondamentaux que les parents et les membres de la famille tiennent en haute estime pour le bien-être de cette dernière. Les sentiments familiaux sincères sont des sentiments fondamentaux du cœur; ils forment la base des véritables valeurs familiales. Malgré nos différences individuelles, nous demeurons une «famille» en vertu de notre lien du cœur. La famille fournit à chacun de ses membres la sécurité et le soutien nécessaires et lui sert de tampon face aux problèmes extérieurs. Une famille de gens sûrs d'eux-mêmes génère une force magnétique qui permet une action efficace. Elle représente l'espoir d'une sécurité véritable dans un monde en proie au stress.

Hélas, bien des familles, actuellement, ne sont pas le havre de sécurité que nous souhaitons. Beaucoup de gens estiment que la famille moderne s'approche dangereusement de l'extinction, à cause de l'augmentation de l'instabilité familiale et d'un déclin des valeurs familiales. Les structures familiales ont radicalement changé depuis les années 1970 [1]. Les familles ont rétréci et se sont fragmentées. Un plus grand nombre d'entre elles sont dirigées par un seul parent, par un grand-parent ou par un beau-parent.

Les valeurs familiales demeurent importantes pour la plupart des parents, selon un sondage mené en 1992 par la Massachusetts Mutual Life Insurance Company auprès de 1050 adultes américains. Dans un rapport intitulé «Communiquer les valeurs familiales», la Massachusetts Mutual fait remarquer que, pour les Américains, les trois premières valeurs familiales sont la responsabilité quant à ses propres actions, le respect des autres tels qu'ils sont, et le soutien émotionnel aux autres membres de la famille. Ils croient sans l'ombre d'un doute que les valeurs familiales s'inculquent surtout grâce au bon exemple des parents, et que c'est principalement par l'exemple que l'on apprend à vouloir apporter un «soutien émotionnel» aux autres. En fait, tout ce qu'ont les enfants pour poursuivre leur chemin, c'est notre exemple. Mais ces êtres qui sont «l'espoir de l'avenir» sont en train d'apprendre à être tout aussi stressés et insatisfaits que nous [2].

La vérité, c'est que nous ne pouvons enseigner ce que nous ne connaissons pas. Nous disons vouloir que nos enfants manifestent des valeurs fondamentales du cœur, comme le respect, la loyauté, la gratitude et le soutien émotionnel, mais nous semblons nous attendre à ce qu'ils cultivent eux-mêmes ces qualités. Les enfants ont besoin qu'on leur *enseigne* ces valeurs, non par nos paroles, mais par notre façon de vivre.

Lorsque les parents et les enfants ne savent pas gérer leurs émotions, ne prennent pas d'initiatives, sont maussades et anxieux, leurs relations sont bloquées. Par réaction, les parents exigent de leurs enfants une gestion émotionnelle qu'ils n'ont toutefois pas apprise eux-mêmes. Cela perpétue une boucle d'argumentation qui dilue la communication et les liens familiaux. Il en résulte de l'insécurité, de l'anxiété, la projection des peurs et une rupture émotionnelle soutenue.

Les enfants d'aujourd'hui composent la première génération de l'histoire du monde à recevoir de l'information directement des médias, sans filtrage par les adultes. Les parents ont raison de s'inquiéter. Sans intervention, les jeunes absorbent les valeurs qui leur sont présentées par la musique, la télévision et les films. Neuf fois sur dix, ces médias valorisent ce qui est séduisant, tentant et interdit, notamment le sexe, le sang et la violence [3].

Comme le souligne Jeff Goelitz, directeur de la division «Éducation et Famille» chez HeartMath, «les mythes des enfants proviennent des conglomérats médiatiques plutôt que des parents et des relations. Ces jeunes n'ont pas la capacité de naviguer dans ce monde et ils sont pourtant laissés à eux-mêmes pour essayer de trouver un sens et de distinguer le bien du mal».

Selon Richard Dahl, professeur associé de psychiatrie et de pédiatrie au centre médical de l'université de Pittsburgh, l'enfant moyen passe trois heures par jour devant le téléviseur. Cela veut dire vingt et une heures par semaine! Par contraste, les jeunes passent environ trente heures par semaine à l'école. Le temps passé avec leurs parents est bien moindre : seulement huit minutes de «conversation importante» avec leur père et onze minutes avec leur mère au cours de toute une semaine [4].

Avec un manque aussi incroyable de temps privilégié passé ensemble, il n'est pas étonnant que les parents en viennent à considérer que leur influence sur leurs enfants est insignifiante. Même s'ils s'inquiètent, par exemple, que leur adolescent s'adonne à une activité à risque, comme la consommation d'alcool ou de tabac, ou la violence, ils ne savent pas trop comment affronter le problème.

Les adolescents ont souvent un talent remarquable pour faire savoir à leurs parents que ce que disent ou font ces derniers n'a aucune influence sur leur vie, et bien des parents les croient, se sentant impuissants malgré tous les efforts qu'ils font pour aider leurs jeunes à mener une vie saine. Cependant, une étude récente effectuée par Michael Resnick, un sociologue de l'université du Minnesota, fournit une preuve solide que les parents ont vraiment une influence sur la vie de leurs enfants jusqu'à l'école secondaire. Par cette étude menée à l'échelle nationale, Resnick et ses collègues ont découvert que la santé et le bien-être des adolescents dépendaient, dans une large mesure, de leur sentiment que leurs parents se préoccupaient d'eux. Dans l'ensemble, les adolescents qui se sentaient aimés par leurs parents parvenaient mieux à éviter les comportements à risque, comme le sexe prématuré, le tabac, l'alcool et les drogues, la violence et le suicide, quel que fût leur statut social ou économique [5].

Le rôle du cœur dans le développement de l'enfant

Pour un enfant, se sentir aimé est plus important que tout le reste. De nouvelles recherches effectuées à l'université Harvard démontrent que les adultes qui ne se sentaient pas aimés durant leur enfance souffrent d'un taux beaucoup plus élevé de maladie que ceux qui ont connu l'amour. Cela signifie que l'amour est essentiel, et non optionnel, pour mener une vie saine [6].

Dès l'instant où un enfant naît, l'amour est aussi essentiel à sa santé et à sa survie que la nourriture physique. Même si la structure cérébrale et les circuits neuronaux de base pour la gestion des émotions sont établis bien avant la naissance, les expériences les plus importantes pour un bébé sont celles qu'il fait au cours des premières années de sa vie. L'environnement émotionnel auquel est exposé un enfant affecte le développement de ses circuits émotionnels [7].

Les états émotionnels sont contagieux. Souriez à un bébé et il vous sourira en retour. Fâchez-vous et il pleurera. Comme nous l'avons vu plus haut, le champ électromagnétique de notre cœur dépasse notre corps et transmet à notre entourage de l'information sur nos états émotionnels. Lorsqu'une mère ressent un amour et une sollicitude sincères, elle communique à son enfant un rythme cardiaque harmonieux et cohérent. Lorsqu'elle est stressée, anxieuse ou colérique, elle lui communique un rythme cardiaque inharmonieux et incohérent. Comme nous l'avons vu au cours des chapitres précédents — par exemple, dans l'étude sur l'électricité du toucher, au chapitre 8 —, la communication électromagnétique de notre cœur irradie à l'extérieur du corps et est ressentie par les autres.

Parler ou lire à haute voix à de jeunes enfants peut être contreproductif lorsque l'on est anxieux, en colère ou stressé. Si une mère ou un père essaie d'être gentil ou de faire la lecture à un enfant tout en étant anxieux ou émotionnellement bouleversé, le champ électromagnétique de son cœur est moins cohérent et le système nerveux de l'enfant détecte cette incohérence.

Les parents qui expriment de l'anxiété chronique et/ou de la dépression dans l'entourage de leurs enfants augmentent le risque que ces derniers souffrent de problèmes mentaux ou émotionnels. Une étude menée sur des enfants âgés de sept à treize ans et dont les parents étaient traités pour de la dépression ou de l'anxiété, ou les deux, a révélé que 36% de ceux dont les parents étaient déprimés souffraient eux aussi de dépression, et que 45% de ceux dont les parents souffraient à la fois de dépression et d'anxiété finissaient par obtenir le même diagnostic [8].

Selon la chercheuse principale de l'étude, Deborah C. Beidel, de l'université de médecine de la Caroline du Sud à Charleston, «ces découvertes ne signifient pas que l'anxiété et les autres troubles sont liés à un gène spécifique; l'apprentissage et l'exemple peuvent être des façons très efficaces d'acquérir un comportement».

Lorsqu'une personne en charge d'un enfant est en phase avec les sentiments de son protégé et réagit d'une façon appropriée aux émotions de ce dernier, les circuits neuroniques sont renforcés d'une façon positive. Cependant, si les émotions d'un enfant reçoivent à répétition une réaction indifférente ou négative, les circuits neuronaux deviennent confus. Ces liens affaiblis ne seront peut-être pas assez forts pour supporter le processus d'élagage neuronal qui se produit vers l'âge de dix ou douze ans; souvent, ils sont perdus à jamais. Les neurones qui n'ont pas établi des connexions ou développé des circuits sont retranchés et dissous dans le liquide cérébro-spinal environnant, afin de permettre à d'autres structures neuronales de croître. Cependant, il existe de nombreux exemples d'enfants chez qui, même après la négligence des parents, le stress émotionnel et mental a été vaincu grâce à l'amour et à la sollicitude sincères d'un parent adoptif, d'un «grand frère» ou d'un mentor [7].

La plasticité du cerveau permet d'espérer à tout âge que les circuits émotionnels puissent être «rééduqués» par le renforcement positif et en enseignant aux enfants et aux adultes des techniques d'autogestion émotionnelle.

Les enfants sont étonnamment ouverts aux techniques d'autogestion émotionnelle (même en bas âge), à cause de leur résistance émotionnelle naturelle. Les chercheurs savent toutefois que la résistance et la flexibilité diminuent à l'adolescence. Si on n'enseigne pas aux enfants des techniques de gestion émotionnelle au moment où ils atteignent l'adolescence, les adultes qu'ils seront demain ne pourront pas gérer leurs émotions.

Les éducateurs comme Jeff Goelitz savent que le monde turbulent dans lequel ces jeunes atteindront l'âge adulte exigera d'eux beaucoup d'autonomie et une intelligence intuitive ultrarapide. Et la concurrence sera intense. L'aptitude mentale sera toujours précieuse, bien sûr, mais l'avenir suscitera un plus grand besoin que jamais de créativité et de capacité d'adaptation. Il sera essentiel de pouvoir s'entendre avec les gens et de posséder de très grandes aptitudes interpersonnelles et sociales. C'est ici qu'intervient l'intelligence du cœur.

En utilisant ensemble la technique du FREEZE-FRAME, les parents et leurs enfants peuvent développer de nouvelles perceptions des questions familiales comme la discipline, les responsabilités, la communication et les activités en famille. Ils peuvent utiliser le CUT-THRU pour trouver des solutions et se libérer de certains épisodes émotionnels hautement chargés. Et ils peuvent utiliser le HEART LOCK-IN pour s'envoyer mutuellement de l'amour — et c'est peut-être l'une des expériences les plus agréables qu'une famille puisse partager; non seulement augmente-t-elle la cohérence et la formation de liens affectifs au sein de la famille, mais elle donne le ton au temps privilégié passé ensemble dans une ambiance d'amour et d'enracinement.

Avec son mari et ses deux jeunes enfants, Joanne fait chaque soir un bref HEART LOCK-IN avant le dîner. « C'est comme un tonique pour la famille, dit-elle. Chacun d'entre nous choisit à qui il veut envoyer de l'amour. On peut sentir le changement d'énergie. C'est le seul temps véritable que nous passons ensemble. Et la différence est énorme. »

Créer un cadre familial qui encourage les sentiments fondamentaux du cœur et la sollicitude réelle entre les parents et les enfants doit devenir la priorité de tous les parents. L'établissement de liens affectifs forts avec ses enfants est la première étape pour que les conseils soient entendus — développer le respect et vaincre les difficultés liées à la discipline. La capacité de gestion émotionnelle est essentielle au développement d'une plus grande intelligence, en vue d'affronter avec succès les pressions et les obstacles qui surgiront inévitablement dans la vie.

HeartMath en éducation

Les valeurs et les perceptions de la vie qu'ont les enfants sont également, tout comme leur caractère, fortement influencées, dans l'environnement éducatif, par le groupe et les enseignants. C'est la raison pour laquelle 127 enseignants et conseillers de toutes les régions des États-Unis ont été officiellement certifiés afin d'enseigner les concepts et techniques de HeartMath dans leurs classes. En outre, de nombreuses écoles, dans le secteur privé comme dans le secteur public, sont en train d'incorporer HeartMath à leur programme.

En 1996, la Palm Springs Middle School, dans le comté de Dade, en Floride, a entamé un programme d'intervention de HeartMath pour les étudiants de septième année. Pour un grand nombre de ces étudiants, l'espagnol était la langue maternelle et l'anglais une langue seconde, et certains avaient une vie difficile à la maison. Le programme avait pour but de renforcer les capacités de résistance et le civisme, tout en contrant les effets du stress sur l'apprentissage.

Les résultats furent importants. Les enseignants dévoués, en même temps que le personnel de HeartMath, constatèrent un changement net de tous les paramètres clés de la « Mesure d'inventaire de performance » utilisée pour évaluer le programme. À la suite de l'utilisation des outils et techniques de la solution HeartMath, les étudiants étaient plus motivés à l'école, plus concentrés sur leur travail scolaire, et mieux à même d'organiser et de gérer leur temps, à la fois à l'école et à la maison. Leurs aptitudes au leadership et à la communication s'améliorèrent, et les problèmes de comportement nuisible ou à risque diminuèrent d'une façon marquée. Ces étudiants se sentaient mieux appuyés par leur famille et leurs amis, plus à l'aise dans leur peau et avec leurs professeurs, et manifestaient une compassion accrue envers leurs pairs. De plus, ils étaient plus affirmatifs et indépendants dans leurs décisions, plus résistants aux pressions du groupe, et mieux habilités à gérer leur stress, leur colère et leur négativisme. Bref, ils démontraient un accroissement de leur satisfaction et de leur contrôle sur leur vie familiale, scolaire et sociale. Le graphe de la figure 11.1 fournit un résumé partiel des résultats.

Ce programme eut tant de succès que, en 1997, 15 des étudiants de Palm Springs furent choisis pour un programme de tutorat s'appliquant à plusieurs groupes d'âge dans une école élémentaire des environs, où des tuteurs enseignèrent à 55 élèves de deuxième et de troisième les outils et techniques de HeartMath.*

Plus tard cette année-là, le programme fut élargi afin d'inclure deux cours optionnels d'une année entière, appelés « Heart Smarts », pour les étudiants du secondaire. Le programme Heart Smarts offrait une série d'outils et de stratégies visant à aider les

* Consultez le site internet www.heartmath.org pour de plus amples informations sur leurs recherches actuelles. Notre site www.ariane.qc.ca présentera régulièrement des textes traduits en français sur leurs activités.

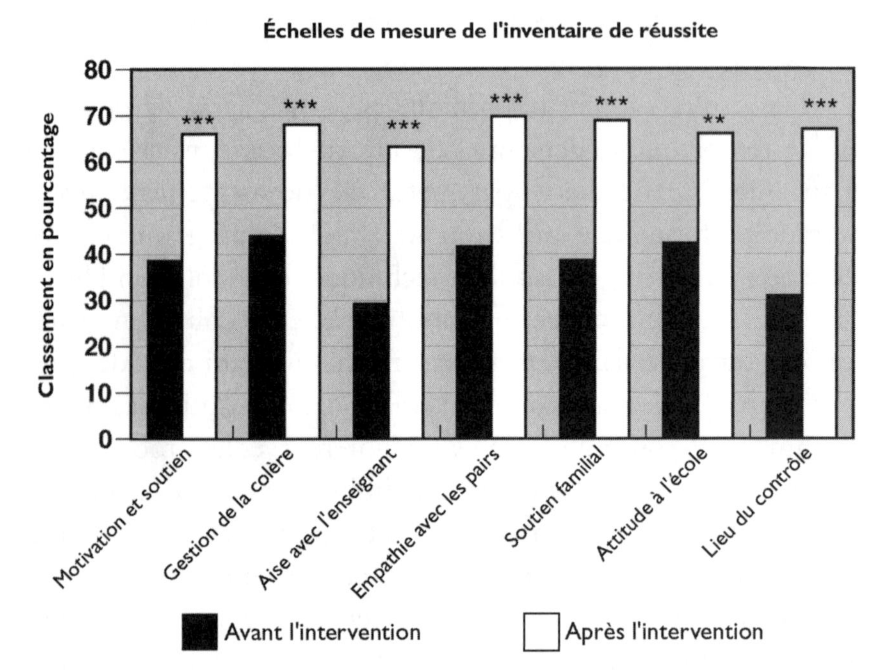

L'impact des outils et techniques de la solution HeartMath sur des écoliers

FIGURE 11.1. Après avoir appris à utiliser les outils et techniques de la solution HeartMath, les étudiants d'une classe de septième année d'une grande région métropolitaine manifestèrent une grande amélioration dans leurs aptitudes à la réussite, leurs attitudes et l'autogestion émotionnelle. Après avoir utilisé ces outils, leur attitude à l'égard de leur travail scolaire, de leurs enseignants, de leurs amis, de leur famille et d'eux-mêmes s'améliora considérablement. Ce graphique fournit un résumé partiel des résultats de l'étude. **p - .01, ***p- .001.

étudiants à réduire leur stress, à rester concentrés sur leurs études, et à améliorer leurs aptitudes en communication ainsi que leurs relations avec leurs pairs, leurs enseignants et leur famille.

D'autres programmes s'adressant à plusieurs groupes d'âge sont en cours dans des écoles élémentaires et secondaires du comté de Dade, et ces écoles ont l'intention de rendre le HeartMath disponible auprès de plus de 1 500 étudiants au cours des quatre prochaines années. La Palm Springs Middle School est également en train d'élargir le programme afin d'inclure plus de «pistes», après son succès dans l'enseignement du FREEZE-FRAME à des étudiants sourds ou malentendants. Parce qu'un grand nombre de ces étudiants ont également un retard de langage, ils doivent travailler deux ou parfois trois fois plus que leurs pairs, mais ils ont maîtrisé le FREEZE-FRAME avec un enthousiasme considérable.

Parallèlement au travail accompli dans ces écoles, l'Institute of HeartMath est engagé avec le Miami Heart Research Institute dans une étude mesurant les effets des outils et techniques de la solution HeartMath sur la santé cardiovasculaire des étudiants du secondaire. Les résultats préliminaires démontrent un changement marqué de la cohérence de variation du rythme cardiaque chez les étudiants pratiquant le HeartMath (par comparaison avec les étudiants du groupe témoin, qui n'ont pas reçu de formation). Comme l'analyse finale de cette étude n'est pas encore disponible, l'affaire est à suivre. Les résultats initiaux indiquant une amélioration de la santé cardiovasculaire chez ces jeunes gens semblent plus que prometteurs, cependant.

Quel meilleur endroit que nos écoles pour introduire l'amélioration des aptitudes à la vie que fournissent les outils et techniques de la solution HeartMath? Malheureusement, un grand nombre de nos systèmes scolaires sont affligés d'une foule de problèmes financiers, disciplinaires et autres. Ces problèmes, de même que les difficultés auxquelles font face la plupart des éducateurs et des commissions scolaires quant au programme d'enseignement, limitent leur capacité de fournir aux étudiants la formation générale dont ils ont besoin. Cependant, les éducateurs du réseau scolaire du comté de Dade ont démontré avec courage et engagement qu'une telle formation *peut* être dispensée si l'intérêt et le désir sont suffisamment forts.

Comme l'a écrit un garçon de 14 ans du comté de Dade : «J'ai apprécié [HeartMath]. Ils nous ont montré comment diriger notre esprit dans la bonne direction, et, si on a une mauvaise attitude, comment la contrôler avec maturité plutôt que de se défouler sur quelqu'un d'autre. Tout le monde devrait avoir une attitude comme celle que nous avons apprise, car, si tout le monde avait une belle attitude, il n'y aurait pas toutes ces querelles et les gens s'aimeraient peut-être même les uns les autres.»

Comment les jeunes réagissent aux outils du cœur

Lorsque notre personnel apporte les outils et techniques de la solution HeartMath dans des écoles, nous pouvons voir la force du cœur à l'œuvre d'une manière nouvelle et inspirante. Et les jeunes se passionnent tout de suite pour ces outils. Ils sont tellement plus enclins que les adultes à chercher des réponses dans leur cœur. Leur capacité à faire confiance à leur cœur apparaît très clairement.

Dans le monde difficile et concurrentiel des jeunes d'aujourd'hui, un cœur docile et sentimental ne ferait pas l'affaire. Mais ces outils rendent les jeunes plus forts et plus autosuffisants. Lorsqu'ils se servent de leur cœur, ils font des choix intelligents plutôt qu'impulsifs. Et, en plus du sens de la sollicitude et de la coopération, leur cœur leur donne un plus grand sens de l'honneur.

La discipline scolaire des enfants s'améliore également lorsqu'on leur fait acquérir des aptitudes à la gestion émotionnelle. Les enseignants qui ont appris à utiliser les outils et techniques de la solution HeartMath — Judith Carter, entre autres — épargnent du temps et de l'énergie en utilisant une méthode appelée «time-in». «Si je demande à un enfant de faire un "time-in", cela veut dire d'aller faire un HEART LOCK-IN, puis de voir s'il peut trouver une meilleure option de comportement. Ça fonctionne très bien et ça aide les enfants à gérer leurs émotions», dit-elle.

«J'ai un minuteur de cuisson dans la section "time-in" de la classe, pour que les élèves puissent chronométrer leurs HEART LOCK-IN. Un jour, une jeune élève m'a demandé si elle pouvait avoir un “time-in”. Elle s’est rendue dans la section, s’est assise et a effectué le HEART LOCK-IN avec un grand sourire au visage. J’étais si fière qu’elle ait géré ses propres émotions. Elle m’a dit qu’elle avait enseigné à son papa comment faire un HEART LOCK-IN.»

Les outils fonctionnent particulièrement bien durant des périodes d’activité physique, comme les jeux ou les sports d’équipe. L’été dernier, Beth McNamee, une formatrice certifiée en HeartMath, a enseigné le FREEZE-FRAME à 60 enfants, âgés de sept à quatorze ans, dans un camp de soccer du nord de l’État de New York. Lorsque ces enfants eurent appris à faire le FREEZE-FRAME, Beth leur a fourni une situation stressante pour qu’ils puissent s’exercer.

Ils furent divisés en deux équipes et on leur demanda de botter le ballon de soccer selon un schéma précis. Alors qu’ils répétaient le schéma, Beth écoutait leurs remarques : «C’est trop dur!», «Je ne peux pas faire ça!», «Ôte-toi de là!», «Tu n’y es pas!» Une équipe frustrée s’est même liguée contre l’un de ses propres joueurs et lui a reproché de faire tout rater.

À la fin de l’exercice, Beth a demandé à ces jeunes ce qu’ils ressentaient. Tour à tour, ils ont exprimé de la frustration, de la colère, et de la déception envers eux-mêmes. Même si c’était un jeu, ils n’avaient eu aucun plaisir.

Quelques minutes de FREEZE-FRAME les ont aidés à revenir à leur cœur. Au lieu de se critiquer eux-mêmes et les uns les autres, ou d’essayer d’accorder la valeur la plus élevée à l’exécution parfaite du schéma, ils acquirent une nouvelle perspective. En contact avec les valeurs du cœur, ils ont adopté une vision plus ouverte et plus aimable.

Soudainement conscients de leur injustice, les membres de l’équipe qui avait blâmé un des siens pour son échec se sont excusés et ont partagé la responsabilité de leur performance. Les deux groupes ont commencé à coopérer plus librement. Au lieu de se concentrer sur le fait qu'ils étaient coincés, ils ont proposé de nouvelles solutions.

Tout le processus devint plus efficace lorsque chaque équipe commença à travailler comme une unité plutôt que comme un groupe d'individus séparés. La sagesse de leur cœur leur permit de donner le meilleur d'eux-mêmes, à la fois comme individus et en tant qu'équipe.

Nous avons découvert que les outils et techniques HeartMath aident les jeunes à développer des aptitudes qui leur serviront tout autant dans leurs présents matchs de soccer que dans la concurrence sur le futur marché de l'emploi. Grâce au seul usage du FREEZE-FRAME, ils peuvent accéder à leurs meilleures évaluations. Ils commencent à mieux communiquer et à mieux s'entendre avec les autres. Par contraste, lorsqu'ils ne sont pas en contact avec les valeurs fondamentales de leur cœur, leur monde devient au moins aussi frustrant et stressant que le monde adulte que leurs parents espèrent les aider à éviter.

Aider les enfants défavorisés

Rien n'est comparable aux désavantages causés par le manque d'amour véritable au cours des années cruciales de développement de l'enfance. Les enfants défavorisés le sont surtout lorsque des sentiments fondamentaux du cœur, comme l'amour, la sollicitude et la reconnaissance, manquent à leur vie familiale. Dans certaines familles des quartiers pauvres, surtout, l'environnement familial est si difficile qu'on ne sait trop comment aider les enfants à cultiver leurs sentiments fondamentaux.

Après avoir mené une formation au parentage pour des parents de quartiers pauvres, Edie Fritz, une formatrice éducative de HeartMath, rapportait l'histoire suivante. Une grand-mère qui élevait son petit-fils parce que les parents de ce dernier en étaient incapables a demandé : « Comment pouvez-vous leur enseigner la reconnaissance? Ces jeunes ont tellement peu d'occasions d'éprouver de la reconnaissance. » Edie a répondu : « La reconnaissance aide les jeunes à développer un muscle intérieur qui les renforce afin qu'ils ne démissionnent pas trop facilement. Lorsque des enfants cessent d'être reconnaissants, ils perdent espoir. C'est alors qu'ils laissent tomber et s'adonnent aux drogues ou se joignent à des gangs. »

Edie a ensuite raconté l'histoire de deux de ses étudiants d'un quartier défavorisé, un garçon et une fille, qui s'efforçaient beaucoup de trouver dans leur vie quelque chose (n'importe quoi) qui soit digne de reconnaissance. Un jour, la fille a raconté que sa mère lui avait souri, ce matin-là; c'était l'objet de sa reconnaissance. Le garçon a apporté une rose en classe, en expliquant qu'il passait tous les matins à côté d'un rosier, sur le chemin de l'école. Ce jour-là, le rosier était en fleurs; la rose était l'objet de sa reconnaissance. Edie expliqua : « Lorsque les enfants ouvrent de nouveau leur cœur à la reconnaissance, ils commencent à trouver toutes sortes de petites choses qui en sont dignes. C'est alors que l'on commence à voir des changements majeurs dans le comportement et l'apprentissage en classe. »

Pour bien des enfants, l'un des pires facteurs de stress est d'être étiqueté « à risque » ou « défavorisé », ce qui ne fait qu'augmenter les sentiments de séparation et d'instabilité qui sont peut-être les seules constantes de leur vie. C'est surtout vrai pour les enfants de migrants. Conseillère pour la division de l'éducation des migrants de la région X du bureau de l'éducation du comté de Los Angeles, Amelia Moreno et une équipe d'administrateurs, d'enseignants et de parents mentors agréés servent environ 13000 familles migrantes. Leur but principal est d'aider les enfants (de la petite enfance jusqu'à l'âge de 21 ans) à réussir à l'école comme tous les autres enfants, malgré la pauvreté extrême et la mobilité, et le fait que presque tous ces enfants ont l'espagnol pour langue maternelle.

Travaillant dans les domaines de l'agriculture, de l'emballage, de la pêche et autres secteurs saisonniers, ces familles ne restent pas souvent plus de quelques années au même endroit. Puisqu'elles se déplacent si souvent, les enfants sont susceptibles de recevoir une éducation inégale. Le stress peut surgir dans ces familles lorsqu'elles s'efforcent à la fois de garder le mode de vie traditionnel de leur culture d'origine et de suivre le courant de la culture américaine, constamment en évolution.

Dans le cadre du programme d'alphabétisation «Even Start» pour les familles migrantes, Amelia utilise une version espagnole du programme HeartMath, appelée «Corazon Contento», ou «Cœur content». En 1998 (et les quatre années précédentes), son programme a atteint 300 familles migrantes dans 14 établissements préscolaires du comté de Los Angeles. Dans le cadre de ce programme, les enfants d'âge préscolaire et leurs parents vont à l'école ensemble, dans des classes adjacentes. Tandis que les enfants y reçoivent une préparation à la maternelle, leurs parents y apprennent l'anglais comme langue seconde et se font alphabétiser ainsi que guider dans leur rôle parental. HeartMath joue ici un rôle crucial, car les parents apprennent le FREEZE-FRAME avec leurs enfants, en même temps que des jeux et activités connexes, à partir d'une version espagnole du livre *Teaching Children to Love* [9]. Amelia dit : «Renforcer chez ces familles les valeurs associées au cœur aide leurs membres à rester ensemble sur la voie de l'alphabétisation.»

«Je travaille en éducation depuis maintenant vingt-huit ans, explique Amelia. J'ai découvert que les gens ont besoin d'outils pour réussir et pour renforcer les efforts de leur entourage. Nous voulons indiquer à nos enfants, par tous les moyens, qu'ils ont un grand potentiel, qui n'est limité que par leur propre perception d'eux-mêmes. Nous devons donc être forts et fonctionnels nous-mêmes — être un modèle pour nos familles — afin qu'elles continuent à espérer. «C'est la même chose, d'ailleurs, dans le secteur agricole; on doit préparer le sol. Nous aidons les familles à rester engagées dans l'éducation permanente, en nourrissant leur intelligence de façon à ce qu'elle soit fructueuse. Les outils que nous utilisons sont essentiels et donnent la vie. Ils nous aident à apprécier notre riche culture et à anticiper l'avenir, au lieu de nous focaliser sur ce que nous n'avons pas. La qualité de vie, la capacité d'aimer et d'être aimé, cette lumière qui luit dans l'adversité, ce sont les atouts les plus importants, en définitive. Ainsi, l'espoir est source de vie dans toutes les cultures.»

Pour améliorer notre société et notre monde, nous devons revenir à la base, c'est-à-dire la famille, où sont censées se développer et s'épanouir les valeurs fondamentales du cœur qui créent un monde où il vaut la peine de vivre. Si nos familles sont incapables de remplir ce rôle, nos écoles, nos églises, nos entreprises, nos hôpitaux et nos organismes de services communautaires *doivent* le faire; on ne dit même pas qu'ils le *devraient.* Si les gens n'interviennent pas pour jouer le rôle qui leur échoit, nous n'avons aucun espoir de fonder sur des bases solides notre avenir social.

Si la solution HeartMath aide les individus, les familles, les enfants, les écoles et les communautés à activer l'intelligence du cœur et à trouver ainsi de nouvelles solutions à leurs problèmes, elle atteint son but. Lorsque des individus, jeunes ou vieux, développent l'intelligence de leur cœur, ils deviennent l'espoir de l'avenir.

POINTS CLÉS À RETENIR

À la maison

- Faites un HEART LOCK-IN avec vos enfants au début de la période de temps passé en famille, de la période de temps privilégié, ou avant le dîner ou le coucher.

- Lorsque vous donnez des instructions, faites un FREEZE-FRAME avec vos enfants, afin de communiquer d'une façon plus cohérente et d'obtenir une meilleure écoute.

  Si un enfant est en colère, aidez-le à faire un FREEZE-FRAME ou un CUT-THRU pour le calmer.

- Enseignez à vos enfants les valeurs fondamentales du cœur et faites-leur savoir quand ils manifestent de la reconnaissance, de la sollicitude et du non-jugement quand ce n'est pas le cas.

  Aussi souvent que possible, abordez la gestion émotionnelle à partir du cœur. Utilisez les outils et techniques de HeartMath pour développer la force du cœur des membres de votre famille. Cette pratique leur sera autant bénéfique qu'à vous.

À l'école

- Encouragez les enfants à aller dans leur cœur pour résoudre leurs conflits relationnels avec plus de maturité. Lorsque des élèves ou des étudiants sont en conflit, favorisez la responsabilité personnelle en leur demandant de faire un FREEZE-FRAME pour trouver de nouvelles solutions à leurs différends.

- Dans toute activité sportive, décrétez un FREEZE-FRAME de groupe lorsque le niveau de frustration nuit à la performance. Utilisez le FREEZE-FRAME avant et après les activités sportives, afin de clarifier les objectifs, d'augmenter la motivation et d'évaluer les résultats.

- Utilisez le cœur afin d'accroître la clarté mentale et d'élargir la perspective dans les matières scolaires. Si les étudiants comprennent l'intelligence du cœur, demandez-leur (par exemple) comment des événements historiques auraient pu être différents si les protagonistes avaient utilisé les outils et techniques de HeartMath.

- Utilisez un HEART LOCK-IN au début de la journée pour préparer les étudiants à l'apprentissage.

- Demandez aux enfants de faire un HEART LOCK-IN durant des «time-in» pour les aider à gérer et à équilibrer leurs émotions.

- Demandez aux enfants d'effectuer un HEART LOCK-IN après la récréation s'ils sont trop excités ou incapables de se concentrer.

CHAPITRE 12

L'impact social

Lorsque nous commençons à ressentir une plus grande sollicitude à l'égard de nous-mêmes et de nos familles, notre capacité d'exprimer les sentiments fondamentaux du cœur prend de la force. Il est tout à fait naturel de chercher des façons de propager cette sollicitude sur le lieu de travail et dans la société. Mais nous n'avons pas à devenir philanthropes ni à nous joindre à des mouvements sociaux pour manifester de la sollicitude aux autres. En appliquant l'intelligence du cœur à toute situation quotidienne dans laquelle nous nous trouvons, nous découvrirons naturellement de nouvelles formes de sollicitude. Tom McGuiness, vice-président de Mission Effectiveness and Community Outreach for Citrus Valley Health Partners (en Californie), a toujours eu une vocation pour le service. Suivant les élans de son cœur, il s'est occupé des besoins d'une population pour laquelle les soins de santé n'étaient ni abordables ni accessibles. Bien avant d'apprendre à utiliser les outils et techniques de la solution HeartMath, Tom a très bien compris que nous vivons dans un monde qui a besoin de plus de cœur. Comme un grand nombre de ceux qui consacrent leur vie à d'autres, Tom a un sens profond de la responsabilité envers sa communauté et il s'est engagé à améliorer celle-ci en tant que milieu de vie et de travail pour tous.

La vie des travailleurs sociaux dévoués comme Tom renferme des leçons pour nous tous. Guidés par l'intelligence du cœur, nous pouvons trouver des façons d'aider à améliorer la vie des autres. En augmentant notre cohérence intérieure, nous aurons une conscience plus intelligente des besoins de nos communautés, plus d'énergie et une plus grande intention de contribuer à leur bien-être.

Nos communautés sont composées d'organismes qui affectent la vie des gens. Par exemple, des organisations sont responsables de la disponibilité et de la qualité des produits que nous achetons et des services dont nous avons besoin, de nos infrastructures locales, de nos écoles, de nos soins médicaux, et ainsi de suite.

La solution HeartMath est d'une grande efficacité pour augmenter la cohérence mentale et émotionnelle au sein des organisations. Les membres d'organisations qui ont reçu une formation pour utiliser les outils et techniques HeartMath deviennent plus heureux, plus en santé et plus productifs. La satisfaction des consommateurs augmente. Par conséquent, nos communautés sont renforcées. Nous avons constaté des résultats impressionnants lorsque la solution HeartMath a été appliquée dans des entreprises, des sociétés d'État, des églises, des hôpitaux et d'autres institutions.

Les entreprises

Bien des compagnies affrontent des défis complexes dans leurs efforts d'augmentation de la rentabilité par la restructuration ou le repositionnement dans l'actuel environnement commercial en changement rapide. Lorsque des politiques de restructuration sont appliquées, elles impliquent souvent des réductions abruptes, sans grande considération pour les gens concernés. Pour qu'une transformation organisationnelle cohérente se déroule au moindre coût pour la compagnie, les initiatives de changement doivent être appliquées avec suffisamment de soin pour réduire les conséquences stressantes.

La surcharge de travail et l'augmentation de la pression en vue de la performance sont actuellement des facteurs de stress courants en milieu de travail. De plus, les travailleurs sont perturbés par l'incertitude à propos de leur avenir, l'allongement des horaires, la diminution du niveau de satisfaction au travail, la mauvaise communication et une confiance moindre en la loyauté de l'organisation à leur égard. Selon le département américain du Travail, le lieu de travail est la plus grande source de stress, quel que soit l'emploi ou le salaire [1].

Sans un haut degré de gestion émotionnelle, l'augmentation actuelle de la pression au travail a un effet très néfaste sur les cadres et les gestionnaires, épuisant leur énergie au détriment de leur vie personnelle et familiale. De plus en plus d'hommes et de femmes choisissent un salaire moins élevé ou renoncent à de l'avancement dans leur carrière, en échange d'horaires flexibles, d'une réduction de la pression, et d'une augmentation du temps à consacrer à leurs enfants. Pour beaucoup, cela revient à cette proposition : combien vaut la possibilité de faire une course au milieu de la journée, d'aller au match de soccer de son fils ou de mieux dormir la nuit?

D'un point de vue commercial, il n'est pas toujours possible de fournir des horaires flexibles, mais les sociétés peuvent faire beaucoup pour améliorer la satisfaction au travail. Il n'est pas rentable à long terme de traiter les employés sans sollicitude ni considération. Cette approche a toujours engendré une diminution régulière de la productivité et de la rentabilité. Des personnes clés tombent malades ou démissionnent, et, parmi celles qui restent, plusieurs, dans un environnement de travail indifférent, deviennent cyniques et démotivées.

Inversement, les sociétés qui ont assez de sollicitude pour donner aux gens la possibilité de gérer plus efficacement leur travail et leur vie s'attirent des employés loyaux, qui ont une plus grande capacité d'adaptation et parviennent mieux à maintenir leur enthousiasme. Ils deviennent plus résistants et créatifs au sein du changement. Leur performance s'améliore. C'est un bon investissement commercial que d'allouer des ressources à la création d'un équilibre entre le travail et la vie ainsi que d'une autogestion mentale et émotionnelle dans le cadre de l'entreprise.

En 1998, le *Wall Street Journal* rapportait une étude menée par Sears & Roebuck dans 800 magasins. Les résultats démontraient que non seulement les employés heureux demeuraient dans la compagnie, mais qu'ils généraient également de la publicité de bouche à oreille en recommandant aux autres les produits de la compagnie. Lorsque l'attitude des employés s'améliorait de 5%, la satisfaction des consommateurs faisait un bond de 1,3%, ce qui entraînait une augmentation de 0,5% des revenus, un gain substantiel pour une entreprise de cette taille.

«Nous savons que la satisfaction des employés augmente celle des consommateurs, de même que la productivité», rapportait dans le même article Brian McQuaid, directeur exécutif de MCI. Mais aussi, chez MCI, même une baisse de 5% de l'efficacité des employés diminue les revenus annuels «de quelques centaines de millions de dollars». C'est tout simplement le bon sens commercial qui commande d'entretenir la satisfaction chez les employés et de les encourager à faire de leur mieux dans un contexte commercial [2].

Maintenant, et surtout dans un proche avenir, de plus en plus de sociétés vont prospérer ou décliner à cause de la qualité intérieure de leurs employés. L'époque de la machine commerciale indifférente est terminée. Les compagnies qui en ont conscience et entreprennent des actions appropriées sont les plus susceptibles de prospérer au cours du nouveau millénaire.

Le cœur en milieu de travail

À première vue, l'attention portée au cœur peut sembler quelque peu déplacée dans le contexte des affaires. Dans bien des milieux, on croit encore que «les affaires sont les affaires» et que l'émotion n'a pas sa place sur les lieux de travail. Aussi étonnant que cela puisse paraître, il n'est pas rare que nos formateurs entendent des cadres déclarer qu'ils n'ont pas besoin d'aptitudes «douces».

Mais, en général, l'approche pragmatique du cœur que propose HeartMath — combinée à un soutien biomédical et à un processus orienté sur les résultats — est très bien accueillie par les entreprises. Lorsqu'on introduit en milieu de travail les valeurs fondamentales du cœur et de nouvelles méthodes de développement de son intelligence, il se produit un changement positif, rapide et radical.

Bruce Cryer, vice-président au développement mondial en entreprise de HeartMath LLC, enseigne des aptitudes fondées sur le cœur dans des entreprises de tous les États-Unis et il a constaté personnellement l'impact de ces aptitudes. Pour Bruce, il va de soi que l'entreprise a besoin du cœur. « Rendez-vous compte que toutes les organisations sont des systèmes vivants composés de gens qui pensent et qui sentent, dit-il. En fait, chaque organisation est un grand organisme complexe dont la santé et la résistance dépendent de plusieurs des mêmes facteurs qui déterminent la santé et l'équilibre d'un individu. Les organisations intelligentes— comme les gens intelligents — reconnaissent et cherchent à mesurer les éléments qui fonctionnent, de même que ceux qui sont déséquilibrés [3].»

En 1994, Bruce emmena son équipe chez Motorola, dans le but d'améliorer la performance des employés. La compagnie avait déjà une réputation mondiale, celle de fournir des produits innovateurs, en partie parce qu'elle portait une attention particulière aux besoins de ses employés. Mais la compétition accrue avait monté la barre. Le stress était plus élevé que d'habitude. Réaction typique chez Motorola, l'administration s'inquiéta et passa à l'action.

On demanda à l'équipe de HeartMath de se pencher sur les questions de productivité, de travail d'équipe, d'aptitudes à la communication, de stress, de santé, de créativité et d'innovation. Bruce et son équipe enseignèrent la solution HeartMath à des employés et effectuèrent des évaluations, avant et après, pour mesurer les changements. Après six mois de pratique des outils et techniques de HeartMath, ils constatèrent une différence radicale dans la performance des participants :

- 93 % avaient augmenté leur productivité;
- 90 % avaient amélioré leur travail en équipe;
- 93 % avaient un plus grand sens des responsabilités;
- 93 % se sentaient en meilleure santé.

Les travailleurs de la chaîne d'assemblage — qui étaient parmi les groupes d'employés en formation — rapportaient un accroissement important d'énergie et de vitalité. Ils ressentirent moins de tension et connurent moins de problèmes physiques au cours de la période de six mois, et éprouvaient une plus grande satisfaction personnelle et professionnelle au travail à la fin de cette période.

Motorola s'intéressait également à la relation entre la santé cardiovasculaire de ses employés et leur efficacité au travail. La compagnie savait que 28 % des adultes américains ont une pression artérielle élevée. Non seulement ce problème de santé est-il le principal facteur de risque de maladies et de crises cardiaques, mais il peut aussi inhiber considérablement la performance et la productivité.

Même si l'équipe de HeartMath se focalisait sur une augmentation de la productivité de la compagnie, la réduction de la tension et du stress avait également de nets effets positifs sur la santé. Au commencement de la période de six mois, 28 % des travailleurs des équipes directoriales, administratives et techniques souffraient de pression artérielle élevée, conformément à la moyenne nationale. Par la suite, tous ceux qui utilisaient les outils et techniques de la solution HeartMath avaient une pression artérielle normale [4] !

La baisse de stress fut ressentie à la fois objectivement et subjectivement. Un employé a dit : « Avec moins d'inquiétudes, je gère bien mieux ma vie familiale, et j'ai résolu plusieurs problèmes de longue date. Je peux écouter les autres, avoir l'esprit ouvert, désirer former les collaborateurs, et arriver au travail heureux et prêt à me mettre à la tâche. »

Les participants au programme ont rapporté une réduction de l'anxiété (18 %), du burn-out (26 %) et de l'hostilité (20 %), de même qu'une plus grande satisfaction (32 %). En général, ils ont subi une réduction de 36 % des symptômes du stress, y compris l'insomnie, la tachycardie, les maux de tête et d'estomac, et les tremblements.

Depuis, plus d'un millier d'employés de Motorola ont connu des résultats similaires avec le programme de formation en entreprise de HeartMath, et ce cours a été adopté comme principal programme de gestion du stress à l'université Motorola de Schaumburg, dans l'Illinois. L'expérience de Motorola a démontré que de faire appel à l'intelligence du cœur avait un effet direct sur les profits d'une entreprise.

Appliquer le cœur aux entreprises

Lorsque nous apportons la solution HeartMath dans le domaine de l'entreprise, nous utilisons un programme appelé «Gestion de la qualité intérieure» (GQI). Les outils et techniques de base que vous avez appris dans ce livre, de même que plusieurs autres, sont alors dirigés vers quatre objectifs spécifiques :

- améliorer l'autogestion interne;
- rendre cohérente la communication;
- renforcer le climat organisationnel;
- faciliter les processus et le renouveau stratégiques;

L'autogestion interne fournit une nouvelle base à l'efficacité et à la productivité individuelles. La communication cohérente joue un rôle vital dans la formation des équipes. Un climat organisationnel constructif et encourageant fournit à long terme un terrain fertile pour la prospérité d'une entreprise. Le renouveau stratégique entretient la vigueur de l'entreprise et fait en sorte que ses ressources seront continuellement remplacées.

Pour aider les entreprises à atteindre ces objectifs, les formateurs de HeartMath enseignent la pratique du FREEZE-FRAME comme un moyen de réduire le stress et de développer la clarté mentale. Les employés apprennent à évaluer leurs actifs et déficits énergétiques. Dans les cours avancés, on ajoute le CUT-THRU pour améliorer davantage l'équilibre émotionnel. Pour se régénérer avant ou après le travail ou pendant les pauses, de nombreux employés utilisent également la technique du HEART LOCK-IN.

En formant 150 cadres moyens ou supérieurs de Royal Dutch Shell, au Royaume-Uni, des consultants de HeartMath ont observé d'importantes améliorations, surtout dans le groupe ayant les niveaux de stress les plus élevés. Il y a eu des réductions de 65% de la tension, 87% de la fatigue, 65% de la colère, et 44% des intentions de quitter la compagnie. Ces changements majeurs se sont opérés en seulement six semaines. Afin de déterminer la valeur de rétention des outils et techniques HeartMath, les consultants sont retournés effectuer une évaluation supplémentaire après six mois. Les participants avaient eu plus de temps pour parfaire leurs aptitudes, et les résultats en ont témoigné. Dans chaque domaine évalué, les indicateurs de stress avaient continué de diminuer.

Ces études illustrent à quel point le développement de la cohérence du cœur au travail peut exercer de puissants effets. La plupart d'entre nous passent un grand pourcentage de leur temps au travail, et, d'une façon ou d'une autre, nous sommes tous en interaction avec des compagnies et dépendons de leurs produits et services. Lorsque les cadres et les administrateurs reconnaîtront les avantages pratiques de l'intelligence du cœur au travail et encourageront son développement, ils rendront un immense service à leurs actionnaires, à leurs employés, à leurs clients et à leur communauté.

Les sociétés d'État

Depuis de nombreuses années, Joseph Sundram, directeur de la division des programmes organisationnels chez HeartMath, a introduit nos programmes dans diverses agences gouvernementales. Cette expérience lui offre un créneau inhabituel pour observer ce qui se produit lorsque la solution HeartMath est appliquée par des fonctionnaires, des militaires, des officiers de police se trouvant dans des situations périlleuses, et d'autres œuvrant dans les infrastructures d'organismes gouvernementaux au niveau de la localité, de l'État et du pays.

Les employés du gouvernement connaissent sensiblement le même stress et les mêmes défis que leurs homologues du secteur privé, mais ils affrontent également des défis propres au secteur public.

Dès le départ, le travail gouvernemental offre aux employés quelque chose qui a maintenant presque disparu du secteur privé : la sécurité d'emploi à vie si les employés respectent les règles du jeu. Pour empêcher les coups de tête administratifs, les règlements de la fonction publique établissent les paramètres de pratiques équitables d'emploi, de promotion et de licenciement. Mais si vous demandez à des gestionnaires de quelle façon ces règlements sont *vraiment* appliqués, leur niveau de frustration peut monter en flèche. L'une des conséquences involontaires de ces règlements a été la difficulté de se débarrasser de gens qui ne font plus un travail acceptable.

« Dans une entreprise, si vous faites constamment votre travail d'une façon médiocre, vous êtes congédié, explique Joseph. Avec les protections accordées aux fonctionnaires, si quelqu'un effectue d'une façon constante un travail médiocre, cela peut tout de même prendre deux ou trois ans pour retirer cette personne de son poste. Souvent, l'individu problématique est tout simplement muté, et il devient le problème d'une autre organisation du gouvernement. »

À la différence des entreprises, plusieurs agences gouvernementales sont des monopoles, des fournisseurs exclusifs, ce qui engendre une mentalité distincte chez certains fonctionnaires. Lorsqu'on accorde une valeur disproportionnée au statu quo, les qualités du cœur, comme la sollicitude, la flexibilité et l'excellence, peuvent perdre de leur importance. Dans la plupart des cas, c'est la rigidité du système lui-même et les excès égoïstes de quelques individus qui ternissent la qualité du service pour plusieurs.

Dans les sociétés d'État, le changement est nécessairement soumis à la lenteur des rouages d'une bureaucratie embourbée, mais les changements profonds qui ont déjà été effectués mettent en péril la sécurité sur laquelle les travailleurs du gouvernement ont toujours compté. Des bases militaires ont été fermées ou réduites; on ne peut plus être assuré de passer sa vie dans l'armée. Comme les forces armées sont dégraissées et basées davantage sur la technologie, moins de gens pleins de ressources et mieux éduqués ont de chances de faire une carrière complète. Au cours des récentes années, des milliers de militaires ont été obligés de trouver de nouvelles carrières.

Toutefois, selon Joseph, même avant que ces pressions extérieures ne surviennent, plusieurs sociétés d'État savaient qu'elles devaient changer. L'explosion de l'information exigeait de nouvelles technologies et aptitudes, afin de passer d'un environnement de paperasse à des systèmes informatiques de gestion de l'information, plus efficaces. Le moral était à la baisse. Les plaintes du service à la clientèle s'accumulaient. Le manque de sollicitude frappait les employés et les organisations autant que les clients.

Considérez le défi qu'a dû affronter une entreprise canadienne de service public qui produit et distribue de l'électricité dans une bonne partie de l'Amérique du Nord. Lorsque l'électricité fut déréglementée aux États-Unis, cette entreprise canadienne fut obligée de se restructurer afin de demeurer concurrentielle et de survivre. Si elle n'effectuait pas les changements adéquats, elle ne serait plus viable sur le marché, et des dizaines de milliers d'emplois seraient perdus, sans parler du tort causé à la fierté nationale et régionale.

Fondée et opérée depuis des décennies en tant que société d'État, elle fut récemment «défusionnée» en trois compagnies publiques et privées. Les usages pérennes en matière de commerce et de service à la clientèle — et même l'identité fondamentale en tant que société gouvernementale — durent changer. Les employés, jadis assurés de leur avenir dans un monopole gouvernemental, durent apprendre le langage de la productivité, de la concurrence et des relations avec la clientèle. Le message était clair : changer ou périr.

La transition ne fut pas facile. Une étude menée en 1998 par l'Institute of HeartMath révéla des changements profonds d'attitude, de performance et de santé chez un groupe expérimental qui avait reçu la formation du programme Inner Quality Management (lorsqu'il fut comparé à un groupe témoin qui n'avait reçu aucune formation). Les tests psychologiques furent administrés juste avant la session de formation d'une journée, et ensuite douze semaines plus tard.

L'insomnie augmenta de 15% dans le groupe de contrôle, mais diminua de 11% dans le groupe expérimental. Le soutien social (tel que démontré par un sentiment de solidarité avec les collègues) augmenta de 13% dans le groupe expérimental, alors qu'il n'augmenta que de 3% dans le groupe témoin. L'anxiété diminua de 13% dans le groupe expérimental, et de seulement 3% dans le groupe témoin. La satisfaction au travail augmenta de 13% dans le groupe expérimental, et diminua de 1% dans le groupe témoin. La productivité diminua de 5% dans le groupe témoin durant cette période turbulente, mais augmenta de 1% dans le groupe expérimental. (Voir figure 12.1.)

Les implications de ces résultats dépassent la simple bonne humeur des employés. Comme le souligne Joseph, «la sollicitude est comme un lubrifiant sur les plans biologique, cognitif, organisationnel, ainsi que sur celui du service. Une organisation entraînée, composée d'individus entraînés, génère des systèmes plus efficients. Ses employés apprennent plus rapidement et plus profondément, et sont plus enclins à la souplesse lorsque les exigences de l'emploi changent. Ils ressentent une plus grande satisfaction à être véritablement au service d'eux-mêmes, de leurs collègues et des autres.» Parce que les sociétés d'État ont été conçues pour le service public, l'entraînement amène l'individu et l'organisation en alignement plus étroit avec leur mission.

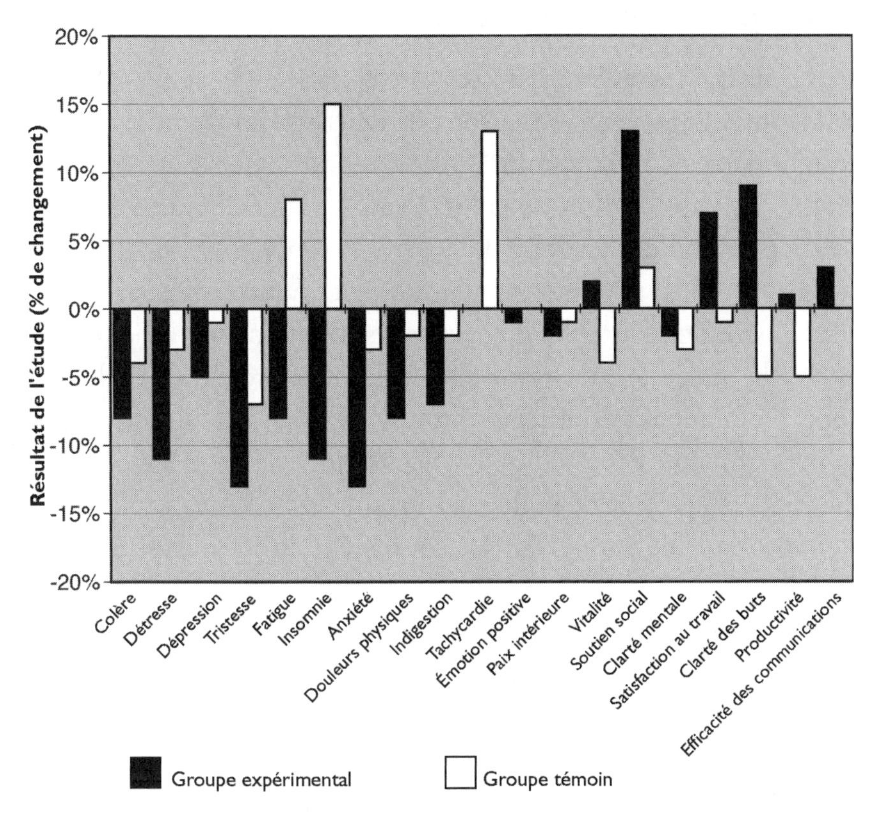

L'impact des outils et techniques de la solution HeartMath sur la santé et l'efficacité organisationnelles

FIGURE 12.1. Au cours d'une turbulente période de transition organisationnelle, les employés d'une grande société canadienne de service public qui avaient appris à utiliser les outils et techniques de la solution HeartMath manifestèrent une amélioration de leur équilibre émotionnel, de leur santé physique et de leur efficacité au travail (barres noires). Un groupe témoin, qui n'utilisait pas les outils, manifesta des tendances opposées dans plusieurs de ces domaines (barres blanches).

Nous travaillons avec beaucoup de sociétés d'État et d'entreprises, et il est encourageant de voir des données qui illustrent un schéma constant d'amélioration du bien-être physique et émotionnel des employés que nous avons eu l'occasion de former. Cela renforce notre confiance en l'efficacité de l'intelligence du cœur pour vaincre des défis individuels et collectifs.

Le champ de bataille urbain

Les gens qui travaillent dans des entreprises et des sociétés d'État affrontent plusieurs situations et défis stressants, mais aucun groupe de gens n'est autant soumis au stress que ceux qui sont chargés de l'application de la loi. Dans les rues de notre ville, les policiers travaillent en zone de guerre. Risquer leur vie fait partie de leur travail. Il n'est pas étonnant que les policiers aient l'un des pires dossiers de toutes les professions en ce qui concerne la retraite forcée, la maladie catastrophique et la mort prématurée. Ils font quotidiennement l'expérience d'une accumulation ininterrompue de stress mineurs et extrêmes. Les accusations de brutalité policière chez un petit groupe de policiers au cours des récentes années semblent presque inévitables dans le contexte d'un travail à stress aussi élevé.

Imaginez que vous êtes policier. Toute la journée, vous avez affronté des situations hostiles, potentiellement menaçantes pour votre vie. Vers la fin de votre quart, alors que vous essayez de stopper quelqu'un pour excès de vitesse au volant, il accélère pour tenter de vous échapper. Vous poursuivez alors cet automobiliste pendant trois quarts d'heure, avec l'adrénaline se répandant constamment dans votre organisme. Il vous faut ensuite un niveau exceptionnel d'autogestion pour réussir à recalibrer votre réaction biologique de lutte ou de fuite après une journée pareille, afin de pouvoir agir de façon appropriée dans le monde «civil» auquel vous retournez.

Maintenant, repensez à cette poursuite en voiture. Si vous succombez à la rage et à l'hostilité dans cette situation stressante, votre coordination physique sera améliorée, mais il se produira une désynchronisation de vos processus mentaux. Par conséquent, la fonction du cortex — cette partie du cerveau qui vous permet de prendre des décisions de toutes sortes, y compris des choix moraux — sera affectée. Dans le feu de l'action, les régions plus primitives du cerveau travaillent intensément [5]. Sans les impulsions apaisantes de ses régions plus complexes, vous pourriez trouver parfaitement naturel de tirer le suspect de sa voiture et de le battre à mort.

Passer au cœur avant de vous occuper du suspect vous donnerait un avantage immense. Vous pourriez vous dégager d'une partie de la colère, de la frustration et du blâme que vous avez ressentis durant la poursuite et adopter une attitude plus objective et neutre. Votre clarté mentale et votre aptitude à prendre des décisions augmenteraient, de même que votre vitesse de réaction et de coordination. Puis, même si la situation exigeait l'usage de la force, vous pourriez appliquer celle-ci à un niveau approprié à la situation particulière. Une force excessive nuirait au suspect, à la cause juridique et à votre carrière, et pourrait même causer une conflagration à l'échelle de la communauté; une force insuffisante pourrait mettre en danger votre sécurité ainsi que celle de vos collègues ou de témoins innocents, et même mener à des blessures ou à la mort de quelqu'un. Si votre cœur participait à la prise de décision, votre fonctionnement biologique serait à son meilleur et vous auriez une vision plus objective de vos actions.

Dans une étude commandée en 1998 par sept commissaires de police américains, l'Institute of HeartMath a suivi des policiers de sept départements de police d'une grande région métropolitaine lors d'un exercice appelé «scénario», une intervention policière simulée, menée avec des munitions inoffensives.

À l'extérieur d'un entrepôt spécialement conçu, les policiers furent instruits du scénario. On leur dit qu'une infraction avait peut-être été commise. Ce soupçon s'appuyait sur le fait qu'une porte habituellement bien fermée était entrouverte. Il y avait peut-être encore quelqu'un à l'intérieur; si c'était le cas, on ne savait pas si c'étaient des employés ou des criminels (ou les deux). Ils étaient peut-être armés. La figure 12.2 montre la réaction physiologique d'un policier au cours de la simulation.

Bien que le policier sache que ce n'est qu'une simulation, nous voyons clairement que sa réaction de lutte ou de fuite commence au moment même où on lui ordonne de se préparer. Son rythme cardiaque augmente et devient désordonné. Lorsqu'il arrive sur les lieux de l'opération (où il reçoit un breffage et effectue les dernières préparations), une autre secousse de son système nerveux sympathique, stimulé, provoque une nouvelle accélération de son rythme cardiaque. Dégainant son arme, il entre prudemment dans l'édifice, en balayant du regard les boîtes et les matériaux empilés dans la salle et qui sont susceptibles de servir de cachette. À ce moment, son rythme cardiaque s'accélère encore, passant à plus de deux battements à la seconde.

Soudain, il aperçoit quelqu'un dans un coin éloigné de la pièce. Il s'écrie aussitôt : « Police! Les mains en l'air et sortez de là! » À ce moment, son cœur a presque trois battements à la seconde (le rythme est en dents de scie), sa pression artérielle a monté en flèche, et l'adrénaline et le cortisol circulent dans son organisme. Pour son corps, ce n'est plus une simulation.

Au cours des quelques secondes de confusion qui suivent, l'intrus prétend être un employé et insère une main dans sa veste pour y chercher une pièce d'identité. La voix stridente et insistante du policier lance des ordres continuels : « Allonge-toi au sol! Maintenant! Tout de suite! » Au cours de la minute suivante, le policier maîtrise le suspect en lui passant les menottes. C'est alors que prend fin la simulation.

Comme vous le voyez dans le graphe, cette simulation a causé une réaction intense de lutte ou de fuite. Cet état chute rapidement à la première étape de la recalibration, mais il faut au moins dix autres minutes au policier pour se remettre vraiment de l'expérience. Pendant ce temps, son cœur bat encore la chamade. Même lorsque tout est fini, il sort de la simulation avec un pouls plus élevé qu'au départ.

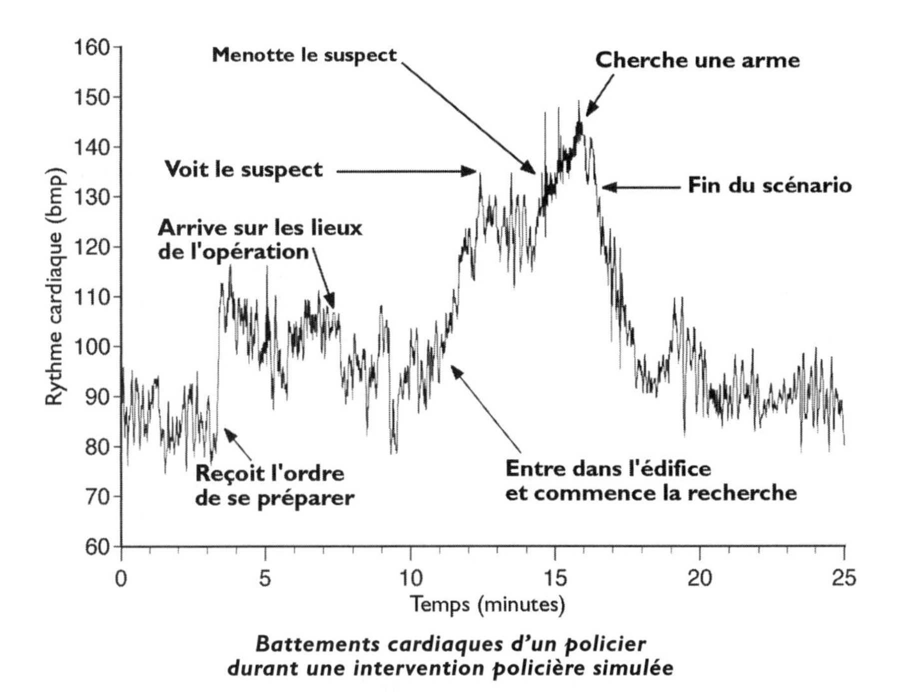

FIGURE 12.2. Ce graphe montre la variation de la fréquence cardiaque d'un policier durant la fouille simulée d'un entrepôt, à la recherche d'un suspect qui est peut-être armé. Remarquez l'augmentation rapide et forte du rythme cardiaque du policier lorsqu'il entre dans l'édifice. Il se dit que le suspect cache une arme sur lui et il tente de la trouver, mais en vain. Son rythme cardiaque atteint alors un point maximal. Plus tard, le policier rapportera que c'était la partie la plus stressante du scénario.

Si sept commissaires de police ont commandé des formations conjointes HeartMath pour les policiers de leurs soixante-dix bureaux, c'est, entre autres, pour profiter des effets extrêmement bénéfiques des outils et techniques HeartMath sur la performance dans les situations à stress élevé qu'implique le travail de policier. C'est également pour aider les officiers à se recalibrer rapidement sur le terrain.

Il existe toutefois une autre raison, plus personnelle, pour laquelle ces organisations utilisent la solution HeartMath pour développer les aptitudes du cœur. Après avoir passé au moins huit heures à s'occuper des aspects les moins agréables de la société, il est extrêmement difficile pour un policier de laisser ces expériences derrière lui et de retourner à la maison pour être un adorable parent, conjoint ou fils (ou fille). Parfois, les policiers se rendent sur les lieux d'accidents ou de crimes où des gens ont souffert des morts horribles et regrettables. Pour exécuter leur travail sur-le-champ, ils doivent atténuer ou réprimer les sentiments suscités par les scènes qu'ils ont sous les yeux, mais celles-ci peuvent les hanter longtemps par la suite. Ce n'est pas une mince tâche que d'équilibrer leur perspective lorsqu'ils sont confrontés aux aspects les plus sombres du comportement humain.

La solution HeartMath donne aux policiers, ainsi qu'à tous ceux qui sont engagés dans un travail à coefficient de stress élevé, les outils nécessaires pour se défaire du stress et retourner au cœur à volonté. Les gens qui utilisent cette aptitude dans des moments de crise sont plus susceptibles de fournir une performance maximale lorsqu'ils ont besoin de rassembler toutes leurs ressources.

L'étude HeartMath sur les gardiens de la paix a démontré que les outils et techniques de la solution HeartMath pouvaient améliorer grandement l'existence de policiers occupant diverses fonctions. Trente policiers d'un groupe expérimental ont reçu trois séances de formation HeartMath sur une période de quatre semaines, tandis qu'un groupe témoin de trente officiers n'a reçu aucune formation au cours de la même période. Les sujets ont été évalués avant le début du programme, et une seconde fois quatre semaines après la fin.

Comme le montre la figure 12.3, la dépression a augmenté de 17% dans le groupe témoin sur une période de seize semaines. Durant cette même période, elle a diminué de 13% chez les officiers ayant reçu la formation. La détresse a diminué de 1% dans le groupe témoin, et de 20% dans le groupe expérimental. La fatigue a diminué de 18% dans le groupe ayant reçu la formation HeartMath, mais de seulement 1 % dans l'autre groupe.

Les hommes et les femmes de nos commissariats font de grands sacrifices pour servir nos communautés et notre pays. Acquérir les aptitudes requises pour accomplir leur travail avec le moins de stress et de souffrance possible et passer plus facilement d'un état émotionnel à un autre leur permet de servir efficacement la communauté, puis de jouir ensuite de moments plus intenses avec leur famille lorsqu'ils rentrent à la maison. Cela les prémunit également contre l'accumulation lente et mortelle de stress qui

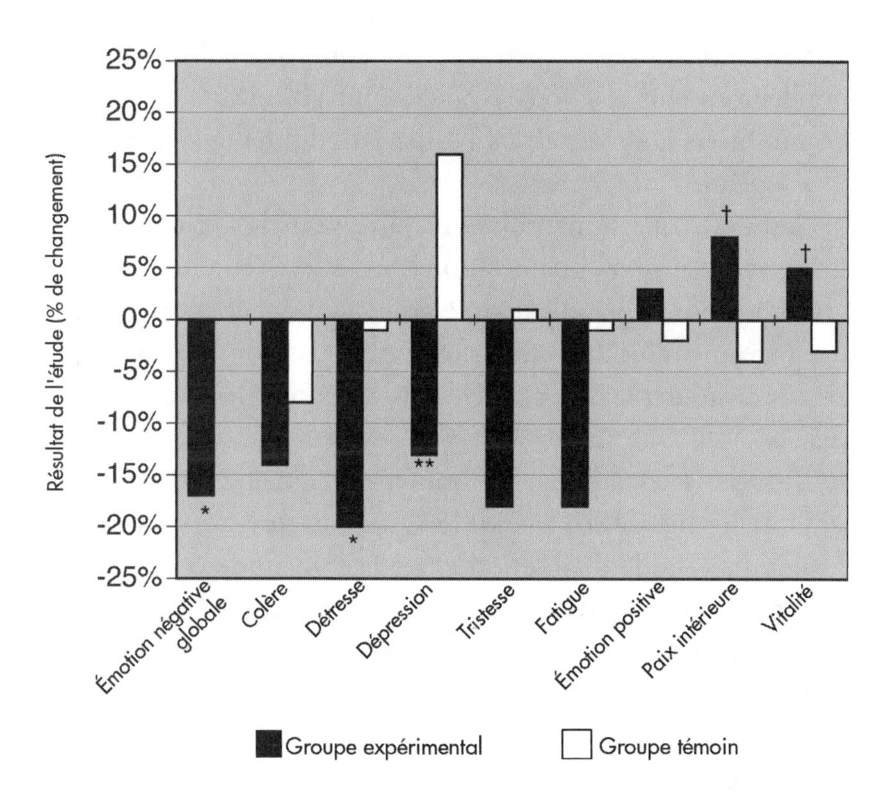

Améliorations des niveaux de stress chez les policiers utilisant les outils et techniques de la solution HeartMath

FIGURE 12.3. Les policiers qui ont utilisé les outils et techniques de la solution HeartMath ont subi des réductions importantes de stress, d'émotions négatives et de symptômes de stress physique (barres noires). Les résultats sont comparés à ceux d'un groupe témoin qui n'a pas appris à utiliser les outils (barres blanches) +<1, * p< .05, ** p< < .01.

mène à des taux exceptionnellement élevés de maladie cardiovasculaire et de mortalité d'après retraite chez les policiers. Ces personnes méritent davantage pour leur service désintéressé. Apprendre à utiliser l'intelligence de leur cœur leur permet de créer en eux-mêmes la cohérence nécessaire à une vie de qualité.

Au service des autres

L'une des principales raisons pour lesquelles la formation HeartMath fonctionne si efficacement pour plusieurs types d'organisations, c'est que celles-ci sont composées d'individus qui travaillent ensemble. C'est en améliorant nos efforts de coopération que nous augmenterons l'impact de l'intelligence du cœur sur la société.

Le mieux que nous puissions faire pour la société, c'est de commencer par nous-mêmes. En vivant effectivement à partir du cœur, nous donnons un exemple qui encourage les gens de notre entourage à vouloir la même chose pour eux. Lorsque vous écouterez votre cœur, sa voix intuitive vous indiquera les moyens de les aider.

L'un des secrets pour déterminer la meilleure façon d'exprimer l'intelligence de votre cœur lorsque vous servez les autres, c'est de toujours faire la distinction entre la sollicitude et le souci au moment où vous décidez de l'action à entreprendre. Plusieurs bonnes intentions n'ont abouti à rien parce que le souci a épuisé l'énergie au nom de la sollicitude. Il est important de ne pas laisser les bonnes intentions nuire à l'efficacité. Utilisez la discrimination du cœur, et non la surexcitation de la tête, pour décider de quelle façon investir votre temps et votre énergie.

Lorsque l'intelligence du cœur se raffine, elle engendre une compréhension mature de ce qu'est le service. Ce n'est en fait qu'une question d'amour, mais l'amour qui sait utiliser efficacement l'énergie.

À mesure que vous continuerez à utiliser les outils et techniques HeartMath, à accumuler les actifs énergétiques et à éliminer les déficits, vous développerez non seulement un sens plus raffiné du service, mais aussi la force d'effectuer des changements positifs dans les domaines où vous choisissez de servir. Cherchez d'abord à approfondir votre lien avec votre cœur et vous rencontrerez des occasions de partager votre cœur avec d'autres d'une façon significative.

Tout au long de ce livre, nous vous avons présenté des outils pratiques, des techniques et des concepts à utiliser pour améliorer votre vie. Nous avons également présenté des recherches biomédicales, des récits personnels et des applications organisationnelles, afin de vous fournir une meilleure compréhension de la force et de l'intelligence du cœur. Dans le dernier chapitre, nous nous éloignerons un peu de ce thème. Nous vous offrirons notre vision de l'état actuel du monde et de l'avenir de l'intelligence du cœur, ainsi qu'un modèle théorique des effets du développement de la cohérence individuelle et collective sur les événements présents et futurs. Le chapitre 13 a pour but de promouvoir la considération de nouvelles et excitantes possibilités, et une vision plus large du potentiel de l'intelligence du cœur.

Le plus important, toutefois, c'est que vous fassiez dès maintenant un effort sincère pour appliquer ce que vous avez appris dans les chapitres précédents. Comme nous l'avons dit au chapitre 1, la dernière étape de la solution HeartMath est *d'actualiser ce que vous savez.*

CHAPITRE 13

Le cœur au XXIe siècle

En travaillant avec des gens appartenant à différents secteurs de la société — des entreprises, des écoles, des corps policiers, la communauté médicale et des organismes gouvernementaux, notamment —, nous avons acquis une vision assez complète des défis qu'ils doivent affronter. La plupart semblent surchargés dans le présent et incertains quant à l'avenir. Il se produit autour d'eux tellement de changements simultanés qu'il leur est difficile de voir où tout cela mène. Le récit qui suit, d'un gestionnaire d'une grande société d'informatique qui a participé à l'un de nos séminaires, illustre l'incertitude.

«Notre compagnie est en train de procéder à une fusion avec une autre. Les fusions et acquisitions entre compagnies exigent une consolidation des ressources et de la technologie. C'est très stressant pour les employés, parce qu'il leur faut travailler deux fois plus, étant donné que s'ajoute à leur travail habituel un travail supplémentaire dû à la fusion avec des gens possédant une culture d'entreprise différente et des façons différentes de faire les choses. Souvent, on ne sait plus ce qui va arriver. On pourrait avoir un nouveau superviseur, on pourrait voir son poste éliminé, on pourrait être muté à un nouveau département ou à un nouvel emplacement, ou l'on pourrait être licencié.

«En outre, personne ne sait où s'en va l'économie mondiale. Simplement essayer de répondre aux exigences au travail est suffisamment stressant, mais, quand je me tourne vers l'avenir, je me demande si mon travail va donner quelque chose.»

En effet, le monde est dans une importante période de transition. Le progrès technologique, la mondialisation des entreprises et des médias, ainsi qu'Internet, nous présentent des occasions et des défis sans précédent. Nous sommes en période de transformation rapide, et chacun de nous en est affecté.

Les systèmes informatiques du monde entier, des satellites de communication aux téléphones portables et aux services de transactions bancaires, sont de plus en plus reliés entre eux et interdépendants. Un problème régional peut causer une réaction en chaîne dans le monde entier. Nous avons tous entendu parler de scénarios potentiels qui effraient même les plus flegmatiques d'entre nous. En tant que société globale hautement connectée, nous devrons bientôt faire des choix importants qui affecteront notre sécurité actuelle et la vie des générations futures. Il se peut que les problèmes du monde empirent avant de s'améliorer, mais les défis du présent offrent également des occasions d'effectuer un changement important dans la conscience humaine.

Nous sommes entrés dans une phase de développement qui rend plus aigu le besoin de solutions nouvelles et intelligentes favorisant la cohérence et l'alignement plutôt que la division et les conflits. Chez HeartMath, nous considérons l'intelligence du cœur, qui existe chez tous les gens, mais le plus souvent à l'état latent, comme notre ressource la plus riche pour atteindre cette cohérence.

L'élan de stress global

L'énergie collective générée par les sentiments, les pensées et les attitudes des six milliards de personnes vivant sur cette planète crée une atmosphère, ou un «climat de conscience». Nous entourant comme l'air que nous respirons, ce climat de conscience nous affecte le plus fortement sur les plans énergétique et émotionnel.

Une augmentation des pensées et des sentiments *cohérents* crée un élan ascendant dans le climat de conscience. Une augmentation des pensées et des sentiments *incohérents* y crée un élan de *stress*. Autrement dit, la cohérence ou l'incohérence sont diffusées par l'intermédiaire du climat de conscience un peu comme la musique ou le bruit sont diffusés par les ondes radio.

Le stress collectif ressenti par les gens de partout crée une large diffusion de bruits internes et de parasites. Le stress est d'abord diffusé d'une personne à une autre, dans les foyers, les écoles, les bureaux et les rues. Puis, amplifié et renforcé par la télé, la radio et la presse écrite, l'élan de stress devient mondial, atteignant quotidiennement des milliards de personnes.

Lorsque se produisent des événements comme un attentat terroriste qui tue des centaines de personnes, des menaces de guerre d'un tyran, ou des essais nucléaires en Inde ou au Pakistan, les gens du monde entier sont affectés. Ils ressentent la vague de tension de ces situations instables même s'ils ne sont pas directement affectés. Une onde similaire est ressentie à la suite des reportages sur des désastres naturels, comme des tremblements de terre, des inondations, des ouragans ou des incendies.

En physique quantique, il est démontré que l'information peut s'échanger presque instantanément au moyen de ce qu'on appelle la «non-localité quantique». Des physiciens ont mené des expériences démontrant que, lorsque deux particules se touchent, elles demeurent reliées à jamais. Si l'on modifie l'une de ces particules, l'autre — se trouvant maintenant à des kilomètres —

change simultanément. Lorsque nous entendons à la télévision des nouvelles qui affectent nos pensées et notre humeur, nous demeurons reliés à cette information.

Dans leur livre *The Undivided Universe,* les physiciens quantiques David Bohm et Basil Hiley décrivent le lien non local qui unit des objets distants. Ils affirment ceci : «Il suffit d'un peu de réflexion pour comprendre que [cela] s'appliquera encore plus directement et plus évidemment à la conscience, avec son flux constant de pensées évanescentes, d'émotions, de désirs, de besoins et d'impulsions. Toutes ces émanations s'écoulent les unes dans les autres et les unes hors des autres [1].» Ce qu'elles ont en commun, en fait, c'est leur intégralité.

Ce que laissent entendre ces physiciens, c'est que les pensées et les émotions des gens sont reliées entre elles à un degré bien plus élevé qu'on ne le pensait auparavant. Notre propension à juger, à anticiper l'avenir, à nous inquiéter, à ne pas gérer nos émotions et à nous accrocher à nos concepts a créé un climat de conscience qui entraîne les gens dans un état d'incohérence.

Lorsque des ondes de stress sont générées, nos émotions captent cette énergie incohérente. Même après que l'onde est passée, les effets émotionnels continuent de se répercuter. Si vous avez déjà vécu un tremblement de terre et ses répliques, vous avez peut-être senti de l'énergie statique se répercuter dans votre corps pendant des jours. De fortes ondes de stress émotionnel peuvent affecter le monde entier d'une façon similaire. Lorsqu'il se produit des événements qui causent une peur et une anxiété massives, nous ressentons *tous* le stress, à un certain niveau. Sur le plan de la conscience, nous sommes tous dans le même bateau.

Lorsque nous considérons la physique de la conscience collective, la nature de l'incohérence et de la cohérence devient de plus en plus importante. Notre propre gestion émotionnelle figure aussi en tête de liste des priorités. Selon notre degré d'autogestion, nous pouvons détourner une partie de cette influence stressante.

Cependant, nous pouvons demeurer vulnérables aux augmentations de la fréquence du stress dans le monde qui nous entoure, augmentations qui amplifient notre surfonctionnement mental et notre réactivité émotionnelle, et nous font dépasser notre seuil de tolérance.

L'élan de cohérence

L'élan de stress global est évident, mais une force tout aussi puissante s'y oppose. Même lorsque les ondes de stress et d'incohérence augmentent, l'énergie de la cohérence — l'autre face de la vie en cette époque de changement — joue en notre faveur.

Au milieu du stress croissant, un nouvel élan vers la cohérence est en train de se créer. Mais nous ne pouvons le syntoniser et l'actualiser que par la gestion et l'équilibre émotionnels, des aptitudes qui manquent à une grande partie de la société. Si nous demeurons sous l'emprise de l'anxiété, de la peur, de la démission ou du refus de changer, le rythme constamment accéléré de cette époque nous apportera continuellement des défis. Trouver en nous l'élan du cœur est la meilleure façon de nous aider et d'aider les autres à traverser cette ère de transition.

Tandis qu'il se transmet en ce moment plus d'incohérence que de cohérence dans la conscience de masse, nous pouvons voir une énorme preuve de l'élan de cohérence. De plus en plus de gens se parlent à partir du cœur, suivent leur cœur et essaient d'avoir plus de reconnaissance et de compassion, ainsi qu'un meilleur équilibre personnel. Des best-sellers comme *Ne vous noyez pas dans un verre d'eau* (par Richard Carlson) et *L'abondance dans la simplicité* (de Sarah Ban Breathnach) nous rappellent l'importance d'éprouver de la gratitude et de la joie de vivre.

Bien des gens sont en train de changer leurs valeurs et leurs priorités. Ils en ont assez de mener une vie d'ambition et de préoccupations terre à terre. L'intérêt croissant pour les pratiques spirituelles et religieuses de toutes sortes montre bien que les gens recherchent quelque chose de plus. Ils se tournent vers leur intérieur du mieux qu'ils peuvent, cherchant un sens et un but à leur vie. Cela révèle un désir d'établir un lien avec le cœur et avec l'esprit.

Chaque fois qu'une personne s'efforce d'entrer en contact avec son être le plus profond, d'équilibrer ses émotions et de détourner l'élan de stress, d'autres en bénéficient. Lorsqu'un plus grand nombre d'individus auront appris à garder leur calme et leur équilibre et à ne plus accroître l'incohérence qui les entoure, ils aideront à contrebalancer la fréquence du stress. Cela permettra à d'autres de surfer plus facilement sur les vagues du changement au lieu d'être écrasés par elles. Cet élan de cohérence facilite l'apparition d'une nouvelle conscience et de nouvelles solutions aux défis sociaux.

L'humanité a atteint un point de l'évolution où l'intelligence du cœur est essentielle. Dans un proche avenir, la gestion émotionnelle ne semblera plus tellement une *option*; elle sera un *élément de première nécessité.* Activer l'intelligence du cœur facilite la gestion émotionnelle et nous aligne sur l'élan de cohérence. Pleinement utilisée, l'intelligence du cœur nous mènera vers les nouvelles solutions dont nous avons besoin pour affronter les défis planétaires. Elle nous révélera également notre technologie intérieure : la cybernétique de nos pensées et de nos sentiments.

Notre expérience de l'intelligence du cœur nous amène à prédire que, dans les années qui viennent, des progrès se produiront encore plus rapidement dans la technologie intérieure qu'il n'y en a eu dans la technologie extérieure depuis un siècle. Nous savons que c'est là une affirmation ambitieuse, mais nous ne la faisons pas à la légère; elle est basée sur le fait que la cohérence est plus puissante et mieux organisée que l'incohérence. Rappelez-vous : la force cohérente d'un laser est beaucoup plus puissante que celle d'une lampe à incandescence. L'incohérence du système humain crée du stress et du désordre. La société en a assez. Il est temps d'explorer le potentiel de la cohérence.

L'évolution vers l'intelligence du cœur sera plus cruciale que le passage du Moyen Âge à la Renaissance et à la révolution scientifique, ou la transition de la révolution industrielle à l'ère de l'information au siècle dernier. Elle représente un changement dimensionnel de la conscience humaine, et il est déjà commencé.

La science et l'esprit

Plusieurs formes anciennes de la médecine considéraient que le corps possédait un esprit vital, une force vitale ou un champ d'énergie fondamental. La médecine chinoise utilise le terme chi pour désigner la force vitale qui s'écoule à travers chaque personne. Les théories vitalistes soutiennent qu'une force ou un champ d'énergie non physique doit être ajouté aux lois de la physique et de la chimie avant que nous puissions pleinement comprendre la vie [2].

La composante vitaliste a été ravivée par un certain nombre de scientifiques modernes, y compris Rupert Sheldrake, qui postule l'existence de champs fondamentaux non physiques, appelés « champs morphogénétiques », ou champs « générateurs de formes [3] ». Ces champs non physiques permettent d'expliquer pourquoi de nombreuses méthodes de médecine parallèle, y compris la prière, peuvent être efficaces. Une énergie subtile ou des champs non physiques semblent être en cause, bien que la science n'ait pas d'instruments suffisamment sensibles pour les mesurer.

La croissance explosive du mouvement de santé parallèle, aux États-Unis et dans d'autres pays occidentaux au cours de la dernière décennie, s'est produite parce que les gens exigeaient de nouvelles approches. Ils ont lu des articles ou vu des amis dont l'état s'améliorait grâce à des méthodes de guérison parallèles, et ils ont senti intuitivement que ces méthodes avaient beaucoup à offrir. Pendant des années, les National Institutes of Health (NIH) et autres organisations médicales ont rejeté des approches parallèles comme l'acupuncture et la guérison énergétique, disant qu'on ne pouvait démontrer leur efficacité et qu'elles étaient par conséquent invalides. Cependant, la NIH fut finalement obligée par le Congrès à aborder ce domaine, parce que des millions de gens évitaient la médecine conventionnelle et se tournaient avec grand succès vers des traitements parallèles. Les NIH financent maintenant un Office de la médecine parallèle afin de mener des recherches et d'identifier les approches parallèles qui sont le plus efficaces (même si ces approches ne peuvent encore être expliquées scientifiquement).

Dans la communauté des physiciens a lieu un débat sur un «pré-espace» à partir duquel le monde physique, y compris le temps et l'espace, se manifesterait [1]. Selon le physicien Roger Penrose, l'univers est une toile d'araignée dynamique de spins quantiques. Ces réseaux de spins créent un assemblage en évolution de minuscules volumes géométriques qui définissent et informent l'espace-temps [4]. Penrose collabore actuellement avec Stuart Hameroff, un physicien, avec l'espoir de découvrir comment les réseaux de spins informent les systèmes biologiques vivants. Hameroff a introduit le concept de *vitalisme quantique*, qui considère la vie comme étant dérivée de processus organisateurs sur le plan le plus fondamental de l'univers et intimement reliée à eux [5]. Ces deux hommes espèrent pouvoir expliquer scientifiquement comment la conscience et le biologique (ou ce que certains appelleraient l'esprit et la matière) se rejoignent.

Nous sommes d'avis que les explications scientifiques de l'énergie subtile ou des champs générateurs de formes seront découvertes lorsque des scientifiques se pencheront sur l'intelligence du cœur et sur ses autres attributs. Les recherches de l'Institute of HeartMath ont démontré que le champ électromagnétique du cœur s'étend au-delà du corps. Jusqu'ici, les instruments peuvent mesurer le champ du cœur à environ trois mètres du corps, mais certaines observations indiquent qu'il s'agit d'un champ non local qui transcende l'espace et le temps. Les physiciens William Gough et Robert Shacklett [6], de même que William Tiller [7], ont proposé des modèles qui relient la théorie électromagnétique à un domaine multidimensionnel, intrinsèquement non linéaire et non local, qui fonctionne selon les principes holographiques. Ces modèles, bien qu'ils ne soient pas encore démontrés, aident à expliquer comment le champ du cœur pourrait s'étendre sur des kilomètres et peut-être dans le monde entier. À partir de découvertes de HeartMath indiquant que la cohérence commence dans les rythmes cardiaques et est ensuite communiquée au cerveau et au corps, nous avons conçu la théorie selon laquelle le cœur est un canal de première importance par lequel l'esprit pénètre dans l'organisme humain. Les qualités de l'esprit— l'amour, la compassion, la sollicitude, la reconnaissance, la tolérance et la patience — créent toutes une augmentation de la cohérence et de l'ordre dans les schémas du rythme cardiaque. La colère, la frustration, l'anxiété, la peur, l'inquiétude et l'hostilité créent toutes de l'incohérence et du désordre dans ces schémas. Lorsque quelqu'un passe à un rythme cardiaque plus cohérent, l'intelligence supérieure de son cœur se manifeste. Il trouve une perspective plus bénéfique et plus consciente de l'ensemble. De notre point de vue, la cohérence se manifeste lorsque l'esprit fusionne avec l'humain.

Vous n'avez pas à attendre que la science ait démontré l'existence de la conscience ou de l'esprit avant de commencer à vous relier à l'intelligence organisatrice de votre cœur. Notre société globale pourra atteindre une nouvelle cohérence dans l'expérience de la vie à mesure que des gens, en nombre suffisant, feront des efforts, même petits, pour activer avec constance la force du cœur. Ces efforts nous feront passer du mental au cœur. Il revient à chacun de faire le choix de changer, mais la récompense peut être substantielle. Alors qu'un nombre de plus en plus grand de gens choisiront le cœur, ils vont s'accorder à la fréquence cardiaque de ceux qui font de même. Cela leur permettra d'affronter l'élan de stress et les changements globaux avec une facilité et une grâce nouvelles.

La cohérence sociale

Les indices d'un accroissement de la cohérence sociale se voient dans l'apparition en nombre record de nouveaux groupes de soutien. Qu'ils soient formés de gens ayant en commun certains défis, des objectifs d'étude ou l'amélioration personnelle, ces petits groupes servent de familles élargies. Ils fournissent un lien du cœur et un renforcement du soutien émotionnel et social. Les groupes de soutien aident les gens à se déstresser des problèmes professionnels et domestiques. La sollicitude que se manifestent les membres de ces groupes lorsqu'ils sont ensemble et les efforts individuels accomplis par chacun au foyer pour se lier à son cœur contribuent à la vague de conscience cohérente qui engendre la coopération et protège les gens du stress et du désordre émotionnel.

Même l'élan de stress global a son bon côté. Le stress nous oblige souvent à chercher des solutions dans notre cœur, et peut nous rapprocher des autres. Lorsque des crises locales surviennent, nous mettons de côté les différences raciales, culturelles et économiques et nous collaborons au bien de l'ensemble, du moins momentanément. Rétrospectivement, nous voyons souvent ces expériences sincères comme des moments forts de notre vie.

Nos expériences sur l'électricité du toucher, mentionnées au chapitre 8, ont démontré que le signal électrique de notre cœur apparaissait dans les ondes cérébrales des gens que nous touchons ou qui se trouvent à proximité de nous. Les expériences de HeartMath ont également démontré que l'énergie électromagnétique du cœur irradie à l'extérieur du corps. Lorsque nous dégageons plus d'amour, de sollicitude et de reconnaissance, notre cœur diffuse une fréquence ou une onde qui permet aux autres d'activer plus facilement leur cœur.

La reconnaissance à elle seule constitue une forte fréquence de cohérence. Elle amplifie vraiment la cohérence et nous aligne sur notre soi véritable. Elle nous relie au cœur planétaire et à notre but le plus profond. En actualisant les qualités du cœur dans votre vie— la reconnaissance, la sollicitude, la compassion et l'amour — nous aidons à propulser l'élan de cohérence dans le champ de conscience de la planète.

Nous prévoyons que l'élan de cohérence finira par atteindre une masse critique et engendrera un millénaire de paix et de prospérité fondées sur une nouvelle intelligence. En passant de l'incohérence à la cohérence, l'humanité effectuera enfin ce changement de polarité qui permettra à tous de mieux percevoir la vie et d'agir, individuellement et collectivement, dans l'équilibre et la sollicitude.

La responsabilité personnelle

Avec l'accumulation du stress à l'échelle mondiale, la distorsion émotionnelle peut facilement s'introduire en nous sous forme de surcharge mentale et de réactivité émotionnelle. La surcharge nous conduit tous — riches ou pauvres, scolarisés ou non — à nous identifier démesurément avec tout ce qui survient. C'est là un état de sommeil qui perpétue un état de survie primaire.

En assumant une responsabilité personnelle, il est important de développer un équilibre émotionnel et de s'efforcer de ne rien ajouter à l'élan de stress. Le souci ne règlera rien. Relevez le défi et choisissez de maintenir une stabilité émotionnelle devant le changement. Ne cédez pas. Nous pouvons tous dépasser les sentiments de confusion et de surcharge pour trouver un nouveau point d'intégrité en nous-même, en gérant le mental et les émotions avec le cœur. Ce processus engendre l'espoir et permet d'accéder davantage à l'esprit.

Il est moins difficile qu'auparavant de passer à la cohérence du cœur. En fait, la cohérence n'a jamais été aussi accessible, parce que de plus en plus de gens se tournent vers le cœur. Par conséquent, notre capacité de dépasser les limites et de connaître la satisfaction a grandement augmenté. En nous appliquant à suivre le cœur, nous développerons les capacités nécessaires pour régler les problèmes personnels et sociaux.

En cette époque, on peut recevoir bien des révélations en alignant le cœur et l'esprit. Lorsque nous réalisons cet alignement, l'expérience d'une nouvelle conscience devient tangible et vivante. Il est temps maintenant de prendre cette promesse à cœur. Toutefois, *avoir* des révélations n'est pas suffisant, vous devez *agir à partir d'elles*. Nous devons *suivre* le cœur et former un monde meilleur pour nous-même et pour la collectivité.

La gestion du changement et le développement de la sécurité personnelle

Mon intention (Doc) a toujours été d'aider les gens à s'aimer davantage les uns les autres et à faire l'expérience de la source d'amour et de sécurité se trouvant dans leur cœur. La solution HeartMath n'est pas la seule approche pour l'actualisation du potentiel du cœur, mais (comme nous l'avons démontré par notre travail dans divers contextes sociaux) elle fonctionne.

Les outils et techniques de la solution HeartMath cultivent l'espoir. À mesure que les gens développent l'intelligence de leur cœur, de nouveaux espoirs émergent en eux : celui de trouver la paix, le bonheur et la satisfaction dans leur vie; celui d'échapper au piège de l'élan de stress, et de plutôt contribuer valablement à l'émergence de l'intelligence du cœur. Mais l'espoir peut être obscurci par le chaos. Rappelez-vous toujours que, lorsque les choses semblent chaotiques, c'est souvent parce qu'elles sont en processus de restructuration et de transformation positive.

Méfiez-vous de la tendance à vous attendre à des résultats immédiats, surtout en ce qui concerne les problèmes psychologiques ou émotionnels de longue date. Souvent, nous faisons un effort timide, puis nous sommes déçus lorsque tout ne se règle pas instantanément. Grâce au cœur, la distorsion psychologique ou émotionnelle peut être transmutée en un court laps de temps; mais soyons honnêtes : il n'y a pas de recette rapide. Ce processus peut toutefois améliorer la situation rapidement lorsqu'on l'aborde avec sincérité.

Ne tombez pas dans le piège de croire que les choses ne s'amélioreront jamais et de vous dire : «J'ai essayé, mais ça ne marche tout simplement pas.» C'est précisément dans cette période entre l'effort de changement et l'arrivée réelle des résultats que la plupart des gens trébuchent et retournent à leurs vieux comportements.

En utilisant n'importe lequel des outils de la solution HeartMath, *soyez patient dans votre pratique*. Ne vous attendez pas à des résultats instantanés. Essayez d'être aussi constant que possible dans l'application de ces concepts et techniques, et leurs bienfaits vous viendront en temps et lieu.

Une ère nouvelle

Une chose est certaine : lorsque vous serez passé de la tête au cœur, la vie sera beaucoup plus agréable. Ce changement de paradigme est un processus constant qui modifie peu à peu votre état intérieur. À mesure que vous modifierez vos perceptions et vos attitudes, votre vie extérieure réagira en conséquence, et votre récompense sera une satisfaction accrue.

La satisfaction commence à l'intérieur. C'est un *sentiment* que vous avez. Bien sûr, les gains extérieurs peuvent apporter une certaine satisfaction, mais celle-ci n'est guère durable. Le monde regorge de gens qui croyaient que la richesse leur apporterait la satisfaction et qui se sont aperçus que, même avec une immense fortune, leur vie était encore misérable.

La porte d'accès à la satisfaction se trouve dans votre cœur. Lorsque vous utiliserez l'intelligence de votre cœur pour changer de perception et diriger le flux de vos émotions, vous aurez la capacité de générer et de magnétiser votre propre satisfaction. Le désir cessera, et fera place à la reconnaissance.

Lorsque vous aurez stabilisé votre lien avec l'intelligence de votre cœur, vous aurez plus de sécurité et de liberté pour penser, sentir et vivre d'une manière appropriée. Une nouvelle maturité vous permettra de faire, sans peur, des choix qui vous conviendront tout en respectant les autres.

La vie sera encore imprévisible, mais elle comportera plus de dynamisme, et moins de résistance et de tension. Vous serez de nouveau capable de vous traiter avec douceur. En général, vos journées paraîtront plus légères, et vous vous sentirez plus optimiste et plus ouvert. L'intuition, d'un point de vue pratique, deviendra aussi naturelle que la respiration. Vous deviendrez un être responsable, capable de participer pleinement à un processus de cocréation avec la vie, alors que l'esprit fusionnera avec votre humanité.

Dans cette ère nouvelle où une masse critique de gens seront passés à la conscience du cœur, la vie sera passablement différente pour tous. On obtiendra tous ces bienfaits et bien d'autres encore en apprenant systématiquement à se focaliser sur son cœur, à l'écouter et à le suivre.

Lexique

ADN : molécule complexe se trouvant dans chaque cellule du corps et portant l'information génétique ou le plan déterminant les caractéristiques héréditaires individuelles. Composante essentielle de toute matière vivante (et constituant majeur des chromosomes), l'ADN est un acide nucléique consistant en deux longues chaînes de nucléotides tordues en une double hélice.

Amygdale cérébelleuse : centre principal du cerveau sous-cortical, qui coordonne les réactions comportementales, neuronales, immunologiques et hormonales aux menaces de l'environnement. Elle sert également à emmagasiner la mémoire émotionnelle dans le cerveau. Elle a pour fonction de comparer les signaux provenant de l'environnement avec des souvenirs émotionnels emmagasinés. Ainsi, l'amygdale cérébelleuse prend des décisions instantanées quant au niveau de menace de l'information sensorielle qui arrive. À cause de ses connexions importantes à l'hypothalamus et autres centres du système nerveux autonome, l'amygdale cérébelleuse est capable d'activer le système nerveux autonome et les réactions émotionnelles avant que les centres du cortex ne reçoivent l'information sensorielle.

Bilan actifs-déficits : outil de la solution HeartMath destiné à l'évaluation d'actifs et de déficits en relation avec l'utilisation par une personne de son énergie mentale ou émotionnelle. En conjonction avec le FREEZE-FRAME, le bilan d'actifs et de déficits peut amener à voir avec une étonnante clarté les problèmes personnels et professionnels.

Cellule : plus petite unité d'un organisme qui soit capable de fonctionnement indépendant. La cellule est une unité complexe de protoplasme, et possède habituellement un noyau, un cytoplasme et une membrane qui la contient.

Cellulaire : contenant des cellules, ou consistant en cellules.

Changement temporel : expression utilisée ici pour désigner le temps épargné lorsque nous réussissons à nous dégager d'une réaction mentale ou émotionnelle inefficace et à faire un choix plus efficace. Le changement temporel interrompt une réaction en chaîne de perte de temps et d'énergie, et nous projette dans une nouvelle gestion du temps, où nous jouissons d'une plus grande efficacité énergétique et d'une plus profonde satisfaction.

Chaos : grand désordre ou confusion; incohérence. Ce terme provient du mot grec *khaos*, qui signifie «matière informe». Le chaos est l'état désordonné qui aurait existé avant que l'univers soit ordonné.

Circuits neuronaux : voies neuronales consistant en neurones reliés entre eux dans le cerveau et le corps et à travers lesquels de l'information spécifique est traitée. La recherche a démontré qu'un grand nombre de ces connexions neuronales se développent dans la petite enfance, à partir de nos expériences et du genre de stimulation que nous recevons. De même, plus tard dans la vie, les circuits neuronaux peuvent être renforcés ou s'atrophier, selon la fréquence de leur utilisation. Des circuits spécifiques se forment et se renforcent par le comportement répétitif, et ainsi les réactions physiques et émotionnelles peuvent s'«intégrer» à notre organisme (c'est-à-dire devenir automatiques).

Cœur : organe musculaire creux qui, chez les vertébrés, garde le sang en circulation à travers le corps au moyen de ses contractions et relaxations rythmiques. Principal et plus puissant générateur énergétique du corps, le cœur est un système de traitement d'information complexe et auto-organisé, ayant son propre «petit cerveau» fonctionnel qui transmet continuellement au cerveau des messages neuronaux, hormonaux, rythmiques et liés à la pression.

Cohérence : état de connexion logique, ordre interne ou harmonie entre les composantes d'un système. Ce terme peut également désigner la tendance à l'augmentation de l'ordre dans le contenu informationnel d'un système ou dans le flux d'information circulant entre les systèmes. En physique, au moins deux formes d'onde qui sont verrouillées en phase ensemble (de telle sorte que leur énergie est constructive) sont décrites comme étant cohérentes. La cohérence peut aussi être attribuée à une seule forme d'onde, et dénote, dans ce cas, une distribution ordonnée ou constructive du contenu de la force. On a récemment remarqué un intérêt croissant, dans les milieux scientifiques, pour la cohérence des systèmes vivants. Lorsqu'un système est cohérent, il ne se perd presque pas d'énergie, à cause de la synchronisation interne entre les parties. Dans les organisations, l'augmentation de la cohérence permet l'émergence de nouveaux niveaux de créativité, de coopération, de productivité et de qualité sur tous les plans.

Cohérence cardiaque : mode de fonction cardiaque dans lequel la production rythmique et électrique du cœur est hautement ordonnée. La recherche de l'Institut HeartMath a démontré que les émotions positives, comme l'amour, la sollicitude et la reconnaissance, augmentent la cohérence des schémas de battement rythmique du cœur. Durant les états de cohérence cardiaque, les schémas d'ondes cérébrales entrent en entraînement avec les schémas de variation de la fréquence cardiaque; l'équilibre du système nerveux et la fonction immunitaire sont améliorés. En général, le corps fonctionne avec une harmonie et une efficacité accrues.

Cortex cérébral : zone du cerveau la plus développée, gouvernant toutes les capacités humaines d'ordre supérieur, comme le langage, la créativité et la résolution de problèmes. Le cortex, comme d'autres centres du cerveau, continue de développer de nouveaux circuits ou réseaux neuroniques tout au long de la vie d'une personne.

Cortisol : hormone produite par les glandes surrénales au cours de situations stressantes, communément appelée «l'hormone du stress». Un excès de cortisol a de nombreux effets nocifs sur le corps et peut détruire des cellules de l'hippocampe, une région du cerveau associée à l'apprentissage et à la mémoire.

CUT-THRU : est une technique bien établie en recherche scientifique. Elle sert à reconnaître et à reprogrammer la mémoire émotionnelle subconsciente, ou à effectuer la « restructuration émotionnelle » de schémas à long terme. Cette technique permet d'atteindre la cohérence émotionnelle et la connaissance de soi sans recourir à la rationalisation ni à la répression. Elle est particulièrement utile quand on veut savoir comment mieux affronter une situation sans s'en sentir complètement libéré du point de vue émotionnel. Elle fournit un moyen supplémentaire de retirer le « feu » des émotions négatives.

DHEA (abréviation de «déhydroépiandrostérone») : hormone essentielle produite par les glandes surrénales et appelée «l'hormone de la vitalité» à cause de ses propriétés d'antivieillissement. En tant qu'antagoniste naturel des hormones glucocorticoïdes — une famille qui comprend le cortisol —, la DHEA renverse un grand nombre des effets physiologiques défavorables d'un excès de stress. C'est le précurseur des hormones sexuelles œstrogène et testostérone et, entre autres fonctions variées, elle stimule le système immunitaire, abaisse le niveau de cholestérol, et favorise la formation des os et des muscles. On a rapporté des bas niveaux de DHEA chez des patients ayant de nombreuses maladies importantes.

Émotion : sentiment fort. Les émotions comprennent chacune des diverses réactions complexes ayant des manifestations à la fois mentales et physiques — par exemple, l'amour, la joie, la peine et la colère. L'énergie émotionnelle est neutre, s'attachant à des pensées positives ou négatives pour créer des *émotions.*

Entraînement : phénomène relevé dans toute la nature, par lequel des systèmes ou organismes affichant un comportement périodique arrivent en synchronie, oscillant à la même fréquence et phase. Un exemple commun de ce phénomène est la synchronisation d'au moins deux pendules d'horloges placées l'une à côté de l'autre. Chez les êtres humains, l'entraînement de différents systèmes biologiques oscillant à la fréquence primaire du rythme cardiaque s'observe souvent durant des états émotionnels positifs. L'entraînement, un mode hautement efficace de fonction corporelle, est associé à une augmentation de la clarté mentale, de l'entrain et de la paix intérieure. Les équipes entraînées sont celles qui fonctionnent à un degré plus élevé de synchronisation, d'efficacité et de communication cohérente.

Entraînement cœur-cerveau : état dans lequel des ondes cérébrales à très basse fréquence et des rythmes cardiaques sont verrouillés en phase, c'est-à-dire entraînés. Ce phénomène a été associé à des changements importants de perception et à une augmentation de la conscience intuitive.

Équilibre : stabilité, équilibre, ou la distribution égale du poids de chaque côté d'un axe vertical. Ce terme sert également à désigner la stabilité mentale ou émotionnelle.

Facteur natriurétique auriculaire (FNA, ou peptide auriculaire) : le FNA est une hormone qui régule la pression sanguine, la rétention des liquides dans le corps et l'homéostasie électrolytique. On la surnomme «l'hormone de l'équilibre». Elle affecte les vaisseaux sanguins, les reins, les surrénales et plusieurs autres zones régulatrices du cerveau.

FREEZE-FRAME : outil essentiel qui consiste à dégager consciemment ses réactions mentales et émotionnelles à des événements extérieurs ou intérieurs, puis à faire passer le centre d'attention du mental et des émotions à la région physique qui entoure le cœur, tout en se focalisant sur une émotion positive comme l'amour ou la reconnaissance. Cet outil est conçu pour empêcher et libérer le stress (en arrêtant des réactions non efficaces dans l'instant) et fournir ensuite l'occasion d'une nouvelle perspective intuitive. Le FREEZE-FRAME s'applique à la pensée créative, à l'innovation et à la planification, de même qu'à l'amélioration de la santé et du bien-être en général.

Fréquence : nombre de fois qu'une action, une circonstance ou un événement se répète au cours d'une période donnée. En physique, la fréquence est le nombre d'oscillations périodiques, de vibrations ou d'ondes par unité de temps, habituellement exprimée en cycles par seconde. L'intelligence humaine fonctionne sur une large bande de fréquences.

Gestion émotionnelle : degré d'habileté que l'on a de contrôler ses réactions émotionnelles.

HEART LOCK-IN : technique essentielle utilisée pour calmer l'esprit et maintenir un lien solide avec le cœur *en s'arrimant* à la force de celui-ci. Le HEART LOCK-IN ajoute de l'énergie régénératrice à tout l'organisme.

Incohérence organisationnelle : état résultant d'une accumulation de tumulte intérieur, de trouble, de pression et de conflits chez les individus qui font partie de l'organisation. Cet état est caractérisé par une distorsion de la perception, par un haut niveau de réactivité émotionnelle, et par une diminution de l'efficacité, de la coopération et de la productivité.

Inhibition corticale : désynchronisation ou réduction de l'activité corticale, qui serait le résultat d'un rythme cardiaque erratique et des signaux neuronaux résultants, transmis du cœur au cerveau durant le stress ou un état émotionnel négatif. Cette condition peut se manifester par une capacité de prise de décision moins efficace, menant à des décisions médiocres ou peu judicieuses, à une communication inefficace ou impulsive, et à une réduction de la coordination physique.

Intelligence du cœur : expression désignant l'idée selon laquelle le cœur est un système intelligent, capable d'amener les systèmes émotionnels et mentaux en équilibre et en cohérence.

Intelligence intuitive : type d'intelligence distinct des processus cognitifs, qui dérive de l'utilisation et de l'application constantes de sa propre intuition. La recherche démontre que la capacité humaine de répondre aux défis de la vie avec aisance et élégance n'est pas basée uniquement sur la connaissance, la logique ou le raisonnement ; elle comprend aussi l'aptitude à prendre des décisions intuitives. La recherche de HeartMath suggère que, avec de la formation et de la pratique, les êtres humains peuvent développer un niveau élevé d'intelligence intuitive opérationnelle.

Intuition : intelligence et compréhension qui dépassent les processus cognitifs logiques et linéaires; faculté de connaissance directe, comme par instinct, sans raisonnement conscient. L'intuition est une connaissance pure, non enseignée et déductive, associée à une révélation intérieure intense et rapide.

Jugements : attitudes et opinions négatives, fortement soutenues, souvent basées sur de l'information incomplète et préjudiciable.

Neurone : toute cellule qui compose le système nerveux, consistant en une cellule à noyau avec au moins une dendrite et un seul axone. Les neurones sont les unités structurelles et fonctionnelles fondamentales du tissu nerveux.

Neutre : en physique, le fait d'avoir une charge électrique nette de zéro; en machinerie, une position dans laquelle un ensemble de roues dentées est débrayé. Chez les êtres humains, passer au neutre veut dire débrayer consciemment de nos réactions mentales et émotionnelles automatiques à l'égard d'une situation ou d'un problème, afin d'acquérir une perspective plus large.

Outils performants du cœur : sentiments fondamentaux du cœur qui peuvent être appliqués à l'activation de l'intelligence du cœur, à l'élimination des déficits énergétiques et à l'augmentation des actifs énergétiques.

Parasympathique : branche du système nerveux autonome qui ralentit ou relaxe les fonctions corporelles. Cette partie du système nerveux est analogue aux freins d'une voiture. Plusieurs maladies et troubles connus sont associés à une diminution de la fonction parasympathique.

Perception : acte ou faculté d'appréhender au moyen des sens; façon dont un individu considère une situation ou un événement. Notre perception d'un événement ou d'un problème sous-tend notre réaction à cet événement ou à ce problème. Notre niveau de conscience détermine à la fois notre perception initiale d'un événement et notre capacité d'extraire de la signification des données disponibles. La recherche démontre que, lorsque la logique et l'intellect du mental sont harmonieusement intégrés à l'intelligence intuitive du cœur, notre perception des situations change souvent d'une façon importante, offrant des perspectives plus larges et des possibilités nouvelles.

Plexus solaire : le grand réseau de nerfs situé dans la région du ventre, juste sous le sternum; appelé ainsi à cause des schémas rayonnants de ses fibres nerveuses. Ce réseau neuronal est distribué à travers toute la paroi de l'œsophage, de l'estomac, de l'intestin grêle et du côlon, et est souvent appelé «système nerveux entérique» ou «cerveau du ventre».

Reconnaissance : État émotionnel actif dans lequel une personne a une perception claire de la qualité ou de l'ampleur de ce dont elle est reconnaissante. La reconnaissance suscite une amélioration de l'équilibre physiologique, au niveau des fonctions cardiovasculaires et du système immunitaire.

Sentiments fondamentaux du cœur: qualités psychologiques communément associées au cœur. Ces qualités représentent certaines des valeurs et caractéristiques humaines les plus bénéfiques et les plus productives. Parmi les nombreux sentiments fondamentaux du cœur, mentionnons l'amour, la compassion, le non-jugement, le courage, la patience, le pardon, la reconnaissance et la sollicitude.

Signal électromagnétique : en physique, onde propagée dans l'espace ou la matière par le champ électrique et magnétique oscillant que génère une charge électrique oscillante. Dans le corps humain, le cœur est la source la plus puissante d'énergie électromagnétique.

Sollicitude: attitude intérieure ou sentiment de service sincère, sans programme ni attachement au résultat. La sollicitude sincère est régénératrice à la fois pour le donneur et le receveur.

Souci : résultat de la sollicitude portée à l'extrême, qui va jusqu'à l'anxiété et à l'inquiétude. Le souci est l'un des plus grands inhibiteurs de la résistance personnelle et organisationnelle. Il est devenu si naturel que souvent les gens ne savent pas qu'ils en sont affectés, parce qu'il se présente sous forme de sollicitude. Lorsqu'un individu apprend à identifier et à colmater les fuites causées par le souci dans son propre système personnel, il cesse d'épuiser son énergie et son efficacité, sur les plans personnel et organisationnel.

Stress : la pression, l'effort ou un sentiment de trouble intérieur résultant de nos perceptions et réactions à des événements ou états. Un état d'excitation émotionnelle négative, habituellement associé à des sentiments d'inconfort ou d'anxiété que nous attribuons à notre condition ou situation.

Sympathique: branche du système nerveux autonome qui accélère les fonctions corporelles, nous préparant à la mobilisation et à l'action. La réaction de lutte ou de fuite en situation de stress active le système nerveux sympathique et provoque la contraction des vaisseaux sanguins, en même temps qu'une élévation du rythme cardiaque et de nombreuses autres réactions corporelles. Cette partie du système nerveux est analogue à l'accélérateur d'une voiture.

Système cardiovasculaire : système du corps humain comprenant le cœur et les vaisseaux sanguins.

Système hormonal : composé des nombreuses hormones qui agissent et interagissent dans tout le corps afin de réguler de nombreuses fonctions métaboliques, et des cellules, organes et tissus qui les fabriquent. (Une hormone est une substance produite par des cellules vivantes, qui circule dans les liquides corporels et produit un effet spécifique sur l'activité de cellules éloignées de son point d'origine.)

Système immunitaire : système corporel intégré d'organes, de tissus, de cellules et de produits cellulaires, comme les anticorps, qui différencie le «soi» du «non-soi» dans notre corps et neutralise les organismes ou substances potentiellement pathogènes qui causent les maladies. Le «système immunitaire» organisationnel est fondé sur les valeurs fondamentales qui améliorent la satisfaction et le bien-être personnels, éliminant les virus émotionnels qui peuvent détruire l'efficacité et la cohérence de l'organisation.

Système limbique : groupe de structures cérébrales corticales et sous-corticales engagées dans le traitement des émotions et certains aspects de la mémoire. Ces structures comprennent l'hypothalamus, le thalamus, l'hippocampe et l'amygdale cérébelleuse, entre autres.

Système nerveux : système de cellules, de tissus et d'organes qui coordonne et régule les réponses du corps aux stimuli intérieurs et extérieurs. Chez les vertébrés, le système nerveux est composé du cerveau et de l'épine dorsale, des nerfs, des ganglions et des centres nerveux des organes récepteurs et effecteurs.

Système nerveux autonome : la partie du système nerveux qui régule la plupart des fonctions involontaires du corps, y compris le rythme cardiaque moyen, les mouvements de l'appareil digestif et les sécrétions de nombreuses glandes. Composé de deux branches (le sympathique et le parasympathique), le système nerveux autonome régule plus de 90 % des fonctions du corps. Le cœur, le cerveau et les systèmes immunitaire, hormonal, respiratoire et digestif sont tous reliés par ce réseau de nerfs.

Tête : désigne généralement le cerveau et le mental, cette partie de notre intelligence qui fonctionne d'une manière linéaire et logique. Les fonctions primordiales de la tête sont l'analyse, la mémorisation, la compartimentation, la comparaison et le tri de messages en provenance de nos sens et de nos expériences passées, qu'elle transforme ensuite en perceptions, en pensées et en émotions.

Théorie quantique : théorie mathématique qui décrit le comportement de systèmes physiques, particulièrement utile dans l'étude des caractéristiques énergétiques de la matière au niveau subatomique. L'un des principes clés de la théorie quantique est que nous ne faisons pas qu'*observer* la réalité, mais *participons* à la façon dont nous *créons* notre réalité.

Variation de la fréquence cardiaque (VFC) : changements normaux du rythme cardiaque d'un battement à un autre. L'analyse de la VFC est un outil important dans l'évaluation du fonctionnement et l'équilibration du système nerveux autonomique. La VFC est considérée comme un indicateur clé du vieillissement, de la santé cardiaque et du bien-être général.

Références

CHAPITRE I

1. DOSSEY, L. *Space, Time & Medicine.* Boston : Shambhala, p. 11, 1985. (En français : *L'espace, le temps et la santé*, Montréal, Québec-Amérique, 1990.)
2. SAINT-EXUPÉRY, A. de. *The Little Prince.* San Diego, Harcourt Brace Jovanovich, citation p. 70, 1943. (*Le Petit Prince*, Paris, Gallimard, 1943.)
2a. CARR, S. The Heart as Monarch, *The Prime Meridian,* Hiver, p. 1-13, 1996.
3. SCHIEFELBEIN, S. The powerful river, in POOLE, R. eds. The Incredible Machine, Washington, D.C., *The National Geographic Society,* 1986.
4. ARMOUR, J. and J. ARDELL. eds. *Neurocardiology,* New York, Oxford University Press, 1984.
5. LEDOUX, J. *The Emotional Brain : The Mysterious Underpinnings of Emotional Life,* New York, Simon et Shuster, 1996.
6. LACEY, J. and B. LACEY. Some autonomic-central nervous system interrelationships, in, P. BLACK. *Physiological Correlates of Emotion,* New York, Academic Press, p. 205-227, 1970.
7. FRYSINGER, R. C. and R. M. HARPER.Cardiac and respiratory correlations with unit discharge in epileptic human temporal lobe, *Epilepsia,* 31(2), 162171, 1990.
8. SCHANDRY, R. *et al.* From the heart to the brain : a study of heartbeat contingent scalp potentials, *International Journal of Neuroscience,* 1986.
9. McCRATY, R. *et al.* Head-heart entrainment : A preliminary survey, in *Proceedings of the Brain-Mind Applied Neurophysiology EEG Neurofeedback Meeting.* Key West, 1996.
10. ROSENFELD, S.A. *Conversations Between Heart and Brain,* Rockville, MD, National Institute of Mental Health, 1977.
11. GOLEMAN, D. *Emotional Intelligence,* New York, Bantam Books, 1995. (En français : *L'intelligence émotionnelle*, Paris, Robert Laffont, 1997.)
12. GARDNER, H. *Frames of Mind,* New York, Basic Books, 1985.
13. MAYER, J. and P. SALVOLEY. Emotional intelligence, *Applied and Preventive Psychology,* 1995.

14. BAR-ON, R. The era of the EQ : Defining and assessing emotional intelligence, Presented at the 104th Annual Convention of the American Psychological Association, Toronto, 1996.
15. McCRATY, R. *et al.* The effects of emotions on short-term heart rate variability using power spectrum analysis. *American Journal of Cardiology,* 1995.
16. McCRATY, R. *et al.* New electrophysiological correlates associated with intentional heart focus, *Subtle energies,* 1995.
17. TILLER, W. *et al.* Cardiac coherence : A new non-invasive measure of autonomic system order, *Alternative Therapies in Health and Medicine,* 1996.
18. McCRATY, R. *et al.* The impact of a new emotional self-management program on stress, emotions, heart rate variability, DHEA, and cortisol. *Integrative Physiological and Behavioral Science,* 1998.
19. REIN, G. *et al.* The physiological and psychological effects of compassion and anger, *Journal of Advancement in Medicine,* 1995.
20. MEDALIE, J.H. and U. GOLDBOURT. Angina pectoris among 10 000 men. II. Phsychosocial and other risk factors as evidence by a multivariate analysis of a five-year incidence study, *American Journal of Medicine,* 1976.
21. MEDALIE, J.H. *et al.* The importance of biopsychosocial factors in the development of duodenal ulcer in a cohort of middle-aged men. *American Journal of Epidemiology,* 1992.
22. HOUSE, J.S. *et al.* The association of social relationships and activities with mortality : prospective evidence from the Tecumseh Community Health Study, *American Journal of Epidemiology,* 1982.
23. RUSSEK, L. and G.E. SCHWARTZ. Perceptions of parental love and caring predict health status in midlife : A 35-year follow-up of the Harvard mastery of stress study, *Psychosomatic Medicine,* 1997.
24. ORNISH, D. *Love and Survival : The Scientific Basis of the Healing Power of Intimacy.* HarperCollins, 1998.
25. BARRIOS-CHOPLIN, B. *et al.* A new approach to reducing stress and improving physical and emotional well being at work. *Stress Medicine,* 1997.
26. McCRATY, R. and A. WATKINS. *Autonomic Assessment Report Interpretation Guide.* Boulder Creek, CA, Institute of HeartMath, 1996.
27. McCRATY, R. *et al.* HeartMath : A New Biobehavioral Intervention for Increasing Health and Personal Effectiveness – Increasing Coherence in the Human System, Amsterdam, Harwood Academic Publishers, 1999.

CHAPITRE 2

1. LEDOUX, J. *The Emotional Brain : The mysterious Underpinnings of Emotional Life.* New York, Simon & Shuster, 1996.
2. ATKINSON, M. *Personal and Organizational Quality Survey Progress Report for Cal*PERS, Boulder Creek, CA, HeartMath Research Center, 1998.
3. McCRATY, R. *et al. HeartMath : A New Biobehavioral Intervention for Increasing Health and Personal Effectiveness – Increasing Coherence in the Human System,* Amsterdam : Harwood Academic Publishers, 1999.

4. ARMOUR, J. and J. ARDELL. *Neurocardiology.* New York, Oxford University Press, 1994.
5. ARMOUR, J. Anatomy and function of the intrathoracic neurons regulating the mammalian heart, in, ZUCKER, I. and J. GILMORE. *Reflex Control of the Circulation.* Boca Raton, FL, CRC Press, 1991.
6. ARMOUR, J.Neurocardiology : anatomical and Functional Principles, in McCRATY, R. *et al.* HeartMath : *A New Biobehavioral Intervention for Increasing Health and Personal Effectiveness – Increasing Coherence in the Human System,* Amsterdam, Harwood Academic Publishers, 1999.
7. LACEY, J. and B. LACEY. Some autonomic – central nervous system interrelationships, in BLACK, P. *Physiological Correlates of Emotion,* New York, Academic Press, 1970.
8. KORIATH, J. and E. LINDHOLM. Cardiac-related cortical inhibition during a fixed foreperiod reaction time task, *International Journal of Psychophysiology,* 1986.
9. SCHANDRY, R. and P. MONTOYA. Event-related brain potentials and the processing of cardiac activity, *Biological Psychology,* 1996.
10. FRYSINGER, R.C. and R.M. HARPER. Cardiac and respiratory correlations with unit discharge in epileptic human temporal lobe, *Epilepsia,* 1990.
11. TURPIN, G. Cardiac-respiratory integration : Implications for the analysis and interpretation of phasic cardiac responses, in GROSSMAN, P. *et al.* *Cardiorespiratory and cardiosomatic psychophysiology,* New York, Plenum Press, 1985.
12. CANTIN, M. and J. GENEST. The heart as an endocrine gland, *Scientific American,* 1986, 254(2), 76-81.
13. KELLNER, M. WIEDEMANN K. and HOLSBOER, F. Atrial natriuretic factor inhibits the CRH-stimulated secretion of ACTH and cortisol in man. *Life Sciences.* 1992, 50(24), 1835-1842.
14. KENTSCH, M. LAWRENZ, R. BALL, P. and others. Effects of atrial natriuretic factor on anterior pituitary hormone secretion in normal man. *Clinical Investigator,* 1992, 70, 549-555.
15. VOLLMAR, A. LANG, R. HÄNZE, J. and others. A possible linkage of atrial natriuretic peptide to the immune system. *American Journal of Hypertension,* 1990, 3(5 pt. 1), 408-411.
16. TELEGDY, G. The action of ANP, BNP, and related peptides on motivated behavior in rats. *Reviews in the Neurosciences,* 1994, 5(4), 309-315.
17. HUANG, M. FRIEND, D. SUNDAY, M. and others. Identification of novel catecholamine-containing cells not associated with sympathetic neurons in cardiac muscle, *Circulation,* 1995, 92(8), 1-59.
18. PERT, C. *Molecules of Emotion,* New York, Scribner, 1997.
19. LANGHORST, P. SCHULTZ, G. and LAMBERTZ, M. Oscillating neuronal network of the common brainstem system. In MIYAKAWA, K. KOEPCHEN, H. and POLOSA, C. eds. *Mechanisms of Blood Pressure Waves,* Tokyo, Japan Scientific Societies Press, 1984, 257-275.

20. SONG, L. SCHWARTZ G. and RUSSEK, L. Heart-focused attention and heart-brain synchronization : Energetic and physiological mechanisms, *Alternative Therapies in Health and Medicine,* 1998, 4(5), 44-62.
21. McCRATY, R. TILLER, W.A. and ATKINSON, M. Head-heart entrainment : A preliminary survey, in : *Proceedings of the Brain-Mind Applied Neurophysiology EEG Neurofeedback Meeting,* Key West, FL, 1996.
22. McCRATY, R. ATKINSON, M. TOMASINO, D. and others. The electricity of touch : Detection and measurement of cardiac energy exchange between people, in : PRIBRAM, K. ed. *Brain and Values : Is a Biological Science of Values Possible?,* Mahwah, NJ, Laurence Erlbaum Associates, 1998, 359-379.
23. DEKKER, J.M. SCHOUTEN, E.G. KLOOTWIJK, P. and others. Heart rate variability from short electrocardiographic recordings predicts mortality from all causes in middle-aged and elderly men, The Zutphen Study, *American Journal of Epidemiology,* 1997, 145(10), 899-908.
24. UMETANI, K. SINGER, D.H. McCRATY, R. and others. Twenty-four-hour time domain heart rate variability and heart rate : Relations to age and gender over nine decades. *Journal of the American College of Cardiology.* 1998, 31(3), 593-601.
25. McCRATY, R. ATKINSON, M. TILLER, W.A. and others. The effects of emotions on short-term heart rate variability using power spectrum analysis. *American Journal of Cardiology,* 1995, 76, 1089-1093.
26. TILLER, W. McCRATY, R. and ATKINSON, M. Cardiac coherence : A new non-invasive measure of autonomic nervous system order. *Alternative Therapies in Health and Medicine,* 1996, 2(1), 52-65.
27. American Heart Association, 1998 Heart and Stroke Statistical Update, Dallas, TX, American Heart Association, 1997.
28. REIN, G. ATKINSON, M. and McCRATY, R. The physiological and psychological effects of compassion and anger, *Journal of Advancement in Medicine,* 1995, 8(2), 87-105.
29. McCRATY, R. ATKINSON, M. REIN, G. and others. Music enhances the effect of positive emotional states on salivary IgA. *Stress Medicine,* 1996, 12, 167-75.
30. McCRATY, R. BARRIOS-CHOPLIN, B. ROZMAN, D. and others. The impact of a new emotional self-management program on stress, emotions, heart rate variability, DHEA, and cortisol. *Integrative Physiological and Behavioral Science,* 1998, 33(2), 151-170.
31. STROGATZ, S.H. and STEWART, I. Coupled oscillators and biological synchronization, *Scientific American,* 1993, 269(6), 102-109.
32. George quoted in : MARQUIS, J. Our emotions : Why we feel the way we do; New advances are opening our subjective inner worlds to objective study. Discoveries are upsetting longheld notions, *Los Angeles Times,* Oct. 14, 1996, home ed. A-1.

CHAPITRE 3

1. CHILDRE, D. and CRYER, B. *From Chaos to Coherence : Advancing Emotional and Organizational Intelligence Through Inner Quality Management,* Boston, Butterworth-Heinnemann, 1998.
2. McCRATY, R. TILLER, W.A. and ATKINSON, M. Head-heart entrainment : A preliminary survey. In : *Proceedings of the Brain-Mind Applied Neurophysiology EEG Neurofeedback Meeting,* Key West, FL, 1996.
3. COOPER, C. *Handbook of Stress, Medicine, and Health,* Boca Raton, FL, CRC Press, 1996.
4. HAFEN, B. FRANDSEN, K. KARREN K. and others. *The Health Effects of Attitudes, Emotions, and Relationships.* Provo, UT, EMS Associates, 1992.
5. STERLING, P. and EYER, J. Biological basis of stress-related mortality. *Social Science and Medicine,* 1981, 15E, 3-42.
6. ROSCH, P. Job stress : America's leading adult health problem, *USA Today,* May 1991, pp. 42-44.
7. WAYNE, D. Reactions to stress. In : *Identifying Stress,* a series offered by the Health-Net & Stress Management Web site, Feb. 1998.
8. ROSENMAN, R. The independent roles of diet and serum lipids in the 20th century rise and decline of coronary heart disease mortality, *Integrative Physiological and Behavioral Science,* 1993, 28(1) : 84-98.
9. ESYENCK, H.J. Personality, stress, and cancer : prediction and prophylaxis, *British Journal of Medical Psychology,* 1988, 61(Pt 1), 57-75.
10. MITTLEMAN, M. A. MACLURE, M. SHERWOOD, J.B. and others. Triggering of acute myocardial infarction onset by episodes of anger, *Circulation,* 1995, 92(7), 1720-1725.
11. KUBZANSKY, L.D. KAWACHI, I. SPIRO, A. III and others. Is worrying bad for your heart ? A prospective study of worry and coronary heart disease in the Normative Aging Study, *Circulation,* 1997, 95(4) : 818-824.
12. DIXON, J. DIXON, J. and SPINNER, J. Tensions between career and interpersonal commitments as a risk factor for cardiovascular disease among women. *Women and Health,* 1991, 17 : 33-57.
13. PENNINX, B.W. VAN TILBURG, T. KRIEGSMAN, D.M. and others. Effects of social support and personal coping resources on mortality in older age : "The Longitudinal Aging Study Amsterdam", *American Journal of Epidemiology,* 1997 ; 146(6), 510-519.
14. ALLISON, T.G. WILLIAMS, D.E. MILLER, T.D. and others. Medical and economic costs of psychologic distress in patients with coronary artery disease, *Mayo Clinic Proceedings,* 1995, 70(8), 734-742.
15. GULLETTE, E. BLUMENTHAL, J. BABYAK, M. and others. Effects of mental stress on myocardial ischemia during daily life, *Journal of the American Medical Association,* 1997, 277, 1521-1526.

16. MITTLEMAN, M. and MACLURE, M. Mental stress during daily life triggers myocardial ischemia [editorial; comment], *Journal of the American Medical Association,* 1997,277,1558-1559, quote p. 1558.
17. HIEMKE, C. Circadian variations in antigen-specific proliferation of human T lymphocytes and correlation to cortisol production. *Psychoneuroendocrinology,* 1994, 20, 335-342.
18. DEFEO, P. Contribution of cortisol to glucose counterregulation in humans, *American Journal of Physiology,* 1989, 257, E35-E42.
19. MANOLAGAS, S.C. Adrenal steroids and the development of osteoporosis in the oophorectomized women, *Lancet,* 1979, 2, 597.
20. BEME, R. Physiology (3rd ed.). St. Louis, Mosby, 1993.
21. MARIN, P. Cortisol secretion in relation to body fat distribution in obese premenopausal women, *Metabolism,* 1992, 41, 882-886.
22. KERR, D.S. CAMPBELL, L.W. APPLEGATE, M.D. and others. Chronic stress-induced acceleration of electrophysiologic and morphometric biomarkers of hippocampal aging. *Society of Neuroscience,* 1991, 11(5), 1316-1317.
23. SAPOLSKY, R. *Stress, the Aging Brain, and the Mechanisms of Neuron Death,* Cambridge, MA, MIT Press, 1992.
24. NIXON, P. and KING, J. Ischemic heart disease : Homeostasis and the heart. In : Watkins, A. *Mind-Body Medicine : A Clinician's Guide to Psychoneuroimmunology.* New York, Churchill Livingstone, 1997, 41-73.
25. TEMOSHOK, L. and DREHER, H. The Type C Connection : *The Behavioral Links to Cancer and Your Health,* New York, Random House, 1992.
26. CARROLL, D. SMITH, G. WILLEMSEM, G. and others. Blood pressure reactions to the cold pressor test and the prediction of ischemic heart disease : Data from the Caerphilly Study, *Journal of Epidemiology and Community Health,* Sept. 1998, 528.
27. SIEGMAN, A.W. TOWNSEND, S.T. BLUMENTHAL, R.S. and others. Dimensions of anger and CHD in men and women : Self-ratings versus spouse ratings, *Journal of Behavioral Medicine,* 1998, 21(4), 315-336.
28. VEST, J. and COHEN, W. Road rage, *U.S. News & World Report,* May 25, 1997, 22-30.
29. PEARSALL, P. *The Heart's Code,* New York, Broadway Books, 1998.
30. WILLIAMS, R. *Anger Kills,* New York, Times Books, 1993.
31. TILLER, W. McCRATY, R. and ATKINSON, M.Cardiac coherence : A new non-invasive measure of autonomic system order, *Alternative Therapies in Health and Medicine,* 1996, 2(1), 52-65.
32. McCRATY, R. ATKINSON, M. and TILLER, W.A. New electrophysiological correlates associated with intentional heart focus, *Subtle Energies,* 1995, 4(3), 251-268.
33. BURROWS, G. Stress in the professional. In : *Seventh International Congress on Stress,* Montreux, Switzerland, The American Institute of Stress, 1995.

CHAPITRE 4

1. THOMSON, B. Change of heart, *Natural Health*, Sept./Oct. 1997, 98-103.
2. CHILDRE, D. FREEZE-FRAME® : *A Scientifically Proven Technique for Clear Decision Making and Improved Health*, Boulder Creek, CA, Planetary Publications, 1998.
3. McCRATY, R. ATKINSON, M. TILLER, W.A. and others. The effects of emotions on short-term heart rate variability using power spectrum analysis. *American Journal of Cardiology*, 1995, 76, 1089-1093.
4. McCRATY, R. TILLER, W.A. and ATKINSON, M. Head-heart entrainment. A preliminary survey. In : *Proceedings of the Brain-Mind Applied Neurophysiology EEG Neurofeedback Meeting*, Key West, FL, 1996.
5. McCRATY, R. ATKINSON, M. and TILLER, W.A. New electrophysiological correlates associated with intentional heart focus, *Subtle Energies*, 1995, 4(3), 251-268.
6. TILLER, W. McCRATY, R. and ATKINSON, M. Cardiac coherence : A new non-invasive measure of autonomic system order. *Alternative Therapies in Health and Medicine*, 1996, 2(1), 52-65.
7. McCRATY, R. ATKINSON, M. REIN, G. and others. Music enhances the effect of positive emotional states on salivary IgA, *Stress Medicine*, 1996, 12, 167-175.
8. REIN, G. ATKINSON, M. and McCRATY, R. The physiological and psychological effects of compassion and anger, *Journal of Advancement in Medicine*, 1995, 8(2), 87-105.
9. RASCHKE, F. The hierarchical order of cardiovascular-respiratory coupling, In : GROSSMAN, P. JANSSEN, K.H.L. and VAITL, D. eds. *Cardiorespiratory and cardiosomatic psychophysiology*, New York, Plenum Press, 1985, 207-217.

CHAPITRE 5

1. STERLING, P. and EYER, J. Biological basis of stress-related mortality, *Social Science and Medicine*, 1981, 15E, 3-42.
2. KIECOLT-GLASER, J.K. STEPHENS, R.E. LIPETZ, P.D. and others. Distress and DNA repair in human lymphocytes, *Journal of Behavioral Medicine*, 1985, 8(4), 311-320.
3. SAPOLSKY, R. *Stress, the Aging Brain, and the Mechanisms of Neuron Death*, Cambridge, MA, MIT Press, 1992.
4. TILLER, W. McCRATY, R. and ATKINSON, M. Cardiac coherence : A new non-invasive measure of autonomic system order, *Alternative Therapies in Health and Medicine*, 1996, 2(1), 52-65.
5. ATKINSON, M. *Personal and Organizational Quality Survey Progress Report for CalPERS*, Boulder Creek, CA, HeartMath Research Center, 1998.

6. ATKINSON, M. *Personal and Organizational Quality Survey Progress Report for Department of Justice, Workers Compensation Study*, Boulder Creek, CA, HeartMath Research Center, 1997.
7. ATKINSON, M. *Personal and Organizational Quality Survey Progress Report for Internal Revenue Service*, Boulder Creek, CA, HeartMath Research Center, 1997.
8. McCRATY, R. BARRIOS—CHOPLIN, B. ROZMAN, D. and others. The impact of a new emotional self-management program on stress, emotions, heart rate variability, DHEA, and cortisol, *Integrative Physiological and Behavioral Science*, 1998, 33(2), 151-170.
9. McCRATY, R. BARRIOS-CHOPLIN, B. ATKINSON, M. and others. The effects of different types of music on mood, tension and mental clarity, *Alternative Therapies in Health and Medicine*, 1998, 4(1), 75-84.
10. KIECOLT-GLASER, J.K. MALARKEY, W.B. CHEE, M. and others. Negative behaviour during marital conflict is associated with immunological down-regulation. *Psychosomatic Medicine*, 1993, 55(5), 395-409.
11. KIECOLT-GLASER, J.K. GLASER, R. CACIOPPO J.T. and others. Marital stress : Immunologic, neuroendocrine, and autonomic correlates, *Annals of the New York Academy of Sciences*, 1998, 840, 656-663.
12. MALARKEY, W.B. KIECOLT-GLASER, J.K. PEARL, D. and others. Hostile behaviour during marital conflict alters pituitary and adrenal hormones, *Psychosomatic Medicine*, 1994, 56(1), 41-51.
13. ROSENMAN, R.H. BRAND, R.J. JENKINS, D. and others. Coronary heart disease in Western Collaborative Group Study, Final follow-up experience of 8 years, *JAMA*, 1975, 233(8), 872-877.
14. BAREFOOT, J.C. DAHLSTROM, W.G. and WILLIAMS, R.B. Jr. Hostility CHD incidence, and total mortality : a 25-year follow-up study of 255 physicians, *Psychosomatic Medicine,* 1983, 45(1), 59-63.
15.REIN, G. ATKINSON, M. and McCRATY, R. The physiological and psychological effects of compassion and anger, *Journal of Advancement in Medicine*, 1995, 8(2), 87-105.

CHAPITRE 6

1. CATHCART, J. *The Acorn Principle*, New York, St. Martin's Press, 1998, quote p. 179.

CHAPITRE 7

1. *Stedman's Medical Dictionary,* 25th ed. Baltimore, Williams & Wilkins, 1990.
2. LEDOUX, J.E. Emotion, memory and the brain, *Scientific American,* 1994, 270(6), 50-57.
3. BENSON, H. *Timeless Healing,* New York, Scribner, 1996.
4. *The Random House College Dictionnary,* New York, Random House, 1995.

5. LeDOUX J. *The Emotional Brain : The Mysterious Underpinnings of Emotional Life,* New York, Simon & Schuster, 1996.
6. LeDOUX J.E. Emotional memory systems in the brain, *Behavioural Brain Research,* 1993, 58(1-2), 69-79.
7. OPPENHEIMER, S. and HOPKINS, D. Suprabulbar neuronal regulation of the heart, In : ARMOUR, J.A. and ARDELL, J.L. eds. *Neurocardiology,* New York, Oxford University Press, 1994, 309-341.
8. PRIBRAM, K.H. *Brain and Perception : Holonomy and Structure in Figural Processing,* Hillsdale, NJ, Laurence Erlbaum Associates, 1991.
9. PERT, C. *Molecules of Emotion,* New York, Scibner, 1997.
10. FRYSINGER, R.C. and HARPER, R.M. Cardiac and respiratory correlations with unit discharge in epileptic human temporal lobe, *Epilepsia,* 1990, 31(2), 162-171.
11. McCRATY, R. CARRIOS-CHOPLIN, B. ROZMAN, D. and others. The impact of a new emotional self-management program on stress, emotions, heart rate variability, DHEA, and cortisol, *Integrative Physiological and behavioural Science,* 1998, 33(2), 151-170.
12. McCRATY, R. ATKINSON, M. and TILLER, W.A. New electrophysiological correlates associated with intentional heart focus, *Subtle Energies,* 1995, 4(3), 251-268.
13. McCRATY, R. TILLER, W.A. and ATKINSON, M. Head-heart entrainment : A preliminary survey, In : *Proceedings of the Brain-Mind Applied Neurophysiology EEG Neurofeedback Meeting,* Key West, FL, 1996.
14. TILLER, W. McCRATY, R. and ATKINSON, M. Cardiac coherence : A new non-invasive measure of autonomic system order, *Alternative Therapies in Health and Medicine,* 1996, 2(1), 52-65.
15. LESSMEIER, T.J. GAMPERLING, D. JOHNSON-LIDDON, V. and others. Unrecognized paroxysmal supraventricular tachycardia : potential for mis-diagnosis as panic disorder, *Archives of Internal Medicine,* 1997, 157, 537-543.
16. GOLEMAN, D. Emotional Intelligence, NY, Bantam Books, 1995.

CHAPITRE 8

1. McCRATY, R. ATKINSON, M. TOMASINO, D. and others. The electricity of touch : Detection and measurement of cardiac energy exchange between people, in : PRIBRAM, K. ed. *Brain and Values : Is a Biological Science of Values Possible?* Mahwah, NJ, Laurence Erlbaum Associates, 1998, 359-379.
2. McCRATY, R. ROZMAN, D. and CHILDRE, D. eds. *HeartMath : A New Biobehavioral Intervention for Increasing Health and Personal Effectiveness – Increasing Coherence in the Human System* (working title), Amsterdam, Harwood Academic Publishers, 1999 (Fall release).
3. RUSSEK, L. and SHWARTZ, G. Interpersonal heart-brain registration and the perception of parental love : A 42-year follow-up of the Harvard Mastery of *Stress Study*, Subtle Energies, 1994, 5(3), 195-208.

4. TILLER, W. McCRATY, R. and ATKINSON, M. Cardiac coherence : A new, non-invasive measure of autonomic nervous system order, *Alternative Therapies in Health and Medicine,* 1996, 2(1), 52-65.
5. QUINN, J. Building a body of knowledge : Research on Therapeutic Touch 1974-1986, *Journal of Holistic Nursing,* 1988, 6(1), 37-45.
6. The human touch researchers at the University of Miami have drawn nation-wide attention for their studies showing the powerful benefits of massage for premature infants, fullterm babies, and children, *Ft. Lauderdale Sun-Sentinel,* 1998.
7. FIELD, T. Massage therapy for infants and children, *Journal of Developmental Behavioral Pediatrics,* 1995, 16(2), 105-111.
8. IRONSON, G. FIELD, T. SCAFIDI, F. and others. Massage therapy is associated with enhancement of the immune system's cytotoxic capacity, *International Journal of Neuroscience,* 1996, 84 (1-4), 205-217.
9. FIELD, T. IRONSON, G. SCAFIDI F. and others. Massage therapy reduces anxiety and enhances EEG pattern of alertness and math computations, *International Journal of Neuroscience,* 1996, 86(3-4) :197-205.
10. GREEN, J. and SHELLENBERGER, R. The subtle energy of love, *Subtle Energies,* 1993, 4(1), 31-55.
11. HAFEN, B. FRANDSEN, K. KARREN, K. and others. *The Health Effects of Attitudes, Emotions and Relationships,* Provo, UT, EMS Associates, 1992.
12. ORNISH, D. Love and Survival : *The Scientific Basis for the Healing Power of Intimacy,* New York, HarperCollins, 1998.
13. FRIEDMANN, E. and THOMAS, S.A. Pet ownership, social support, and one-year survival after acute myocardial infarction in the Cardiac Arrhythmia Suppression Trial (CAST), *American Journal of Cardiology,* 1995, 76(17), 1213-1217.
14. MELSON, G. PEET, S. and SPARKS, C. Children's attachment to their pets : Links to socio-emotional development, *Children's Environments Quarterly,* 1991, 8(2), 55-65.
15. McCLELLAND, D.C. and KIRSHNIT, C. The effects of motivational arousal through films on salivary immunoglobulin A, *Psychological Health,* 1988, 2, 31-52.
16. REIN, G. ATKINSON, M. and McCRATY, R. The physiological and psychological effects of compassion and anger, *Journal of Advancement in Medicine,* 1995, 8(2), 87-105.

CHAPITRE 9

1. LeDOUX, *J. The Emotional Brain : The Mysterious Underpinnings of Emotional Life,* New York, Simon & Shuster, 1996.
2. BLAKESLEE, S. Complex and hidden brain in the gut makes stomachaches and butterflies, *New York Times,* Jan. 23, 1996, quote p. C-3.

3. McCRATY, R. BARRIOS-CHOPLIN, B. ROZMAN, D. and others. The impact of a new emotional self-management program on stress, emotions, heart rate variability, DHEA, and cortisol, *Integrative Physiological and Behavioural Science,* 1998, 33(2), 151-170.
4. EBBINGHAUS, H. *Memory : A Contribution to Experimental Psychology,* New York, Dover, 1963 (repr.), 1885.
5. KANDEL, E. Genes, nerve cells, and the remembrance of things past, *Journal of Neuropsychiatry,* 1989, 1(2), 103-125.
6. SCHACTER, D. Memory and awareness, *Science,* 1998, 280(3), 59-60.
7. PERT, C. *Molecules of Emotion,* New York, Scribner, 1997.
8. Compound being tested could ease aches of aging, San Jose (CA) *Mercury News,* Sept. 3, 1995.
9. SHEALY, N.A. A review of dehydroepiandrosterone (DHEA), *Integrative Physiological and Behavioural Science,* 1995, 30(4), 308-313.
10. KERR, D.S. CAMPBELL, L.W. APPLEGATE, M.D. and others. Chronic stress-induced acceleration of electrophysiologic and morphometric biomarkers of hippocampal aging, *Society of Neuroscience,* 1991, 11(5), 1316-1317.
11. MARIN, P. Cortisol secretion in relation to body fat distribution in obese premenopausal women, *Metabolism,* 1992, 41, 882-886.
12. NAMIKI, M. Biological markers of aging, *Nippon Ronen Igakkai Zasshi,* 1994, 31, 85-95.
13. CHILDRE, D.L. *Speed of Balance : A Musical Adventure for Emotional and Mental Regeneration,* Boulder Creek, CA, Planetary Publications, 1995.
14. CHILDRE, D. L. *CUT-THRU,* Boulder Creek, CA, Planetary Publications, 1996.

CHAPITRE 10

1. PADDISON, S. *The Hidden Power of the Heart,* Boulder Creek, CA, Planetary Publications, 1992.
2. KAUFFMAN, D. Face to Face : Interview with Everett Koop, *Science & Spirit,* 1997, 9(3), 9.
3. ORNISH, D. *Love and Survival : The Scientific Basis for the Healing Power of Intimacy,* New York, HarperCollins, 1998.
4. MYERS, D. Psychology, applied spirituality, and health : Do they relate? *Science & Spirit,* 1998, 9(3), 30.
5. BENSON, H. *Timeless Healing,* New York, Scribner, 1996.
6. DOSSEY, L. *Healing Words,* San Francisco, HarperCollins, 1993, quote p. 97.
7. McCRATY, R. ATKINSON, M. REIN, G. and others. Music enhances the effect of positive emotional states on salivary IgA, *Stress Medicine,* 1996, 12, 167-175.
8. McCRATY R. BARRIOS-CHOPLIN, B. ATKINSON, M. and others. The effects of different types of music on mood, tension, and mental clarity, *Alternative Therapies in Health and Medicine,* 1998 4(1), 75-84.

9. McCRATY, R. BARRIOS-CHOPLIN, B. ROZMAN, D. and others. The impact of a new emotional self-management program on stress, emotions, heart rate variability, DHEA, and cortisol, *Integrative Physiological and Behavioral Science*, 1998, 33(2), 151-170.
10. TOMASI, T. *The Immune System of Secretions,* New Jersey, Prentice-Hall, 1976.
11. CHILDRE, D.L. *Heart Zones,* Boulder Creek, CA, Planetary Publications, 1991.

CHAPITRE 11

1. CHILDRE, D.L. *A Parenting Manual,* Boulder Creek, CA, Planetary Publications, 1995.
2. *National Survey on Communicating Family Values,* sponsored by Massachusetts Mutual Insurance Company, Dec. 1992, quote p. 4
3. Balancing work and family, *Business Week,* Sept. 16, 1996.
4. SACKS, M. Sensory overload : Many hours in the fast lane render 90's kids bored, restless, *San Jose (CA) Mercury News,* Mar. 10, 1998.
5. RESNICK, M.D. BEARMAN, P.S. BLUM, R.W. and others. Protecting adolescents from harm, Findings from the National Longitudinal Study on Adolescent Health, *Journal of the American Medical Association,* 1997, 278(10), 823-832.
6. RUSSEK, L. and SHWARTZ, G.E., Perceptions of parental love and caring predict health status in midlife : A 35-year follow-up of the Harvard mastery of stress study, *Psychosomatic Medicine,* 1997, 59(2), 144-149.
7. BROWNLEE, S. Invincible kids, *U.S. News & World Report,* Nov. 11, 1996.
8. BEIDEL, D.C. and TURNER, S.M. At risk for anxiety : I. Psychopathology, in the offspring of anxious parents, *Journal of the American Academy of Child and Adolescent Psychiatry,* 1997, 36(7), 918, 924.
9. CHILDRE, D. *Teaching Children to love,* Boulder Creek, CA, Planetary Publications,1996.

CHAPITRE 12

1. Taking the stress out of being stressed out, *Business Week Health Wire,* Mar. 20, 1997.
2. RUCCI, A.J. KIRN, S.P. and QUINN, R.T. The employee-customer-profit chain at Sears, *Harvard Business Review,* 1998, Jan/Feb, 82.
3. CHILDRE, D. and CRYER, B. *From Chaos to Coherence : Advancing Emotional and Organizational Intelligence Through Inner Quality Management,* Boston, Butterworth-Heinnemann, 1998, quote p. 4.
4. BARRIOS-CHOPLIN, B. McCRATY, R. and CRYTER, B.A. A new approach to reducing stress and improving physical and emotional well being at work, *Stress Medicine, 1997, 13, 193-201.*
5. ARNSTERN, A. The biology of being frazlled, *Science,* 1998, 280(5370), 1711-1712.

CHAPITRE 13

1. BOHM , D. and HILEY, B.J. *The Undivided Universe,* London, Routledge, 1993, quote p.382.
2. McCRATY, R. ROZMAN, D. and CHILDRE, D. eds, *HeartMath : A New Biobehavioral Intervention for Increasing Health and Personal Effectiveness, - Increasing Coherence in the Human System* (working title), Amsterdam, Harwood Academic Publishers, 1999 (Fall release).
3. SHELDRAKE, R.A. *A New Science of Life,* Los Angeles, Tarcher, 1981.
4. PENROSE, R. *Shadows of the Mind : A Search for the Missing Science of Consciousness,* Oxford, Oxford University Press 1994.
5. HAMEROFF, S.R. "More neural than thou" : Reply to Patricia Churland's "Brainshy", In, HAMEROF, S. KASZNIAK, A. and SCOTT, A.C. eds, *Toward a Science of Consiousness III,* Cambridge, MA, MIT Press, 1998.
6. GOUGH, W.C. and SHACKLETT, R.L. The science of connectiveness, Part III, the human experience, *Subtle Energies,* 1993, 4(3), 187-214.
7. TILLER, W.A. *Science and Human Transformation,* Walnut Creek, CA, Pavior Publishing, 1997.

Pour en savoir davantage sur l'expérience HeartMath

Allez sur *http://www.heartmathsolution.com* pour être au courant des événements HeartMath qui ont lieu dans votre région, pour communiquer avec les auteurs ou pour en apprendre davantage sur l'expérience HeartMath.

Retraites, séminaires et programmes de formation

Les programmes de formation HeartMath sont précisément conçus pour fournir des outils et des techniques qui augmentent la productivité en améliorant la satisfaction au travail, la clarté des objectifs et la santé. Ces outils et techniques — conçus pour un usage pratique dans des situations caractérisées par une surcharge d'information, par une pression due au manque de temps et par le stress — réduisent la tension, combattent le burn-out et améliorent les symptômes physiques du stress et des humeurs négatives.

HeartMath fournit des retraites, des séminaires et des programmes hors site destinés à aider les individus et les organisations à découvrir et à soutenir l'usage de la solution HeartMath. Inner Quality Management (IQM), le programme organisationnel vedette, a une conception modulaire qui peut être adaptée aux objectifs commerciaux précis d'une organisation.

Pour plus d'informations sur les formations et séminaires, appelez le 1-800-450-9111 ou écrivez à l'adresse suivante :

HeartMath
14700 West Park Avenue
Boulder Creek, CA 95006 U.S.A.

Vous pouvez également visiter notre site Web : *http://www.heartmath.com*

Livres, cassettes et programmes d'apprentissage

La solution HeartMath, développée par Doc Childre, fournit des outils et techniques simples et éprouvés, destinés à aider les gens à gérer leurs réactions mentales et émotionnelles aux événements de la vie au moyen de l'intelligence naturelle et sensée de leur cœur. Explorez davantage la solution HeartMath au moyen de livres, de musique, de cassettes audio et de programmes d'apprentissage.

Les produits HeartMath peuvent être utilisés par des individus, des petits groupes ou des organisations, afin d'apprendre et de maintenir les aptitudes nécessaires pour fonctionner à un niveau plus élevé de qualité personnelle et organisationnelle.

Pour obtenir un catalogue gratuit de notre gamme complète de produits HeartMath ou pour vous informer des remises sur la quantité, composez le 1-800-372-3100 ou écrivez à l'adresse suivante :

Planetary Publications
P.O. Box 66
Boulder Creek, CA 95006
U.S.A.

Vous pouvez également visiter notre site Web
(http://www.planetarypub.com)
ou nous joindre en ligne à l'adresse info@planetarypub.com

Autres ouvrages de Doc Childre :

From Chaos to Coherence : *Advancing Emotional and Organisational Intelligence through Inner Quality Management*

Freeze-Frame : *One Minute Stress Management*

Teaching Children to Love : *80 Games & Fun Activities for Raising Balanced Children in Unbalanced Times*

A Parenting Manual : *Heart Hope for the Family*

Teen Self Discovery : *Helping Teens Find Balance, Security & Esteem*

Self Empowerment : *The Heart Approach to Stress Management*

HeartMath Discovery Program : *Daily Readings and Self-Discovery Exercises for Creating a More Rewarding Life*

Soutenez l'expérience HeartMath

L'Institute of HeartMath (IHM) est un organisme de recherche sans but lucratif qui est en train de révolutionner notre compréhension de l'intelligence humaine et du rôle du cœur. Des études scientifiques menées par l'IHM et montrant comment le cœur affecte la perception, le traitement de l'information et l'équilibre du système hormonal et immunitaire ont été publiées dans des revues médicales de première importance, notamment American Journal of Cardiology, Stress Medicine et Journal of Advancement in Medicine.

De plus, l'IHM est en train de construire une clinique de mieux-être, mène des campagnes de collecte de fonds pour soutenir sa recherche, et administre le programme HeartMath Hub, un réseau de petits groupes d'étude destiné à développer l'intelligence du cœur.

L'Institute of HeartMath possède de l'information sur les sujets suivants :

- la création d'un groupe Hub dans votre région ou la participation à un groupe existant;
- la contribution à une campagne de collecte de fonds;
- les recherches de l'IHM et les études de cas;
- la participation à des programmes de bénévolat.

Si vous êtes intéressé à recevoir de l'information sur l'un de ces sujets,

appelez le 831-338-8500,

envoyez-nous un courriel à info@heartmath.org

ou écrivez à l'adresse suivante :

Institute of HeartMath
P.O. Box 1463
Boulder Creek, CA 95006

Vous pouvez également visiter notre site Web :
http://www.heartmath.org

Personnes-ressources reconnues par l'Institute of HeartMath

Québec

Denise Chouinard Inf., M.Ed.
L'Institut de Psychophysiologie Appliquée,
425, boul. Curé-Poirier Ouest, Longueuil (Québec)
J4J2H3

Tél. : (450) 651-0552

France

PI Conseil
44/46, avenue de Flandre
59700 Marcq-en-Barœul
France

Tél. : (33) (0) 3-20-89-05-78

Adresse électronique : mdeglon@pi-conseil.fr
Site Web : http://www.pi-conseil.fr

Quelques livres d'éveil publiés par
Ariane Éditions

Le cercle de grâce
L'univers informé
Sagesse africaine
Guérir de la détresse émotionnelle
L'ame de l'argent
Cercles de Paroles
Entrer dans le Jardin Sacré
Jeu de cartes — L'Oracle de la Nouvelle Conscience
Un nouveau don de Lumière
Le Dieu de demain
Le pouvoir de créer
Vivre dans le cœur
Le code de dieu
Votre Quête Sacrée
La délivrance par le soleil
Révélations d'Arcturus
Communion avec Dieu
Le pouvoir du moment présent
Mettre en pratique le pouvoir du moment présent
Le futur est maintenant
Perles de sagesse du peuple animal
Transparence
Aimer ce qui est
Contrats sacrés
Aimer et prendre soin des enfants indigo
L'amour sans fin
Le retour